D1506868

COLLECTION

**PRESSES**

**ACGPS**
Association canadienne pour la gestion
de la production et des stocks / Montréal

**HEC**
École des Hautes Études Commerciales de Montréal

# DICTIONNAIRE DE LA GESTION DE LA PRODUCTION ET DES STOCKS

# DICTIONARY OF PRODUCTION AND INVENTORY MANAGEMENT

ÉDITIONS QUÉBEC/AMÉRIQUE • PRESSES HEC

**DONNÉES DE CATALOGAGE AVANT PUBLICATION (CANADA)**

Vedette principale au titre :

Dictionnaire de la gestion de la production et des stocks

Comprend des références bibliographiques et un index.

ISBN 2-89037-619-2

1. Production – Gestion – Dictionnaires.
2. Gestion des stocks – Dictionnaires.
I. Villers, Marie-Éva de, 1945-
II. Association canadienne pour la gestion de la production et des stocks.

TS155.D52  1993          658.5'003          C93-097113-2

Cet ouvrage est le deuxième à paraître dans la
collection Presses HEC des Éditions Québec/Amérique.

DIRECTEUR DE LA PRODUCTION
**LUC ROBERGE**

CONCEPTION GRAPHIQUE
**A CAPELLA DESIGN COMMUNICATION**

PROGRAMMATION INFORMATIQUE
**LUC POIRIER**

MONTAGE
**ARABELLE GRONDIN**

DÉPÔT LÉGAL : 4e TRIMESTRE 1993
BIBLIOTHÈQUE NATIONALE DU QUÉBEC
BIBLIOTHÈQUE NATIONALE DU CANADA
ISBN : 2-89037-619-2

**RÉDACTION**

Marie-Éva de VILLERS (HEC)


**RECHERCHES TERMINOLOGIQUES — ÉDITION DÉFINITIVE**

Marie-Éva de VILLERS (HEC), Francine MOREL
*avec le concours de*
Marie MALO (HEC), Liliane MICHAUD


**RECHERCHES TERMINOLOGIQUES — ÉDITION PROVISOIRE (1988)**

René SAINT-PIERRE
*avec le concours de*
Michelle COSSETTE, Louise DION (OLF), Marie-Hélène GAUTHIER (HEC-OLF),
Francine LÉTOURNEAU, Madeleine PERRON (OLF)


**COMITÉ DE RÉFÉRENCE — ÉDITION DÉFINITIVE**

Claude R. DUGUAY (HEC), Yves ELEMENT (Northern Telecom),
Sylvain LANDRY (HEC), Yves LeCORRE (STCUM), Jean-Pierre MARTIN (Groupe LGS)


**COMITÉ DE RÉFÉRENCE — ÉDITION PROVISOIRE (1988)**

Claude R. DUGUAY (HEC), Yves ELEMENT (Northern Telecom),
Sylvain LANDRY (Ciba-Geigy Canada), Yves LeCORRE (STCUM),
Jean-Pierre MARTIN (Marconi Canada), Louis TESSIER (Ciba-Geigy Canada)


**SOUS-COMITÉS DE RÉFÉRENCE**

**PLANIFICATION DES BESOINS MATIÈRES**
Jean-Daniel CUSIN, Claude DUHAMEL, Lise GOUGEON,
Bénédicte GRIPPON, Roger HANDFIELD

**CONTRÔLE DES ACTIVITÉS DE PRODUCTION ET GESTION DE LA CAPACITÉ**
Yves ELEMENT, Mario GODARD, Bénédicte GRIPPON, Myriam CHINIARA,
Michel CLOUTIER, Claude DUHAMEL, Robert ROSS, Robert TOMASSIN

**PROGRAMMATION DIRECTRICE DE LA PRODUCTION**
Diane FORTIN, Joseph KÉLADA, Denis LEBRETON,
Yves LeCORRE, Jean LEMAY, Josée ROBERT

**GESTION DES STOCKS (ACGPS / QUÉBEC)**
Francis BOUCHARD, André GASCON, Julio LANDRY, Pascal LANG


**COMITÉ DE RÉFÉRENCE (EUROPE)**

Alain GAREAU (Centre HEC-ISA), Michel GAVAUD (Compagnie française Philipps),
Bertrand KORNFELD (Hewlett Packard France),
Bill BELT (Cabinet Bill Belt, Associés Oliver Wight)


**CONCEPTION DE LA BANQUE DE DONNÉES ET RECHERCHE**

Martin LAVOIE (HEC)


**COORDINATION ET CORRECTION**

Liliane MICHAUD

Sous les présidences successives de Pierre DESROSIERS,
Jacques CORMIER, Pierre-Paul COLLIN, Denis LEBRETON, Bernard BOIRE
et Bernard VALLÉE, l'ACGPS / Montréal a joué un rôle majeur dans
l'élaboration et la publication de cet ouvrage. Ayant donné son plein
appui au projet, elle a établi les liens utiles entre ses membres, entre
les divers spécialistes, entre les entreprises et l'American Production
and Inventory Control Society (APICS); elle a également assuré
une coordination générale tout au long des travaux.

## ORGANISMES SUBVENTIONNAIRES

Dans le cadre du Programme de soutien financier à la francisation
des entreprises, l'Office de la langue française a accordé une
importante subvention à l'ACGPS pour la publication du
*Dictionnaire de la gestion de la production et des stocks*.

La Direction de la recherche de l'École des HEC de Montréal
a aussi contribué financièrement à la mise au point de
la terminologie de la gestion de la production et des stocks.

Par la publication de ce dictionnaire, l'Association canadienne pour la gestion de la production et des stocks (ACGPS) et ses partenaires souhaitent contribuer à la diffusion et à l'harmonisation des terminologies française et anglaise de son champ d'activité.

Le *Dictionnaire de la gestion de la production et des stocks* est l'aboutissement de nombreux efforts fournis au cours des 15 dernières années par les membres de l'ACGPS / Montréal. Avec l'appui de Canadair et de Northern Telecom et à l'initiative de Roger Tétreault, d'Yves LeCorre et de Jean-Pierre Martin, un premier glossaire a été publié par l'ACGPS en 1982. Puis, Yves LeCorre et Pierre Desrosiers obtenaient le droit de traduire en français les examens de l'American Production and Inventory Control Society (APICS) pour le compte de l'ACGPS / Montréal.

Un tel mandat nécessitait un important travail de mise à jour et d'harmonisation de la terminologie française de la gestion de la production et des stocks. C'est ce qui justifiait l'élaboration d'un véritable dictionnaire dont l'édition provisoire a été publiée en 1988 par l'ACGPS sous la direction terminologique de René Saint-Pierre. L'édition définitive que nous sommes fiers de présenter aujourd'hui a été rédigée sous la direction de Marie-Éva de Villers.

Le *Dictionnaire de la gestion de la production et des stocks* comporte plus de 2000 termes définis dans les deux langues. La nomenclature anglaise, qui provient de la 7e édition de l'*APICS Dictionary* publiée en 1992, intègre notamment les nouveaux termes du juste-à-temps (JAT), de la planification des ressources de production (MRP II) et de la productique (CIM).

Dans un premier temps, les membres du comité directeur ont sollicité entreprises et organismes qui ont accepté en grand nombre de contribuer au financement de la recherche. Puis, dans le cadre de son programme de soutien financier à la promotion du français dans l'entreprise, l'Office de la langue française accordait une importante subvention pour l'élaboration du *Dictionnaire*. L'École des HEC de Montréal a également apporté un appui scientifique et financier à cette entreprise.

Soucieux de conduire de véritables recherches terminologiques et non de proposer une simple traduction, le comité directeur a procédé au recrutement d'une équipe de terminologues qui ont rassemblé et dépouillé une abondante documentation. Les résultats de ces recherches ont été soumis à des comités de référence thématiques composés de participants bénévoles membres de l'ACGPS / Montréal et de l'ACGPS / Québec. Majoritairement issus d'entreprises québécoises ainsi que de l'École des HEC, ces spécialistes ont répondu aux questions des chercheurs et ont vérifié l'exactitude des formulations. Des répondants européens ont aussi apporté leur concours. Enfin, un accord a été conclu entre l'ACGPS / Montréal et l'APICS pour la diffusion de l'ouvrage auprès de l'ensemble de leurs membres respectifs.

La publication de cet ouvrage de référence est le fruit d'un remarquable travail d'équipe et de mise en commun de ressources linguistiques, techniques et financières et d'une collaboration étroite des entreprises, du milieu universitaire et de l'Administration. Nous espérons que ce bel effort de concertation a permis de mettre au point une terminologie qui recueillera l'adhésion des spécialistes du domaine – praticiens ou théoriciens – ainsi que de l'ensemble des usagers dans toute la francophonie.

Claude R. Duguay CPIM
Sylvain Landry CFPIM

*Août 1993*

C'est à Claude R. Duguay, professeur agrégé à l'École des HEC ainsi qu'à Sylvain Landry, chargé d'enseignement aux HEC, que nous devons dire toute notre reconnaissance. Inlassablement et avec enthousiasme, ils ont assuré la coordination générale des diverses activités et des travaux : nous pouvions constamment compter sur leur appui entier.

Nous tenons à souligner aussi le rôle majeur qu'a joué l'Association canadienne pour la gestion de la production et des stocks / Montréal (ACGPS) à compter de la conception du projet jusqu'à la publication de l'ouvrage. Il importe de rappeler également la participation de l'American Production and Inventory Control Society (APICS) dont la 7e édition du *Dictionary* constitue la partie anglaise de l'ouvrage.

Nous devons exprimer notre gratitude à tous les membres des comités de référence et des sous-comités thématiques pour leur collaboration empressée et efficace ainsi qu'aux terminologues qui ont participé à l'élaboration de l'ouvrage. Nous voudrions aussi souligner l'apport des nombreux spécialistes qui ont bien voulu nous transmettre leurs commentaires; nous songeons particulière-ment à Mattio O. Diorio et à Joseph Kélada, professeurs titulaires à l'École des HEC de Montréal et à Lise Genest, terminologue chez Bombardier.

Nous remercions également toutes les entreprises et tous les organismes qui ont commandité les recherches terminologiques à l'incitation convaincante de Jean-Marc Legentil et de ses collaborateurs. Nous exprimons aussi notre gratitude à l'Office de la langue française qui a participé étroitement à l'élaboration de l'édition provisoire de l'ouvrage confiée à René Saint-Pierre. L'organisme a accordé une importante subvention à l'ACGPS pour la rédaction de l'édition définitive ainsi que pour sa publication et sa diffusion. La Direction de la recherche de l'École des HEC a aussi contribué financièrement à la conception de la banque de données et à la mise au point finale du *Dictionnaire*.

Enfin, nous tenons à exprimer notre vive reconnaissance à Liliane Michaud qui a participé aux recherches terminologiques ainsi qu'à la synthèse des commentaires des experts et qui a assuré la coordination de l'édition de l'ouvrage.

Marie-Éva de Villers

# TABLE DES MATIÈRES

La nomenclature est classée dans l'ordre alphabétique des entrées anglaises; le dictionnaire comprend également un index français-anglais ainsi qu'une bibliographie détaillée. Pour faciliter le repérage des données, le texte anglais est imprimé en noir et le texte français, en bleu. Il est à noter que chaque entrée est définie aussi bien en anglais qu'en français. S'il y a lieu, contextes et notes techniques ou linguistiques explicitent la notion ou précisent les éléments d'information utiles dans les deux langues.

Les synonymes anglais sont classés dans l'ordre alphabétique anglais et renvoient à l'entrée principale. Les abréviations renvoient à l'entrée en toutes lettres où figure la définition. Les synonymes français sont notés à la suite de l'équivalent français et sont répertoriés dans l'index français-anglais.

Certaines entrées sont numérotées (1), (2), (3) lorsque ces termes comportent des acceptions distinctes en anglais et en français. Les entrées anglaises et les équivalents français peuvent comporter des parenthèses indiquant une possibilité de double lecture.

## ABRÉVIATIONS ET SYMBOLES UTILISÉS DANS L'OUVRAGE

| | | |
|---|---|---|
| adj | = | adjectif |
| **ANT** | = | *antonym* |
| **ANT** | = | antonyme |
| ex. | = | exemple |
| loc adj | = | locution adjectivale |
| loc adv | = | locution adverbiale |
| nm | = | nom masculin |
| nf | = | nom féminin |
| pl | = | pluriel |
| v | = | verbe |
| = | = | synonyme |
| → | = | renvoie à l'entrée |
| * | = | précède une forme fautive |
| ◆ | = | domaine d'emploi |

## DOMAINES D'EMPLOI

- ◆ comptabilité
- ◆ droit
- ◆ économie
- ◆ gestion
- ◆ gestion de la production et des stocks
- ◆ gestion de la qualité
- ◆ gestion des approvisionnements
- ◆ gestion des ressources humaines
- ◆ informatique
- ◆ marketing
- ◆ prévision
- ◆ recherche opérationnelle
- ◆ statistique
- ◆ transport

Le TEXTE ANGLAIS
EST IMPRIMÉ EN NOIR

L'entrée est composée
en caractères gras.

L'abréviation figure
entre parenthèses à la
ligne suivante.

▼ **Just-in-Time**
(JIT)
**= short-cycle manufacturing**
**= stockless production**
**= zero inventories**
A philosophy of manufacturing based on planned elimination of all waste and continuous improvement of productivity. It encompasses the successful execution of all manufacturing activities required to produce a final product, from design engineering to delivery and including all stages of conversion from raw material onward. The primary elements of zero inventories are to have only the required inventory when needed; to improve quality to zero defects; to reduce lead times by reducing setup times, queue lengths, and lot sizes; to incrementally revise the operations themselves; and to accomplish these things at minimum cost. In the broad sense it applies to all forms of manufacturing, job shop and process as well as repetitive.

**Les synonymes** sont
précédés du symbole
d'égalité et sont
composés en
caractères gras.

**La définition** est
composée en caractères
romains maigres.
S'il y a lieu, elle est
suivie d'un contexte
ou d'une note.

Le TEXTE FRANÇAIS
EST IMPRIMÉ EN BLEU

**La définition** est
composée en caractères
romains maigres.

**Le contexte** est
en italique.

**La mention NOTE**
introduit une note
technique ou une note
linguistique.

**Le losange** précise le
domaine d'emploi.

**juste-à-temps** nm
(JAT)
Méthode de production à flux tiré visant la suppression de tout gaspillage et consistant à acheter ou à produire strictement la quantité nécessaire au moment où on en a besoin.
*La philosophie du juste-à-temps remet en cause les habitudes de constitution de stocks de sécurité et exige une très bonne qualité des produits, une fiabilité élevée des équipements industriels, une réduction des délais de mise en course et une diminution de la taille des lots en vue d'accroître la faculté d'adaptation de l'entreprise aux besoins du marché.*
**NOTE** • Dans un sens large, le juste-à-temps englobe l'ensemble des activités de la gestion de la fabrication visant l'amélioration continue avec la participation de l'ensemble des employés.
• Cette méthode de production est parfois dénommée *zéro stock*.
◆ gestion de la production et des stocks

▼

**L'équivalent français**
est composé en
caractères gras et
comporte l'indication
de la catégorie
grammaticale.

**L'abréviation** figure
entre parenthèses à
la ligne suivante.

**La ligne noire**
introduit un nouvel
article.

# A

## ▼ ABC
Abbreviation for **activity-based costing.**

## ▼ ABC analysis
→ ABC classification

## ▼ ABC classification
= **ABC analysis**
= **distribution by value**

Classification of a group of items in decreasing order of annual dollar volume (price x projected volume) or other criteria. This array is then normally split into three classes, called A, B, and C. The A group usually represents 10% to 20% by number of items and 50% to 70% by projected dollar volume. The next grouping, B, usually represents about 20% of the items and about 20% of the dollar volume. The C class contains 60% to 70% of the items and represents about 10% to 30% of the dollar volume. The ABC principle states that effort and money can be saved through applying different controls to the low-dollar, high-volume class that will be applied to improve control of high-value items. The ABC principle is applicable to inventories, purchasing, sales, etc.

### méthode[nf] ABC
= **analyse[nf] ABC**

Méthode de classement selon laquelle les articles sont répartis en trois catégories d'après la valeur de leur consommation annuelle, les montants respectifs des ventes, leur volume de stockage ou tout autre critère : A très important, B important, C moins important.

*Dans la méthode ABC, les articles A regroupent un petit nombre d'articles qui ont une valeur élevée de consommation annuelle et doivent être gérés très attentivement, les articles B qui doivent être bien suivis, les articles C, très nombreux, mais dont la valeur de consommation annuelle est faible et qui peuvent subir des contrôles moins stricts.*

**NOTE** La méthode ABC est une application du principe de Pareto (ou règle des 20/80) selon laquelle 20 % des unités représentent 80 % de la valeur globale ou du chiffre d'affaires.

◆ gestion de la production et des stocks

## ▼ ABC inventory control
An inventory control approach based on the ABC classification.

### gestion[nf] des stocks ABC
Méthode de gestion des matières premières, des encours, des produits finis qui est fondée sur l'analyse ABC.

**NOTE** Cette méthode permet d'accorder plus d'attention à la gestion des articles dont la valeur est plus grande en limitant les efforts relatifs aux articles de moindre valeur.

◆ gestion de la production et des stocks

## ▼ abnormal demand
An unanticipated customer order. This order may not be in the sales plan or may come from an unanticipated source. It can also be an unusually large order that consumes available-to-promise at the expense of satisfying other customer orders.

### demande[nf] imprévue
Commande non programmée.

*La demande imprévue peut provenir d'un nouveau client ou peut être une commande dont le volume exceptionnel impose de puiser dans les produits finis disponibles à la vente ou dans la production planifiée.*

◆ gestion de la production et des stocks

## ▼ absorption costing
= **allocation costing**

An approach to inventory valuation in which variable costs and a portion of fixed costs are assigned to each unit of production. The fixed costs are usually allocated to units of output on the basis of direct labor hours, machine hours, or material costs.

### (méthode du) coût[nm] de revient complet
Méthode d'évaluation des stocks selon laquelle des frais fixes de fabrication sont ajoutés aux coûts variables de chaque unité d'œuvre. ·

*Selon la méthode du coût de revient complet, les frais fixes sont imputés à l'unité d'œuvre sur la base d'heures de main-d'œuvre directe, d'heures-machines directes ou du coût des matières directes.*

◆ comptabilité

---

### acceptable quality level
(AQL)
Part of attribute acceptance sampling plans. It specifies acceptable number of defective items in a lot.

### niveau[nm] de qualité acceptable
(NQA)
Niveau de qualité exprimé en nombre de défauts ou de produits défectueux dans un lot en fonction du plan d'échantillonnage.

**NOTE** Ce niveau de qualité est jugé admissible par le producteur, par le consommateur ou par l'utilisateur d'un service.

◆ gestion de la qualité

---

### acceptance number 1.
A number used in acceptance sampling as a cutoff at which the lot will be accepted or rejected. For example, if X or more units are bad within the sample, then the lot will be rejected.

### critère[nm] d'acceptation
Dans un contrôle par échantillonnage, limite maximale du nombre de défauts ou de produits défectueux dans l'échantillon pour l'acceptation du lot échantillonné.

◆ gestion de la qualité

---

### acceptance number 2.
The value of the test statistic that divides all possible values into acceptance and rejection regions.

### borne[nf] d'acceptation
Nombre établi de produits défectueux qui détermine l'acceptation ou le rejet du lot entier, dans un contrôle statistique.

◆ gestion de la qualité

---

### acceptance sampling 1.
The process of sampling a portion of goods for inspection rather than examining the entire lot. The entire lot may be accepted or rejected based on the sample even

though the specific units in the lot are better or worse than the sample.

### contrôle[nm] par échantillonnage
= contrôle[nm] par prélèvement statistique
Méthode de contrôle de la qualité qui consiste à prélever, selon un plan d'échantillonnage déterminé, un échantillon dont le nombre de défauts ou d'unités défectueuses déterminera l'acceptation ou le rejet du lot entier.

◆ gestion de la qualité

---

### acceptance sampling 2.
A method of measuring random samples of lots or batches of products against predetermined standards.

### contrôle[nm] statistique
Méthode de contrôle de la qualité portant sur des échantillons extraits du lot à contrôler et selon laquelle on procède à une évaluation quantitative ou qualitative d'une caractéristique par rapport à une norme établie.

◆ gestion de la qualité

---

### accessory
A choice of feature offered to the customer for customizing the end product. In many companies, this term means that the choice does not have to be specified before shipment but could in fact be added at a later date. In other companies, this choice must be made before shipment.

### accessoire[nm]
= option[nf]
Choix de composants complémentaires proposé au client en vue de différencier ou d'adapter un produit de série à ses besoins propres.

*L'ajout des accessoires s'effectue le plus tard possible dans le processus opérationnel et dans plusieurs entreprises, l'option peut être ajoutée à la suite de la livraison.*

◆ gestion de la production et des stocks

---

### account manager
A manager who has direct responsibility for a customer's interest.

### chargé[nm] de clientèle
### chargée[nf] de clientèle
Gestionnaire qui veille à la satisfaction des besoins des clients dont il est responsable.

*Le chargé de clientèle s'assure de la bonne exécution des commandes de ses clients et ce, dans les délais prescrits.*

◆ gestion de la production et des stocks

## accumulating
The activity of combining homogeneous stocks of products or materials into larger quantities.

### regroupement[nm] (des stocks)
Activité consistant à rassembler des stocks (de matières, de pièces, d'articles) de même nature.
◆ gestion de la production et des stocks

## accumulation bin
= assembly bin
A place, usually a physical location, used to accumulate all of the components that go into an assembly before the assembly is sent out to the assembly floor.

### aire[nf] de regroupement
Emplacement où sont regroupés les composants nécessaires aux ordres de fabrication.
◆ gestion de la production et des stocks

## accuracy
The degree of freedom from error or the degree of conformity to a standard. Accuracy is different from precision. For example, four decimal place numbers are less precise than six decimal place numbers; however, a properly computed four decimal place number might be more accurate than an improperly computed six decimal place number.

### exactitude[nf]
Conformité à une norme.
NOTE Il ne faut pas confondre exactitude et précision : un nombre à quatre décimales est moins précis qu'un nombre à six décimales mais, s'il est correctement calculé, il peut être plus exact qu'un nombre à six décimales résultant d'une erreur de calcul.
◆ généralités

## acknowledgement
A communication by a supplier to advise a purchaser that a purchase order has been received. It usually implies acceptance of the order by the supplier.

### accusé[nm] de réception
= avis[nm] de réception
Document expédié par le fournisseur informant le service de l'approvisionnement que le bon de commande qu'il a transmis a bien été reçu.
Généralement, l'accusé de réception constitue une acceptation de la commande par le fournisseur.
◆ gestion des approvisionnements

## acquisition cost
→ ordering cost

## action message
= exception message
An output of a system that identifies the need for and the type of action to be taken to correct a current or potential problem. Examples of action messages in an MRP system are "release order," "reschedule in," and "reschedule out," and "cancel."

### message[nm] d'intervention
= message[nm] d'action (corrective)
Signal transmis par un système invitant à prendre des mesures pour corriger un problème actuel ou potentiel.
Exemples de messages d'intervention dans un système de planification des besoins matières : lancer l'ordre, avancer, repousser, annuler.
◆ gestion de la production et des stocks

## activation
The employment of a nonconstraint resource to process materials or products beyond the level of output of the constraint, e.g., work for the sake of keeping the nonconstraint resource busy. The formula is:

$$\text{Activation} = \frac{\text{scheduled time} - \text{nonproductive time}}{\text{scheduled time}} \times 100\%$$

### activation[nf]
Mise en œuvre d'une procédure organisée à l'avance, utilisation de ressources disponibles en excédent du programme de production.
◆ gestion de la production et des stocks

## active inventory
The raw materials, work in process, and finished products that will be used or sold within a given period without extra cost or loss.

### stock[nm] actif
= stock[nm] courant
Matières premières, encours et produits finis qui seront utilisés ou vendus au cours d'une période donnée sans entraîner de coûts supplémentaires.
◆ gestion de la production et des stocks

## active load
Work scheduled that may not be on hand.

### travail[nm] planifié
= charge[nf] planifiée
Tâche ordonnancée, mais non nécessairement exécutable immédiatement.
Le travail planifié s'oppose au travail disponible prêt à être lancé en atelier.
◆ gestion de la production et des stocks

## activity-based costing
(ABC)

A cost accounting system that accumulates cost based on activities performed and then uses cost drivers to allocate these costs to products or other bases, such as customers, markets, projects, etc. It is an attempt to allocate overhead costs on a more realistic basis than direct labor or machine hours.

### comptabilité[nf] par activités

Méthode d'imputation des coûts fondée sur l'analyse des activités et des inducteurs de coûts.

*La comptabilité par activités éclaire le processus décisionnel et permet d'imputer les frais généraux plus justement que sur la seule base des heures de main-d'œuvre directe ou des heures-machines directes.*

◆ comptabilité

## act of God

An occurrence beyond control or avoidance by human power; any accident produced by a physical cause such as a fire, flood, earthquake, etc. It generally will not terminate a contract or discharge the parties, unless provided for in the agreement.

### cas[nm] de force majeure
= cas[nm] fortuit

Événement imprévisible et inévitable qui provient d'une cause extérieure.

*Un raz-de-marée, un tremblement de terre sont des cas de force majeure.*

NOTE En général, le cas de force majeure ne met pas fin à un contrat ni ne décharge les parties engagées, à moins que cela n'ait été prévu dans l'accord.

◆ droit

## actual cost(s)

Those labor, material, and associated overhead costs that are charged against a job as it moves through the production process.

### coût[nm] réel

Coût de main-d'œuvre, de matières et frais fixes s'y rattachant auquel donne lieu l'acquisition ou la fabrication d'un bien, par opposition au coût prévu ou budgété.

◆ comptabilité

## actual cost system

A cost system that historically collects costs as they are applied to the production, and allocates indirect costs based upon their specific costs and achieved volume.

### méthode[nf] des coûts réels

Méthode d'établissement des coûts de revient selon laquelle les coûts directs sont calculés d'après la réalité

de l'atelier et les coûts indirects, puis affectés d'après leur origine et selon les quantités effectivement produites.

◆ comptabilité

## actual demand

Customer orders (and often allocations of items/ingredients/raw materials to production or distribution). It nets against or "consumes" forecast, depending on rules chosen over a time horizon. For example, actual demand will totally replace forecast inside the "sold out" customer order backlog horizon but will replace forecast by planning period, outside this horizon, only if it is greater than the period's forecast.

### demande[nf] réelle
= consommation[nf] réelle

Ensemble des commandes clients et des quantités réservées d'articles, de matières premières pour la production ou la distribution.

*La demande réelle consomme les prévisions, d'après les modalités établies, sur un horizon donné. Par exemple, selon le carnet de commandes, la demande réelle remplacera complètement la prévision.*

◆ gestion de la production et des stocks

## actual volume

Actual output expressed as a volume of capacity. It is used in the calculation of variances when compared to demonstrated capacity (practical capacity) or budgeted capacity.

### volume[nm] réel
= production[nf] réelle

Quantité de biens effectivement produits exprimée en capacité.

NOTE Dans le calcul des écarts, le volume réel peut être comparé à la capacité réelle ou à la capacité budgétée.

◆ gestion de la production et des stocks

## adaptive smoothing

A form of exponential smoothing in which the smoothing constant is automatically adjusted as a function of forecast error measurement.

### lissage[nm] (exponentiel) adaptatif
= lissage[nm] évolutif

Forme de lissage exponentiel dans lequel la constante alpha est ajustée en fonction de l'erreur de prévision.

◆ gestion de la production et des stocks

## additives

Special class of ingredients characterized either by

being used in minimal quantities or by being introduced into the processing cycle after the initial stage.

### additif[nm]
Élément entrant dans la composition d'un produit en quantités minimes ou introduit dans le cycle de fabrication après l'étape initiale.
◆ gestion de la production et des stocks

## ▼ affirmative action
A hiring policy that requires employers to analyze their work force for underrepresentation of protected classes. It involves the recruiting of minorities and members of protected classes, changing management attitudes or prejudices toward them, removing discriminatory employment practices, and giving preferential treatment to protected classes.

### action[nf] positive
### = promotion[nf] sociale
Politique d'engagement visant à favoriser le recrutement et la promotion de personnes appartenant à certaines catégories sociales (femmes, handicapés, etc.) en vue de corriger les inégalités du système.
◆ gestion des ressources humaines

## ▼ aggregate forecast
An estimate of sales, often time phased, for a grouping of products or product families produced by a manufacturing facility or firm. Stated in terms of units or dollars or both, the aggregate forecast is used for sales and aggregate planning purposes.

### prévision[nf] globale
### = prévision[nf] agrégée
### = prévision[nf] intégrée
Estimation de la demande effectuée pour un ensemble de produits ou pour tous les produits d'une entreprise.
*La prévision globale est exprimée en unités ou en dollars et sert de fondement à la planification commerciale ainsi qu'à la planification globale de l'entreprise ou de la production.*
◆ prévision

## ▼ aggregate inventory
### = basic stock
The inventory of any grouping of items or products, involving multiple stockkeeping units.

### stock[nm] global
### = stock[nm] agrégé
Ensemble des stocks d'une entreprise incluant le stock courant, le stock de sécurité et les encours.
◆ gestion de la production et des stocks

## ▼ aggregate inventory management
Establishing the overall levels of inventory desired and implementing controls to ensure that individual replenishment decisions achieve this goal.

### gestion[nf] du stock global
### = gestion[nf] du stock agrégé
Établissement de l'ensemble des niveaux de stock planifiés et mise sur pied de contrôles afin que chaque décision de réapprovisionnement respecte la planification.
◆ gestion de la production et des stocks

## ▼ aggregate lead time
→ cumulative lead time

## ▼ aggregate planning
The process of comparing the sales forecast to the production capabilities to develop a business strategy. The sales forecast and production capabilities are compared and a business strategy which includes a production plan, budgets and financial statements, and supporting plans for purchasing, work force, engineering, etc. are developed. The production plan is the result of the aggregate planning process.

### planification[nf] globale
### = programmation[nf] intégrée
Établissement d'une stratégie générale découlant de la comparaison entre les prévisions de vente et la capacité de production de l'entreprise.
*Le plan de production résulte de la planification globale.*
◆ gestion de la production et des stocks

## ▼ aggregate reporting 1.
Reporting of process hours in general, allowing the system to assign the actual hours to specific products run during the period based upon standards.

### suivi[nm] global
Établissement des heures totales de production par opposition aux heures réelles attribuées aux divers lots de produits par le système à partir des temps standards au cours d'une période définie.
◆ gestion de la production et des stocks

## ▼ aggregate reporting 2.
Also known as "gang reporting," the reporting of total labor hours.

### suivi[nm] par groupe
Suivi global des heures de main-d'œuvre.
◆ gestion de la production et des stocks

▼ **AGVS**
Abbreviation for **automated guided vehicle system.**

▼ **algorithm**
A prescribed set of well-defined rules or processes for the solution of a problem in a finite number of steps; e.g., the full statement of the arithmetic procedure for calculating the reorder point.

**algorithme**nm
Ensemble de règles déterminées servant à résoudre un problème particulier au moyen d'un nombre fini d'opérations.
**NOTE** Attention à l'orthographe : le nom s'écrit avec un *i*, contrairement au nom *rythme* qui s'écrit avec un *y*.
◆ recherche opérationnelle

▼ **allocated material**
→ **reserved material**

▼ **allocation** 1.
In an MRP system, an allocated item is one for which a picking order has been released to the stockroom but not yet sent out of the stockroom. It is an "uncashed" stockroom requisition.

**affectation**nf
Dans un système de planification des besoins matières, réservation d'une quantité donnée d'un composant, d'un article en stock pour la réalisation prochaine d'un ordre de fabrication lancé.
**NOTE** Le stock qui a fait l'objet d'une affectation est dit *stock réservé*. L'article réservé a fait l'objet d'un bon de prélèvement, mais n'a pas encore été sorti du magasin.
◆ gestion de la production et des stocks

▼ **allocation** 2.
= **assignment**
= **reservation**
A process used to distribute material in short supply.

**répartition**nf
Mode d'attribution de ressources dont la disponibilité est limitée.
◆ gestion de la production et des stocks

▼ **allocation costing**
→ **absorption costing**

▼ **alpha factor**
= **smoothing constant**
The smoothing constant applied to the most recent forecast error in exponential smoothing forecasting.

**constante**nf **alpha**
Constante de lissage appliquée à l'erreur de prévision la plus récente dans la prévision par lissage exponentiel.
◆ prévision

▼ **alteration planning**
→ **requirements alteration**

▼ **alternate feedstock**
A backup supply of an item that either acts as a substitute or is used with alternate equipment.

**article**nm **de remplacement**
= **article**nm **de rechange**
Produit susceptible d'être substitué à un manquant ou d'être utilisé avec d'autres machines.
◆ gestion de la production et des stocks

▼ **alternate operation**
Replacement for a normal step in the manufacturing process.
**ANT.** primary operation

**opération**nf **de remplacement**
Opération substituée à une opération habituelle du processus de fabrication.
◆ gestion de la production et des stocks

▼ **alternate routing**
A routing, usually less preferred than the primary routing, but resulting in an identical item. Alternate routings may be maintained in the computer or off-line via manual methods, but the computer software must be able to accept alternate routings for specific jobs.

**gamme**nf **de remplacement**
Série d'opérations pour l'exécution d'une pièce qui diffèrent de celles qui ont été définies dans la gamme de fabrication, mais qui concourent à la production d'un même article.
*Les gammes de remplacement peuvent être automatisées ou gérées manuellement, mais les logiciels doivent être capables de les accepter pour des travaux ponctuels.*
**NOTE** On utilise une gamme de remplacement à la suite d'une panne de machine ou d'une surcharge des machines ou des postes de travail définis dans la gamme initiale.
◆ gestion de la production et des stocks

▼ **alternate work center**
The work center wherein an operation is not normally performed but can be performed.
**ANT.** primary work center

**poste**nm **de travail de remplacement**
Poste de travail pouvant être utilisé lorsque apparaît une panne ou une surcharge au poste de travail normal.
◆ gestion de la production et des stocks

▼ **American National Standards Institute**
(ANSI)
Parent organization of the inter-industry electronic interchange of the business transaction standard. This group is the clearinghouse on U.S. electronic data interchange standards.

**American National Standards Institute**
(ANSI)
Organisme qui coordonne, sous le contrôle du gouvernement américain, les études concernant la normalisation des échanges électroniques de données.
◆ informatique

▼ **American Production and Inventory Control Society**
(APICS)

**American Production and Inventory Control Society**
**NOTE** La contrepartie canadienne d'APICS est l'ACGPS (Association canadienne pour la gestion de la production et des stocks).

▼ **American Standard Code for Information Interchange**
(ASCII)
A standard seven-bit character code used by computer manufacturers to represent 128 characters for information interchange among data processing systems, communications systems, and other information system equipment. An eight bit is added as a parity bit to check a string of ASCII characters for correct transmission.

**code**nm **ASCII**
Code standard américain pour l'échange d'informations.
*Le code ASCII est composé de sept bits d'information et d'un bit de parité pour la représentation de caractères alphanumériques et fonctions, et a été créé pour faciliter la transmission d'informations entre ordinateurs.*
**NOTE** ASCII est l'abréviation de l'anglais American Standard Code for Information Interchange. Ce code est reconnu en Amérique du Nord comme la norme de transmission des données informatiques.
◆ informatique

▼ **analog**
As applied to an electrical or computer system, the capability of representing data in continuously varying physical phenomena (as in a voltmeter) and converting them into numbers.

**analogique**adj
Qui représente ou transmet des données sous la forme de variations continues d'une grandeur physique.
**NOTE** Lorsque les données sont traduites en chiffres, la représentation est numérique.
◆ généralités

▼ **andon** 1.
An electronic board that provides visibility of floor status and provides information to help coordinate the efforts to linked work centers. Signal lights are green (running), red (stop), and yellow (needs attention).

**andon**nm
= **lanterne**nf
Tableau électronique qui donne la situation des postes de travail et qui permet de coordonner l'activité des postes de travail liés les uns aux autres.
*L'andon comporte généralement une lampe verte signifiant que tout va bien, une lampe jaune signifiant qu'il y a des problèmes et une lampe rouge indiquant que le poste est arrêté.*
**NOTE** Le mot *andon* est un terme japonais signifiant «signal électronique visuel».
◆ gestion de la production et des stocks

▼ **andon** 2.
A visual signaling system.

**signal**nm **électronique visuel**
Dispositif conventionnel destiné à informer rapidement les opérateurs des divers postes de travail et à provoquer l'interruption de la chaîne de montage, au besoin.
◆ gestion de la production et des stocks

▼ **annual inventory count**
→ **physical inventory** 2.

▼ **annualized contract**
A negotiated agreement with a supplier for one year that sets pricing, helps ensure continuous supply of material, and provides the supplier with estimated future requirements.

**marché**nm **(de fournitures) annuel**
= **contrat**nm **de fournitures annuel**
Convention ayant pour objet la fourniture de matières,

d'articles pour une période d'un an à un prix déterminé et dans des conditions stipulées d'avance.

**NOTE** Le marché de fournitures annuel permet à l'entreprise d'assurer la permanence de ses approvisionnements et aux fournisseurs, de prévoir les livraisons à effectuer.

◆ gestion des approvisionnements

▼ **ANSI**
Acronym for **American National Standards Institute.**

**ANSI**
Abréviation de **American National Standards Institute.**

▼ **anticipated delay report**
= **delay report**
A report, normally issued by both manufacturing and purchasing to the material planning function, regarding jobs or purchase orders that will not be completed on time and telling why the jobs or purchases are delayed and when they will be completed. This is an essential ingredient of the closed-loop MRP system. It is normally a handwritten report.

**état^{nm} des retards prévisionnels**
= **état^{nm} des retards prévus**
Rapport établi par le service des approvisionnements et de la fabrication à l'intention de la planification et faisant état des ordres d'achat ou de fabrication qui ne pourront être transmis selon l'échéance prévue.

*L'état des retards prévisionnels mentionne aussi la raison du retard et la nouvelle date d'échéance suggérée; il constitue un élément essentiel de la boucle de planification des besoins matières. Il est habituellement fait à la main.*

◆ gestion de la production et des stocks

▼ **anticipation inventories**
Additional inventory above basic pipeline stock to cover projected trends of increasing sales, planned sales promotion programs, seasonal fluctuations, plant shutdowns, and vacations.

**stock^{nm} par anticipation**
Stock excédentaire ayant pour rôle d'absorber les pointes anticipées de la demande en raison des fluctuations saisonnières, des promotions, des fermetures d'usine et des vacances.

◆ gestion de la production et des stocks

▼ **AOQL**
Abbreviation for **average outgoing quality level.**

**QMT**
Abréviation de **qualité moyenne transmise.**

▼ **APICS**
Acronym for the **American Production and Inventory Control Society.**

**APICS**
Abréviation de **American Production and Inventory Control Society.**

▼ **application package**
A computer program or set of programs designed for a specific application, e.g., inventory control, MRP, etc.

**progiciel^{nm} d'application**
= **programmes^{nm} d'application**
Ensemble de programmes informatiques conçus en vue d'une fonction telle que la gestion des stocks, la planification des besoins matières, la gestion informatisée de la production.

◆ informatique

▼ **application system**
A set of programs of specific instructions for processing activities needed to compute specific tasks for computer users, as opposed to operating systems that control the computers internal operations. Examples are payroll, spreadsheets, and word processing programs.

**progiciel^{nm}**
Ensemble de logiciels servant à l'exécution d'une même application ou d'une même fonction.

*La gestion des stocks, la paie, l'édition électronique s'effectuent à l'aide de progiciels.*

◆ informatique

▼ **appraisal**
A method of measurement and evaluation, done as fairly as possible, of the variable results brought about by the employee's individual behavior in the workplace.

**évaluation^{nf} du rendement**
= **bilan^{nm} professionnel**
Mesure qualitative et quantitative des résultats obtenus par un employé, qui est effectuée au moyen de critères déterminés.

◆ gestion des ressources humaines

▼ **appraisal costs**
Those costs associated with the formal evaluation and audit of quality in the firm. Typical costs include inspection, quality audits, testing, calibration, and checking time.

## coût<sup>nm</sup> d'évaluation (de la qualité)
= coût<sup>nm</sup> de contrôle (de la qualité)
Coût lié à la vérification de la conformité des produits aux exigences de qualité définies.

*Les coûts d'évaluation comprennent principalement les coûts de contrôle, d'assurance de la qualité, d'essai, de calibrage et de vérification.*
◆ gestion de la qualité

## AQL
Abbreviation for **acceptable quality level.**

## arbitration
The process by which an independent third person is brought in to settle a dispute or to preserve the interest of two conflicting parties.

## arbitrage<sup>nm</sup>
Disposition en vertu de laquelle un différend est porté, par accord entre les parties, devant des arbitres choisis en raison de leur compétence et de leur impartialité.
◆ gestion des ressources humaines

## arithmetic mean
→ **mean**

## arrival date
= due date
= expected receipt date
The date purchased material is due to arrive at the receiving site. The arrival date can be input; can be equal to current due date; or can be calculated from ship date plus transit time.

## date<sup>nf</sup> d'arrivée
Date prévue de la réception d'une matière, d'un produit commandé à son lieu de livraison.

*La date d'arrivée peut correspondre à la date d'exigibilité ou être calculée en additionnant le délai de transport à la date d'expédition.*
◆ gestion de la production et des stocks

## artificial intelligence 1.
Computer systems that can learn and reason in a manner similar to humans.

## intelligence<sup>nf</sup> artificielle
Simulation du processus de raisonnement humain, par des ordinateurs qui s'adaptent à des situations complexes et sont en mesure de conduire des actions à partir de mises en condition initiales ou de stimuli externes ainsi que de faire le choix de la stratégie la mieux adaptée aux diverses situations.
◆ informatique

## artificial intelligence 2.
An area in computer science that attempts to develop these computer systems.

## intelligence<sup>nf</sup> artificielle
Domaine de l'informatique consacré à l'étude des moyens de reproduire à l'aide d'ordinateurs certaines de nos activités mentales.

*Les domaines d'application de l'intelligence artificielle sont très nombreux : CAO, reconnaissance de formes, de la parole, systèmes experts, etc.*
◆ informatique

## ASCII
Acronym for **American Standard Code for Information Interchange.**

## AS/RS
Abbreviation for **automated storage/retrieval system.**

## assays
Tests of the physical and chemical properties of a sample.

## tests<sup>nm</sup> de vérification
= essais<sup>nm</sup>
Vérification des propriétés physiques et chimiques d'une matière, d'un produit, d'un échantillon.
◆ gestion de la qualité

## assemble-to-order
= finish-to-order
A make-to-order product for which key components (bulk, semifinished, intermediate, subassembly, fabricated, purchased, packaging, etc.) used in the assembly or finishing process are planned and stocked in anticipation of a customer order. Receipt of an order initiates assembly of the finished product. This is quite useful where a large number of finished products can be assembled from common components.

## produit<sup>nm</sup> monté sur commande
= produit<sup>nm</sup> assemblé sur commande
Produit fabriqué sur commande dans lequel tous les composants (en vrac, semi-finis, intermédiaires, sous-ensembles, fabriqués, achetés) utilisés dans le processus de l'assemblage, de la finition ou de l'emballage, sont planifiés et stockés dans l'attente d'une commande d'un client.

**NOTE** Dans un environnement de montage sur commande le produit peut être réalisé à partir de sous-ensembles standards, personnalisés ou spécifiques.
◆ gestion de la production et des stocks

▼ **assembly**

A group of subassemblies and/or parts that are put together and constitute a major subdivision for the final product. An assembly may be an end item or a component of a higher level assembly.

**ensemble**nm

**= composé**nm

Assemblage de pièces ou de sous-ensembles en vue de constituer un produit fini ou un sous-ensemble d'un produit de niveau plus élevé.

◆ gestion de la production et des stocks

▼ **assembly bin**
→ **accumulation bin**

▼ **assembly lead time**

The time that normally elapses between the time a work order is issued to the assembly floor and its completion.

**délai**nm **d'assemblage**

**= délai**nm **de montage**

Intervalle de temps compris entre le lancement d'un ordre de fabrication et l'achèvement de ce travail.

◆ gestion de la production et des stocks

▼ **assembly order**

**= blend order**

A manufacturing order to an assembly or blending department authorizing it to put components together into an assembly or blend.

**ordre**nm **d'assemblage**

**= ordre**nm **de montage**

Document, instruction donnant ordre de monter ou d'assembler des composants, des pièces, ensembles ou produits déterminés dans des quantités définies.

◆ gestion de la production et des stocks

▼ **assembly parts list**

**= blend formula**

**= mix ticket**

A list of all parts (and subassemblies) that make up a particular assembly, as used in the manufacturing process.

**nomenclature**nf **d'assemblage**

**= nomenclature**nf **de montage**

Liste des pièces ou des sous-ensembles qui composent un ensemble lors du montage.

◆ gestion de la production et des stocks

▼ **assigned material**
→ **reserved material**

▼ **assignment**
→ **allocation**

▼ **assorting**

The activity of mixing of items into the assortments that are needed by customers and end users. This activity is usually performed at a market-oriented distribution facility.

**regroupement**nm **(de produits)**

Action de grouper des articles qui présentent des rapports de convenance, des affinités en vue de répondre aux besoins des utilisateurs grâce à des assortiments de produits complets.

◆ marketing

▼ **ATP**

Abbreviation for **available-to-promise.**

▼ **attachment**

A choice or feature offered to customers for customizing the end product. In many companies, this term means that the choice, although not mandatory, must be selected before the final assembly schedule. In other companies, however, the choice need not be made at that time.

**variante**nf

**= option**nf

Pièce qui peut s'ajouter au produit fini lors de l'assemblage final pour personnaliser le produit, en augmenter l'utilité et l'adaptation aux besoins de la clientèle.

**NOTE** Dans de nombreuses entreprises, ce choix, bien que facultatif, doit être effectué avant le déclenchement du montage final. Par contre, dans d'autres entreprises, le choix n'a pas à être fait à ce moment.

◆ gestion de la production et des stocks

▼ **authorized deviation**

Permission for a supplier or the plant to manufacture an item that is not in conformance with the applicable drawings or specifications.

**dérogation**nf

**= accord**nm **de dérogation**

Autorisation écrite, avant la réalisation d'un produit ou la prestation d'un service, de s'écarter des exigences définies pour la quantité déterminée ou pour la durée spécifiée.

◆ gestion des approvisionnements

▼ **automated guided vehicle system**
(AGVS)

A transportation network that automatically routes one

or more material handling devices, such as carts or pallet trucks, and positions them at predetermined destinations without operator intervention.

### chariot<sup>nm</sup> filoguidé
= **véhicule<sup>nm</sup> guidé automatisé**
Véhicule sans conducteur, dirigé par un système de guidage automatisé et utilisé pour transporter des pièces ou des composants dans une usine.
*Un des moyens de manutention le plus répandu dans les ateliers flexibles est le chariot filoguidé.*
**NOTE** Sa souplesse d'utilisation et la très faible infrastructure nécessaire à son implantation rend son utilisation idéale pour les systèmes flexibles.
◆ gestion de la production et des stocks

### ▼ automated storage/retrieval system
(AS/RS)
A high-density rack storage system with vehicles automatically loading and unloading the racks.

### système<sup>nm</sup> de stockage automatisé
Système de stockage à haute densité, avec chariots de chargement et déchargement automatique des emplacements.
◆ gestion de la production et des stocks

### ▼ automatic relief
A set of inventory bookkeeping methods that automatically adjusts computerized inventory records based on a production transaction. Examples of automatic relief methods are backflushing, direct-deduct, pre-deduct, and post-deduct processing.

### déduction<sup>nf</sup> automatique
Tenue informatique des stocks qui met constamment à jour l'inventaire en fonction de la consommation de composants, de produits par la production.
*Les méthodes de déduction automatique les plus courantes sont la postdéduction, la déduction en temps réel et la prédéduction.*
◆ gestion de la production et des stocks

### ▼ automatic rescheduling
Rescheduling done by the computer to automatically change due dates on scheduled receipts when it detects that due dates and need dates are out of phase.
**ANT.** manual rescheduling

### réordonnancement<sup>nm</sup> automatique
= **reprogrammation<sup>nf</sup> automatique**
Méthode de rejalonnement selon laquelle le système modifie automatiquement les dates d'exigibilité des réceptions prévues lorsqu'il constate que les dates d'exi-

gibilité et les dates de besoins de matières ne coïncident plus.
◆ gestion de la production et des stocks

### ▼ automation
The substitution of machine work for human physical and mental work, or the use of machines for work not otherwise able to be accomplished, entailing a less continuous interaction with humans than previous equipment used for similar tasks.

### automatisation<sup>nf</sup>
Exécution totale ou partielle de tâches techniques par des machines fonctionnant sans intervention humaine.
◆ gestion de la production et des stocks

### ▼ autonomation
Automated shutdown of a line, process, or machine upon detection of an abnormality or defect.

### autonomatisation<sup>nf</sup>
Processus par lequel la détection d'une anomalie ou d'un défaut entraîne immédiatement l'interruption d'une production, d'une machine, contrairement à l'automatisation qui permet une autocorrection et un autoredémarrage.
◆ gestion de la production et des stocks

### ▼ autonomous work group
A production team that operates a highly focused segment of the production process to an externally imposed schedule but with little external reporting, supervision, interference, or help.

### groupe<sup>nm</sup> de travail autonome
Équipe d'employés qui travaillent à un segment très précis du processus de production en respectant des échéances déterminées, mais avec beaucoup d'autonomie et peu d'encadrement ou d'assistance technique.
◆ gestion de la production et des stocks; gestion des ressources humaines

### ▼ availability
The percentage of time that a worker or machine is capable of working. The formula, where S is the scheduled time and B is the downtime, is:

$$\text{Availability} = \frac{(S - B)}{S} \times 100\%$$

### disponibilité<sup>nf</sup>
Pourcentage du temps pendant lequel une personne, une machine est en mesure de travailler.
◆ gestion de la production et des stocks

▼
### available inventory
= **beginning available balance**
= **net inventory**

The on-hand balance minus allocations, reservations, backorders, and (usually) quantities held for quality problems. Often called beginning available balance.

### stock<sup>nm</sup> disponible

Quantité d'articles en stock de laquelle ont été soustraits les affectations, les réservations, les commandes en souffrance et les articles ne respectant pas les normes de qualité.

◆ gestion de la production et des stocks

▼
### available-to-promise
(ATP)

The uncommitted portion of a company's inventory and planned production, maintained in the master schedule to support customer order promising. The ATP quantity is the uncommitted inventory balance in the first period and is normally calculated for each period in which an MPS receipt is scheduled. In the first period ATP equals on-hand inventory less customer orders that are due and overdue. In any period containing MPS scheduled receipts, ATP equals the MPS less customer orders in this period and all subsequent periods before the next MPS scheduled receipt. A negative ATP reduces prior period(s) ATP.

### disponible<sup>nm</sup> à la vente

Part non réservée du stock ou de la production planifiée d'une entreprise.

**NOTE** Le disponible à la vente est habituellement calculé à partir du programme directeur de production et mis à jour en permanence pour garantir un engagement ferme auprès des clients.

◆ gestion de la production et des stocks

▼
### available work
= **live load**

Work that is actually in a department ready to be worked on as opposed to scheduled work which may not yet be physically on hand.

### travail<sup>nm</sup> lancé
= **travail<sup>nm</sup> disponible**

Tâche ordonnancée prête à être exécutée en atelier.

*Le travail ordonnancé s'oppose au travail planifié non encore lancé.*

◆ gestion de la production et des stocks

▼
### average costs per unit

The total cost to produce a lot of goods divided by the total number of units.

### coût<sup>nm</sup> moyen d'une unité

Quotient du coût total des unités produites par le nombre total d'unités produites.

◆ comptabilité

▼
### average forecast error 1.

The arithmetic mean of the forecast errors.

### erreur<sup>nf</sup> moyenne de prévision

Moyenne arithmétique des valeurs des écarts des observations par rapport aux prévisions.

◆ prévision

▼
### average forecast error 2.

The exponentially smoothed forecast error.

### erreur<sup>nf</sup> moyenne

Lissage exponentiel de l'erreur de prévision.

◆ prévision

▼
### average inventory

One-half the average lot size plus the safety stock, when demand and lot sizes are expected to be relatively uniform over time. Historically the average can be calculated as an average of several inventory observations taken over several historical time periods; e.g., period-ending inventories may be averaged. When demand and lot sizes are not uniform, the stock level verses time can be graphed to determine the average.

### stock<sup>nm</sup> moyen

Quantité moyenne d'articles conservés en stock correspondant à la moitié du lot de commandes en plus du stock de sécurité.

*La méthode du stock moyen est utilisée lorsque la demande et la taille des lots sont relativement stables dans le temps.*

**NOTE** En se basant sur le passé, le stock moyen peut être calculé comme la moyenne de plusieurs observations de stock prises à plusieurs moments (par exemple, on peut faire la moyenne des relevés de stocks en fin de période).

◆ gestion de la production et des stocks

▼
### average outgoing quality level
(AOQL)

The percentage defective in an average lot of goods inspected through acceptance sampling methods.

### qualité<sup>nf</sup> moyenne transmise
(QMT)

Qualité moyenne d'un lot, exprimée en pourcentage de produits défectueux, accepté lors d'un contrôle par échantillonnage.

◆ gestion de la qualité

# B

## backflush
**= explode-to-deduct**
The deduction from inventory records of the component parts used in an assembly or subassembly by exploding the bill of materials by the production count of assemblies produced.

### postdéduction nf
Mise à jour de l'inventaire des composants par décomposition de la nomenclature des articles fabriqués et par le calcul des ensembles produits.

*L'inventaire par postdéduction consiste à multiplier la quantité fabriquée par la quantité unitaire des composants utilisés selon les nomenclatures et à diminuer les stocks de composants de ces quantités calculées.*

**NOTE** La mise à jour des stocks des composants et matières premières utilisés dans la fabrication d'un montage ou d'un sous-ensemble est calculée automatiquement à la fin de la fabrication
♦ gestion de la production et des stocks

## backhauling
The process of a transportation vehicle returning from the original destination point back to the point of origin. The 1980 Motor Carrier Act deregulated interstate commercial trucking and thereby allowed carriers to contract for the return trip. The backhaul can be with a full, partial, or empty load. An empty backhaul is called "dead heading."

### transport nm de retour
Fait pour un transporteur routier de parcourir le trajet de la destination originale au point de départ.

**NOTE** Les transports de retour peuvent s'effectuer avec un chargement complet, partiel ou à vide.
♦ transport

## backlog
**= order backlog**
All of the customer orders received but not yet shipped.

Sometimes referred to as "open orders" or the "order board."

### carnet nm de commandes
**= portefeuille nm de commandes**
Volume des commandes reçues par une entreprise et qui n'ont pas encore été exécutées ou expédiées.

*Le carnet de commandes peut s'exprimer soit en unités de produits, en unités monétaires ou en unités de temps.*
♦ gestion de la production et des stocks

## backorder
An unfilled customer order or commitment. It is an immediate (or past due) demand against an item whose inventory is insufficient to satisfy the demand.

### commande nf en souffrance
**= commande nf en retard**
Commande client que le stock ne permet pas de satisfaire.
♦ gestion de la production et des stocks

## backup/restore
The procedure of making backup copies of computer files or disks and, in case of loss or damage of the original, using the backups to restore the files or disks. In such a case, the only work lost is that done since the backup was made.

### sauvegarde nf
Action de produire une double mémorisation des fichiers informatiques par mesure de précaution.

*La sauvegarde des données sur des copies de sécurité prévient la perte des informations en cas de destruction des fichiers originaux.*
♦ informatique

## backup support
An alternate location or maintainer that can provide the same service response or support as the primary location or maintainer.

### entrepôt[nm] secondaire

Entrepôt d'appoint qui peut fournir les mêmes produits ou assurer les mêmes services que l'entrepôt principal.

◆ gestion de la production et des stocks

---

▼
### backward integration

Process of buying or owning elements of the production cycle and channel of distribution back toward raw material suppliers.

### intégration[nf] (verticale) ascendante

= intégration[nf] amont

Acquisition d'entreprises situées à des stades antérieurs du cycle de fabrication.

*L'intégration verticale ascendante peut aller jusqu'à la fourniture des matières premières.*

**NOTE** Son objectif est notamment de réduire les coûts par la suppression des intermédiaires entre la matière première et le produit fini et d'assurer la sécurité des approvisionnements.

◆ gestion; économie

---

▼
### backward scheduling

A technique for calculating operation start and due dates. The schedule is computed starting with the due date for the order and working backward to determine the required start date and/or due dates for each operation.

**ANT.** forward scheduling

### jalonnement[nm] amont

Méthode de détermination des dates de début et de fin au plus tard des principales activités concourant à la production, dates obtenues par soustraction des différents temps de travail.

*Le jalonnement amont part de la date de fin de l'ordre de fabrication et remonte dans le temps pour définir la date de début ou la date de fin de chaque opération.*

**NOTE** Par opposition au **jalonnement amont**, le **jalonnement aval** s'effectue à partir d'une date de début connue, généralement la date au plus tôt, et consiste à calculer la date de fin d'exécution de l'ordre de fabrication à partir des temps d'opérations.

◆ gestion de la production et des stocks

---

▼
### balance-of-stores record

A double-entry record system that shows the balance of inventory items on hand and the balances of material on order and available for future orders. Where a reserve system of materials control is used, the balance of material on reserve is also shown.

### état[nm] de situation des stocks

Système d'enregistrement à double entrée qui donne la situation du stock d'un article dans ses différents états: disponible, affecté, en commande.

**NOTE** Si le système prévoit également des réservations de stock, cet état les fera également apparaître.

◆ gestion de la production et des stocks

---

▼
### balancing operations

In repetitive Just-in-Time production, matching actual output cycle times of all operations to the demand of use for parts as required by final assembly and, eventually, as required by the market.

### équilibrage[nm] des opérations

Agencement des activités de production selon lequel la quantité de travail d'un poste de travail (extrant) est égale à la quantité de travail requise (intrant) par le poste suivant à partir de la demande du marché.

*L'équilibrage des opérations est une adaptation des temps de cycle réels de l'ensemble des opérations au montage final et à la demande du marché.*

◆ gestion de la production et des stocks

---

▼
### bank
→ buffer

---

▼
### bar

The darker, nonreflective element of a bar code.

### barre[nf]

Trait vertical constituant la partie la plus sombre d'un code à barres.

*Les caractères alphanumériques sont représentés par des barres verticales.*

◆ informatique

---

▼
### bar code

A series of alternating bars and spaces printed or stamped on parts, containers, labels, or other media, representing encoded information that can be read by electronic readers. A bar code is used to facilitate timely and accurate input of data to a computer system.

### code[nm] à barres

= code-barres[nm]

= code[nm] à lecture optique

Suite de lignes et d'espaces de dimensions variables inscrits sur les pièces, les contenants, les étiquettes ou les articles, traduisant certaines informations spécifiques et permettant leur saisie automatique par des lecteurs optiques.

**NOTE** Le code à barres facilite et fiabilise la saisie des données et leur mémorisation dans un système informatique.

◆ informatique

## ▼ bar coding

A method of encoding data using bar code for fast and accurate readability.

### codification[nf] à barres

Méthode de représentation de données à l'aide de traits et d'espaces alternés permettant une lecture fiable et rapide au moyen d'un lecteur optique.

◆ informatique

## ▼ base index

→ base series

## ▼ base inventory level

= basic stock

The inventory level made up of aggregate lot-size inventory plus the aggregate safety stock inventory. It does not take into account the anticipation inventory that will result from the production plan. The base inventory level should be known before the production plan is made.

### niveau[nm] de base du stock

Niveau normal du stock composé du stock de roulement global et du stock de sécurité global à l'exclusion du stock par anticipation.

*Le niveau de base du stock devrait être connu avant l'établissement du plan de production et du plan commercial.*

◆ gestion de la production et des stocks

## ▼ baseline measures

A set of measurements (or metrics) that seeks to establish the current or starting level of performance of a process, function, product, firm, etc. Baseline measures are usually established before the implementation of improvement activities and programs.

### évaluation[nf] de la performance de base

Mesure du rendement de base d'une fonction, d'un produit, d'un processus, d'une entreprise.

*On procède à l'évaluation de la performance de base avant l'adoption d'un programme d'accroissement de la productivité ou d'amélioration continue afin de pouvoir éventuellement mesurer le progrès accompli.*

◆ gestion

## ▼ base point pricing

A type of geographic pricing policy where customers order from designated shipping points without freight charges if they are located within a specified distance from the base point. Customers outside area boundaries pay base price plus transportation costs from the nearest base point.

### politique[nf] de prix de base théorique

Politique de prix selon laquelle les produits sont livrés sans frais de transport à l'intérieur d'un secteur géographique défini.

NOTE Les clients qui sont situés à l'extérieur de ce secteur ne paient les frais de transport qu'à compter du périmètre du secteur défini, quel que soit le point de départ réel des marchandises.

◆ transport

## ▼ base series

= base index

A standard series of demand-over-time data used in forecasting seasonal items. This series of factors is usually based upon the relative level of demand during the corresponding period of previous years. The average value of the base series over a twelve-month period will be 1.0. A figure higher than 1.0 indicates that that period is more than average; a figure less than 1.0 indicates less than the average. For forecasting purposes, the base series is superimposed upon the average demand and trend in demand for the item in question.

### coefficient[nm] saisonnier

= données[nf] de base

Série de données de référence utilisées pour la prévision de la demande saisonnière.

NOTE Ces données sont calculées généralement d'après le niveau relatif de la demande durant la période correspondante des années précédentes.

◆ prévision

## ▼ base stock system

A method of inventory control that includes as special cases most of the systems in practice. In this system, when an order is received for any item, it is used as a "picking ticket," and duplicate copies, called "replenishment orders," are sent back to all stages of production to initiate replenishment of stocks. Positive or negative orders, called "base stock orders," are also used from time to time to adjust the level of the base stock of each item. In actual practice, replenishment orders are usually accumulated when they are issued and are released at regular intervals.

### méthode[nf] du stock de base

= système[nm] de base de gestion des stocks

Méthode de gestion des stocks selon laquelle les bons de sortie matières se traduisent automatiquement en demandes de réapprovisionnement afin d'assurer le réapprovisionnement continu des stocks, maintenant ainsi le niveau du stock de base.

**NOTE** Dans la pratique, les demandes de réapprovisionnement sont habituellement regroupées et lancées à intervalles réguliers.

♦ gestion de la production et des stocks

---

▼ **basic producer**

A manufacturer that uses natural resources to produce materials for other manufacturing. A typical example is a steel company that processes iron ore and produces steel ingots; others are those making wood pulp, glass, and rubber.

### producteur$^{nm}$ de base
= entreprise$^{nf}$ du secteur primaire

Entreprise qui utilise des ressources naturelles pour produire des matières premières utilisées dans d'autres fabrications.

*Une aciérie qui produit des lingots d'acier à partir du minerai de fer, les industries du bois, du verre, du caoutchouc sont des producteurs de base.*

♦ économie

---

▼ **basic stock**
→ **base inventory level**

---

▼ **batch**

A quantity scheduled to be produced or in production. For discrete products the batch is planned to be the standard batch quantity, but during production the standard batch quantity may be broken into smaller lots. In nondiscrete products the batch is a quantity that is planned to be produced in a given time period based on a formula or recipe, which often is developed to produce a given number of end items.

### lot$^{nm}$
Quantité de pièces lancées simultanément en production, qui subissent ensemble les opérations d'usinage et les traitements divers.

**NOTE** Le lot est déterminé par le débit de la ligne, par la quantité standard de production, par la taille du conteneur ou par convention.

♦ gestion de la production et des stocks

---

▼ **batch bills**

A recipe or formula in which the statement of quantity per is based on the standard batch quantity of the parent.

### nomenclature$^{nf}$ de lot
Formule dans laquelle la quantité de chaque composant est calculée à partir du lot de production du produit fini (niveau 0).

♦ gestion de la production et des stocks

---

▼ **batch card**
= **mix ticket**

A document used in the process industries to authorize and control the production of a quantity of material. Batch cards usually contain quantities and lot numbers of ingredients to be used, processing variables, pack-out instructions, and product disposition.

### carte$^{nf}$ de lot
Document utilisé dans les entreprises de fabrication continue pour autoriser et contrôler la fabrication d'une quantité d'un même produit.

*Les cartes de lot contiennent habituellement la quantité et le numéro de lot des composants utilisés, les paramètres de fabrication, les instructions d'emballage et de mise à disposition du produit.*

♦ gestion de la production et des stocks

---

▼ **batch processing**

A computer technique in which transactions are accumulated and processed together or in a "batch."

### traitement$^{nm}$ par lots
Méthode de traitement informatique où les transactions sont conservées pour être traitées ensemble.

♦ informatique

---

▼ **batch sensitivity factor**

A multiplier that is used for the rounding rules in determining the number of batches required to produce a given amount of product.

### facteur$^{nm}$ d'approximation de lots
Coefficient multiplicateur utilisé pour arrondir le nombre de lots nécessaires à la production d'une quantité donnée de produits.

♦ gestion de la production et des stocks

---

▼ **batch sheet**
= **picking list**
= **routing**

In many process industries, a document that combines product and process definition.

### fiche$^{nf}$ de gamme d'opérations
Dans de nombreuses industries de fabrication continue, combinaison de la définition du produit et de son processus de fabrication.

♦ gestion de la production et des stocks

---

▼ **Bayesian analysis**

Statistical analysis where uncertainty is incorporated, using all available information to choose among a number of alternative decisions.

### analyse$^{nf}$ bayesienne
= méthode$^{nf}$ de l'arbre inversé

Technique d'analyse servant à la prise de décision et selon laquelle l'incertitude ainsi que toutes les données disponibles sont prises en compte pour dégager un certain nombre de décisions.

◆ gestion

---

### beginning available balance
→ available inventory

---

### beginning inventory

A statement of the inventory count at the end of last period, usually from a perpetual inventory record.

### stock$^{nm}$ initial
= stock$^{nm}$ d'ouverture

Situation du stock en début de période, déterminée généralement à partir d'un inventaire permanent.

*Le stock initial de début de période correspond au stock final de la période précédente, après tout mouvement.*

◆ gestion de la production et des stocks

---

### benchmark measures

A set of measurements (or metrics) that is used to establish goals for improvements in processes, functions, products, etc. Benchmark measures are often derived from other firms that display "best in class" achievement.

### standards$^{nm}$ d'excellence
= références$^{nf}$ optimales
= repères$^{nm}$ d'excellence

Choix de normes de référence pour un produit, une fonction, un processus, identiques à celles des entreprises qui se situent au premier rang dans ce domaine.

**NOTE** L'établissement de ces standards ou de ces repères se fait par évaluation comparative ou étalonnage concurrentiel.

◆ gestion de la qualité

---

### bias

The departure from the average of a set of values.

### biais$^{nm}$

Distorsion, déformation systématique d'un échantillon de valeur recherchée.

◆ statistique

---

### bid

A quotation specifically given to a prospective purchaser upon request, usually in competition with other vendors.

### soumission$^{nf}$
= offre$^{nf}$ de service

Formulation concrète d'une proposition de vente d'un bien ou d'un service par une entreprise dans des conditions définies.

*L'entreprise a demandé des soumissions pour la sous-traitance de cette fabrication et des offres de service pour la formation du personnel.*

◆ gestion

---

### bid pricing

Offering a specific price for each job rather than setting a standard price that applies for all customers.

### négociation$^{nf}$ de gré à gré

Établissement d'un prix à la commande pour un client déterminé.

*La négociation de gré à gré s'oppose à l'établissement d'un prix courant pratiqué indistinctement pour l'ensemble des clients.*

◆ gestion des approvisionnements

---

### bill of batches

A method of tracking the specific multilevel batch composition of a manufactured item. The bill of batches provides the necessary where-used and where-from relationships required for lot traceability.

### nomenclature$^{nf}$ de lots

Liste énumérative des lots de composants des ensembles et sous-ensembles d'un produit fabriqué.

*La nomenclature de lots fournit les origines et les cas d'emploi des lots.*

◆ gestion de la production et des stocks

---

### bill of capacity
→ bill of resources

---

### bill of distribution
→ distribution network structure

---

### bill of labor
= product load profile

A structured listing of all labor requirements for the fabrication, assembly, and/or testing of a parent item.

### nomenclature$^{nf}$ des temps de main-d'œuvre
= nomenclature$^{nf}$ de la charge de travail

État des besoins de main-d'œuvre liés à la production d'une unité d'un produit donné.

*La planification globale des capacités compile les nomenclatures des temps de main-d'œuvre pour*

*estimer les besoins en capacité du programme direc-
teur de production.*
- ◆ gestion de la production et des stocks

---

▼ **bill of lading (uniform)**
A carrier's contract and receipt for goods it agrees to
transport from one place to another and to deliver to a
designated person. In case of loss, damage, or delay,
the bill of lading is the basis for filing freight claims.

**connaissement**nm
Document qui matérialise un contrat de transport et par
lequel un transporteur accepte de transporter des marchandises d'un point à un autre et de les livrer à une
personne désignée ou à ses mandataires.
*Le connaissement est à la fois reçu de marchan-
dises, contrat de transport et engagement de livraison
au titulaire à l'arrivée. Il constitue entre les mains du
porteur régulier le titre de propriété des marchandises
transportées.*
**NOTE** À l'origine, ce terme était réservé au transport maritime. Par extension, on l'emploie aujourd'hui
pour désigner d'autres types de transport. Le terme
***lettre de voiture*** (document du même type utilisé pour
le transport aérien) est aussi utilisé.
- ◆ gestion des approvisionnements; transport

---

▼ **bill of material**
(BOM)
A listing of all the subassemblies, intermediates, parts,
and raw materials that go into a parent assembly showing the quantity of each required to make an assembly.
It is used in conjunction with the master production
schedule to determine the items for which purchase
requisitions and production orders must be released.
There is a variety of display formats for bills of material,
including the single-level bill of material, indented bill of
material, modular (planning) bill of material, transient bill
of material, matrix bill of material, and costed bill of material. It may also be called the "formula," "recipe," "ingredients list" in certain industries.

**nomenclature**nf **(de produit)**
Liste hiérarchisée des matières premières, composants
et sous-ensembles nécessaires à la fabrication d'un
produit avec l'indication des quantités de chacun de ces
éléments.
*Une nomenclature peut prendre plusieurs formes :
nomenclature à un niveau, multiniveaux, modulaire,
transitoire, matricielle, avec coûts de revient, etc.*
**NOTE** La nomenclature peut également être appelée ***formule, recette, liste d'ingrédients*** dans certains
secteurs d'activité, mais l'expression *bill de matériel
est fautive.
- ◆ gestion de la production et des stocks

---

▼ **bill of material processor**
A computer program for maintaining and retrieving bill
of material information.

**traitement**nm **informatique
des nomenclatures**
Programme de consultation et de mise à jour des nomenclatures de produit.
- ◆ gestion de la production et des stocks

---

▼ **bill of material structuring**
The process of organizing bills of material to perform
specific functions.

**structuration**nf **de nomenclatures
(de produits)**
Aménagement des nomenclatures de produits en vue
de répondre à des besoins spécifiques.
- ◆ gestion de la production et des stocks

---

▼ **bill of operations**
→ routing

---

▼ **bill of resources**
= **product load profile**
= **bill of capacity**
= **resource profile**
A listing of the required capacity and key resources
needed to manufacture one unit of a selected item or
family.The resource requirements are further defined
by a lead-time offset so as to predict the impact of the
item/family scheduled on the load of the key resource
by time period. Rough cut capacity planning uses these
bills to calculate the approximate capacity requirements of the master production schedule. Resource
planning may use a form of this bill to calculate long-
range resource requirements from the production plan.

**macrogamme**nf
Liste de l'ensemble des ressources critiques nécessaires à la fabrication d'une unité d'un produit donné.
*La planification sommaire des capacités tient
compte de macrogammes pour évaluer les besoins en
capacité du programme directeur de production; la planification des ressources utilise les macrogammes pour
établir les besoins de ressources à long terme découlant du plan de production.*
- ◆ gestion de la production et des stocks

---

▼ **bin** 1.
A storage device designed to hold small discrete parts.

**case**nf
= **bac**nm
= **compartiment**nm
Division pratiquée dans un espace de rangement pour loger des articles des pièces de petites dimensions en les séparant.
◆ gestion de la production et des stocks

▼ **bin** 2.
A shelving unit with physical dividers separating the storage location.

**casier**nm
= **zone**nf
= **aire**nf
Espace de stockage comportant des cases dans lesquelles on dispose des matières, des pièces, des produits.
◆ gestion de la production et des stocks

▼ **bin location file**
A file that specifically identifies the physical location where each item in inventory is stored.

**fichier**nm **de localisation (du stock)**
Fichier qui définit les emplacements où sont stockés les différents articles.
◆ gestion de la production et des stocks

▼ **bin reserve system**
→ **two-bin system**

▼ **bin tag** 1.
A type of perpetual inventory record, designed for store-keeping purposes, maintained at the storage area for each inventory item.

**fiche**nf **de casier**
Fiche d'inventaire permanent fixée aux emplacements de stockage et servant à enregistrer les mouvements d'entrée et de sortie de chaque article en stock.
◆ gestion de la production et des stocks

▼ **bin tag** 2.
An identifying marking on a storage location.

**étiquette**nf **de casier**
Fiche définissant les emplacements de stockage d'un entrepôt, d'un magasin.
◆ gestion de la production et des stocks

▼ **bin transfer**
An inventory transaction to move a quantity from one valid location (bin) to another valid location (bin).

**transfert**nm **de casier**
Demande de déplacement d'un article d'un casier de stockage à un autre.
◆ gestion de la production et des stocks

▼ **bin trips**
Usually the number of transactions per stockkeeping unit per unit of time.

**taux**nm **de rotation de casier**
= **taux**nm **de rotation d'emplacement**
Nombre de transactions par unité de stock et par unité de temps.
◆ gestion de la production et des stocks

▼ **blanket order**
→ **blanket purchase order**

▼ **blanket purchase order**
= **blanket order**
= **standing order**
A long-term commitment to a supplier for material against which short-term releases will be generated to satisfy requirements. Often blanket orders cover only one item, with predetermined delivery dates.

**contrat**nm **cadre**
= **marché**nm **d'approvisionnement**
= **commande**nf **programme**
Contrat à long terme (généralement un an) avec un fournisseur et ayant pour objet des livraisons successives, dans des conditions stipulées d'avance ou déclenchées par des appels de livraison en fonction de la demande.
◆ gestion des approvisionnements

▼ **blanket release**
Authorization to ship and/or produce against a blanket agreement or contract.

**appel**nm **de livraison**
= **ordre**nm **de livraison**
Autorisation de produire ou de livrer un bien, un service selon les conditions stipulées dans un contrat cadre.
**NOTE** Les conditions de vente ont été définies par le contrat cadre et l'objet du marché est produit ou livré au fur et à mesure des besoins du client lorsque celui-ci transmet des appels de livraison.
◆ gestion des approvisionnements

▼ **blend formula**
= **assembly parts list**
= **mix ticket**
An assembly parts list in process industries.

### formule<sup>nf</sup> de mélange

Liste des matières, des ingrédients nécessaires à la préparation d'un produit dans le cadre d'une fabrication par processus.

◆ généralités

---

### blending

The process of physically mixing two or more lots or types of material to produce a homogeneous lot. Blends normally receive new identification and require testing.

### mélange<sup>nm</sup>

Processus par lequel deux ou plusieurs lots de matières sont regroupés et mélangés pour obtenir un nouveau produit homogène.

NOTE Les mélanges constituent un nouveau lot et nécessitent un contrôle.

◆ généralités

---

### blending department
→ final assembly 2.

---

### blend off

Reworking material by introducing a small percentage into another run of the same product.

### remélange<sup>nm</sup>

Réutilisation d'un produit en l'introduisant en petites quantités dans un autre lot du même produit.

◆ généralités

---

### blend order
→ assembly order

---

### block control

Control of the production process in groups or "blocks" of shop orders for products undergoing the same basic processes.

### contrôle<sup>nm</sup> par groupe

Méthode de vérification de la production par groupement de bons de travail soumis aux mêmes procédés de production.

◆ gestion de la qualité

---

### block diagram
= flowchart
= process chart

A diagram in which a procedure, system, or computer program is represented by annotated boxes and interconnecting lines.

### organigramme<sup>nm</sup> fonctionnel
= ordinogramme<sup>nm</sup>

Schéma codifié représentant les étapes successives d'un cheminement et montrant les interactions, les boucles et le déroulement général d'une activité, d'un traitement informatique à l'aide d'un ensemble de figures géométriques interreliées.

◆ informatique

---

### blocked operations

A group of operations identified separately for instructions and documentation but reported as one.

### opérations<sup>nf</sup> groupées

Opérations décrites et expliquées de façon individuelle, mais regroupées à des fins de compilation et de gestion.

◆ gestion de la production et des stocks

---

### block scheduling

An operation scheduling technique where each operation is allowed a "block" of time, such as a day or week.

### jalonnement<sup>nm</sup> par période
= ordonnancement<sup>nm</sup> par période

Technique de jalonnement qui consiste à attribuer à chaque opération une unité de mesure de temps (jour, semaine).

◆ gestion de la production et des stocks

---

### block system

A system for selecting items to be cycle counted by a group or block of numbers.

### classement<sup>nm</sup> par groupe
= système<sup>nm</sup> par groupe

Méthode permettant de trier les articles par classe ou par catégorie lors de l'inventaire tournant.

NOTE L'inventaire tournant s'effectue par répartition en un certain nombre de groupes des différents produits en stock et échelonnement des comptages de ces groupes selon une périodicité définie.

◆ gestion de la production et des stocks

---

### blow-through
→ phantom bill of material

---

### blueprint

In engineering, a line drawing depicting the physical characteristics of a part.

### plan<sup>nm</sup>

Reproduction à une certaine échelle (d'une machine, d'une pièce).

*Plans et maquettes d'un prototype d'avion.*

◆ généralités

### boilerplate
The standard terms and conditions on a purchase order or other document.

### conditions[nf] générales
Ensemble des conditions fixées par une entreprise à ses clients pour l'exécution d'une commande (prix, date de livraison, emballage, transport, garantie, etc.).

**NOTE** Selon le cas, on parlera aussi de conditions de vente, de conditions d'achat et de conditions de règlement.

◆ gestion des approvisionnements

### BOM
Abbreviation for **bill of material**.

### bond (performance)
A bond that is executed in connection with a contract and that secures the performance and fulfillment of all the undertakings, covenants, terms, conditions, and agreements contained in the contract.

### engagement[nm] de résultat
= **garantie[nf] de résultat**
Engagement ferme pris par l'entreprise titulaire d'un marché de respecter les conditions de ce marché et de garantir l'atteinte des objectifs établis.

◆ gestion

### bonded warehouse
Buildings or parts of buildings designated by the U.S. Secretary of the Treasury for the purpose of storing imported merchandise, operated under customs supervision.

### entrepôt[nm] de douane
= **magasin[nm] sous douane**
Lieu, soumis au contrôle de l'administration des douanes, où sont déposées les marchandises pour lesquelles les droits de douane et les taxes n'ont pas encore été acquittés.

◆ généralités

### book inventory
An accounting definition of inventory units and/or value obtained from perpetual inventory records rather than by actual count.

### inventaire[nm] comptable
État descriptif et quantitatif des matières, composants, produits d'une entreprise à une date déterminée qui est établi d'après les données théoriques de l'inventaire permanent plutôt que d'après le dénombrement réel des unités stockées.

*L'inventaire comptable peut être exprimé en unités stockées ou en unités monétaires.*

**NOTE** Le rapprochement des données de l'inventaire comptable avec les résultats du dénombrement des articles stockés peut faire apparaître des écarts et conduire à une écriture de correction dont l'objet est de rétablir la concordance qui s'impose.

◆ comptabilité; gestion de la production et des stocks

### Boolean algebra
A form of algebra that, like ordinary algebra, represents relationships and properties with symbols. However, Boolean algebra also has classes, propositions, on-off circuit elements, and operators (and, or, not, except, if, then). It is useful in defining the logic of a complex system.

### algèbre[nf] de Boole
= **algèbre[nf] de la logique**
Structure algébrique appliquée à l'étude des relations logiques, et dans laquelle les opérations de réunion, d'intersection et de complémentation expriment respectivement la disjonction, la conjonction, la négation logiques.

*L'algèbre de Boole est utile pour définir la logique des systèmes complexes.*

◆ généralités

### bottleneck
A facility, function, department, or resource whose capacity is equal to or less than the demand placed upon it. For example, a bottleneck machine or work center exists where jobs are processed at a slower rate than they are demanded.

### goulot[nm] (d'étranglement)
= **goulet[nm] d'étranglement**
Moyen de production dont la capacité maximale est insuffisante par rapport à la charge de travail résultant du programme directeur de production.

*Le goulot est causé par le déséquilibre entre la capacité de production des postes de travail.*

**NOTE** Le goulot est un secteur de l'entreprise (installation, service, poste de travail) dont la capacité est insuffisante et qui limite ou paralyse son activité générale.

◆ gestion de la production et des stocks

### bottom-up replanning
In MRP, the process of using pegging data to solve material availability and/or problems. This process is accomplished by the planner (not the computer system), who evaluates the effects of possible solutions. Potential solutions include compressing lead time, cutting order quantity, substituting material, and changing the master schedule.

**replanification^nf amont**
= **replanification^nf à rebours**
Dans la planification des besoins matières, réordonnancement des ordres de fabrication en fonction de la décomposition des besoins afin de résoudre un problème de disponibilité de composants lorsque les dates d'exigibilité et les dates de besoin ne correspondent pas.

*La replanification amont peut résulter en une réduction de la taille des lots, une réduction du délai d'approvisionnement, l'utilisation de composants de rechange, la modification du programme directeur de production.*

◆ gestion de la production et des stocks

---

### ▼ Box-Jenkins model
A forecasting approach based on regression and moving average models. The model is based not on regression of independent variables, but on past observations of the item to be forecast at varying time lags and on previous error values from forecasting.

**modèle^nm de Box-Jenkins**
Méthode de prévision basée sur des modèles de régression et de moyenne mobile.

NOTE Ces modèles ne sont pas basés sur la régression de variables indépendantes, mais plutôt sur les observations passées des données de variables d'une part, et sur les erreurs de prévision par ailleurs.

◆ prévision

---

### ▼ bracketed recall
Recall from customers of suspect lot number(s) plus a specified number of lots produced before and after the suspect one(s).

**rappel^nm ciblé de lots**
Rappel auprès des clients d'un lot suspect ainsi que d'un nombre déterminé de lots produits en amont et en aval du lot suspect.

◆ gestion de la qualité

---

### ▼ branch and bound
Operations research models for determining optimal solutions based on the enumeration of subsets of possible solutions, which implicitly enumerate all possible solutions.

**graphes^nm binaires**
Modèles de recherche opérationnelle servant à définir des solutions optimales et qui sont basés sur l'énumération et l'évaluation de solutions possibles.

◆ recherche opérationnelle

---

### ▼ branch warehouse
A distribution center.

**entrepôt^nm**
Dépôt de produits finis et de pièces de rechange.

◆ gestion de la production et des stocks

---

### ▼ branch warehouse demand
**→ warehouse demand**

---

### ▼ branding
The use of a name, term, symbol, or design, or a combination of these, to identify a product.

**choix^nm d'une marque**
Emploi d'un mot, d'un ensemble de mots et de tout moyen matériel ou graphique pour désigner un produit ou un service.

◆ marketing

---

### ▼ brand name
A word or combination of words used to identify a product and differentiate it from other products; the verbal part of a trademark, in contrast to the pictorial mark; a trademark word. All brand names are trademarks, but not all trademarks are brand names.

**marque^nf**
= **marque^nf nominative**
Toute combinaison de lettres ou de mots servant à désigner les produits ou les services d'une entreprise.

NOTE La **marque** constitue la partie prononçable de la désignation, alors que le **logo** en est le symbole graphique.

◆ droit; marketing

---

### ▼ brand recognition
The degree at which customers recognize a particular brand identity and associate it with a particular product line relative to other available brands.

**reconnaissance^nf de la marque**
Degré de notoriété d'une marque pour un produit spécifique par rapport au degré de connaissance des produits concurrents.

◆ marketing

---

### ▼ breakdown maintenance
Remedial maintenance that occurs when equipment fails and must be repaired on an emergency or priority basis.

**dépannage^nm**
Entretien correctif visant la remise en état de marche d'une machine ou d'un matériel.

*Le dépannage est généralement urgent ou prioritaire.*

◆ gestion de la production et des stocks

---

▼ **break-even chart**
A graphical tool showing the total variable cost and fixed cost curve along with the total revenue (gross income) curve. The point of intersection is defined as the break-even point, i.e., the point where revenues exactly equal total costs.

**graphique**nm **du point mort**
= **graphique**nm **de rentabilité**
Diagramme où figurent les produits et les charges correspondant à différents degrés d'activité et dont l'objet est de faire ressortir le seuil de rentabilité, appelé aussi point mort.

◆ gestion; comptabilité

---

▼ **break-even point**
The level of production or the volume of sales at which operations are neither profitable nor unprofitable. The break-even point is the intersection of the total revenue and total cost curves.

**seuil**nm **de rentabilité**
= **point**nm **mort**
Volume d'activité à partir duquel une rentabilité est dégagée.

*Le seuil de rentabilité, ou point mort, est représenté par le chiffre d'affaires (exprimé en dollars ou en quantités produites ou vendues) qui permet de recouvrer les charges variables et les charges fixes.*

**NOTE** Au-delà de ce seuil apparaît la zone de bénéfice alors qu'en deçà, existe la zone d'activité déficitaire.

◆ gestion; comptabilité

---

▼ **break-even time**
The total elapsed time of a technology transfer beginning with a scientific investigation and ending when the profits from a new product offset the cost of its development.

**seuil**nm **chronologique de rentabilité**
Durée totale à compter de laquelle les profits liés à un nouveau produit équilibrent les coûts engagés pour la recherche et le développement de ce produit.

◆ gestion; comptabilité

---

▼ **breeder bill of material**
A bill of material that recognizes and plans for the availability and usage of by-products in the manufacturing process. The breeder bill allows for complete by-product MRP and product/by-product costing.

---

**nomenclature**nf **des sous-produits**
Nomenclature qui prend en compte et planifie la disponibilité et l'utilisation de sous-produits dans le processus de fabrication.

**NOTE** La nomenclature des sous-produits permet le calcul des coûts des produits et des sous-produits.

◆ gestion de la production et des stocks

---

▼ **broadcast system**
A sequence of specific units to be assembled and completed at a given rate. This sequence is communicated to supply and assembly activities to perform operations and position material so that it merges with the correct assembled unit.

**réseau**nm **synchronisé de fabrication**
Ensemble de produits spécifiques qui doivent être assemblés et livrés à une cadence donnée.

**NOTE** Les données relatives au réseau synchronisé sont communiquées au service de l'approvisionnement et aux postes de travail pour qu'ils procèdent de manière à ce que les différents composants se rejoignent au bon moment pour réaliser le produit spécifique désigné par la séquence.

◆ gestion de la production et des stocks

---

▼ **bubble chart**
A diagram that attempts to display the interrelationships of systems, functions, or data in the sequential flow. It derives its name from the circular symbols used to enclose the statements on the chart.

**graphique**nm **à bulles**
= **diagramme**nm **de flux**
Graphique qui a pour but d'indiquer les interrelations entre systèmes, fonctions ou étapes dans un cheminement.

*Le graphique à bulles est ainsi désigné parce que la case dans laquelle viennent s'inscrire les données a généralement une forme circulaire.*

◆ gestion

---

▼ **bucketed system**
An MRP, DRP, or other time-phased system in which all time-phased data are accumulated into time periods or "buckets." If the period of accumulation is one week, then the system is said to have weekly buckets.

**planification**nf **par intervalle**
Technique de planification selon laquelle les données échelonnées sont regroupées par périodes de base.

**NOTE** Si la période de référence est la semaine, on parle alors de planification hebdomadaire.

◆ gestion de la production et des stocks

▼ **bucketless system**
An MRP, DRP, or other time-phased system in which all time-phased data are processed, stored, and usually displayed using dated records rather than defined time periods or "buckets."

**planification^nf par date**
= **planification^nf continue**
Technique de planification selon laquelle les données échelonnées dans le temps sont saisies et affichées individuellement par date, en opposition à une planification par période.
◆ gestion de la production et des stocks

▼ **budget**
A plan that includes an estimate of future costs and revenues related to expected activities. The budget serves as a pattern for and a control over future operations.

**budget^nm**
Expression quantitative et financière d'un programme d'action envisagé pour une période donnée.
*Le budget sert de modèle et de base de contrôle pour les activités futures alors que le bilan est un document comptable qui rend compte du passé.*
◆ comptabilité

▼ **budgeted capacity**
The volume/mix of throughput upon which financial budgets were set and overhead/burden absorption rates established.

**capacité^nf budgétée**
Volume et assortiment de produits sur lesquels s'appuient les budgets financiers et sur la base desquels ont été imputés les frais généraux et taxes.
◆ gestion de la production et des stocks

▼ **buffer**
= **bank**
= **buffer stock**
A quantity of materials awaiting further processing. It can refer to raw materials, semifinished stores or hold points, or a work backlog that is purposely maintained behind a work center.

**stock^nm tampon**
Quantité de matières, pièces ou produits stockés entre les divers postes de travail pour absorber les variations des cadences de production.
◆ gestion de la production et des stocks

▼ **buffer stock**
→ **buffer**

▼ **build cycle**
The time period between a major setup and cleanup. It recognizes cyclical scheduling of similar products with minor changes from one product/model to another.

**cycle^nm majeur**
Période de temps s'écoulant entre deux mises en course majeures nécessitées par le passage d'un produit ou d'un modèle à un autre dans la chaîne de production.
◆ gestion de la production et des stocks

▼ **bulk issue**
Parts issued from stores to work-in-process inventory, but not based on a job order. They are issued in quantities estimated to cover requirements of individual work centers and production lines. The issue may be used to cover a period of time or to fill a fixed-size container.

**sortie^nf en vrac**
= **sortie^nf globale**
Ensemble de composants extraits du magasin et destinés aux encours de fabrication de façon globale et non à un ordre de fabrication spécifique.
**NOTE** La sortie en vrac peut être calculée afin de couvrir une période donnée ou encore pour remplir un contenant d'une grandeur déterminée.
◆ gestion de la production et des stocks

▼ **bulk storage**
Large-scale storage for raw materials, intermediates, or finished products. Each vessel normally contains a mixture of lots and materials that may be replenished and withdrawn for use or pack-out simultaneously.

**entreposage^nm en vrac**
= **stockage^nm de masse**
Stockage de matières premières ou de composants ou de produits finis sans ordre déterminé, souvent sans emballage dans un grand contenant.
◆ gestion de la production et des stocks

▼ **burden rate**
A cost, usually in dollars per hour, that is normally added to the cost of every standard production hour to cover overhead expenses.

**coefficient^nm d'imputation des frais généraux**
Coefficient utilisé par une entreprise pour répartir ses frais généraux entre ses divers produits.
◆ comptabilité

▼ **business plan**
A statement of long-range strategy and revenue cost, and profit objectives usually accompanied by budgets,

a projected balance sheet, and a cash flow (source and application of funds) statement. It is usually stated in terms of dollars and grouped by product family. The business plan and the sales and operations plan, although frequently stated in different terms, should be in agreement with each other.

### plan[nm] d'entreprise
= plan[nm] d'affaires
Plan traduisant la stratégie à long terme de l'entreprise et comportant les chiffres globaux du fonctionnement de l'entreprise, les prévisions de chiffres d'affaires, les objectifs de coûts et de bénéfices et les budgets établis.
*Le plan d'entreprise est habituellement établi en dollars et par famille de produits.*
◆ gestion

### buyer
An individual whose functions may include supplier selection, negotiation, order placement, supplier follow-up, measurement and control of supplier performance, value analysis, evaluation of new materials and processes, etc. In some companies, the functions of order placement and supplier follow-up are handled by the supplier scheduler.

### acheteur[nm]
### acheteuse[nf]
= agent[nm] d'approvisionnement
agente[nf] d'approvisionnement
Agent chargé par une entreprise de l'acquisition de biens ou de services.
*Les fonctions de l'acheteur incluent généralement la sélection et le suivi des fournisseurs, la négociation, la passation des commandes, la relance des fournisseurs, l'analyse de la valeur.*
◆ gestion des approvisionnements

### buyer behavior
How individuals or organizations behave in a purchasing situation. The customer-oriented concept finds out the wants, needs, and desires of customers and adapts resources of the organization to deliver the need-satisfying products and services.

### comportement[nm] du consommateur
= comportement[nm] d'achat
Processus décisionnel d'un acheteur entre le moment où il prend conscience d'un besoin à satisfaire et celui où il opte pour un certain produit d'un fournisseur donné.
NOTE L'entreprise qui vise la satisfaction des besoins des acheteurs analyse les facteurs individuels (personnalité, style de vie) et les facteurs d'environnement (variables sociodémographiques, économiques)

susceptibles d'orienter le choix des consommateurs.
◆ marketing

### buyer code
A code used to identify the purchasing person responsible for a given item and/or purchase order.

### code[nm] acheteur
Code utilisé pour définir l'acheteur responsable d'un produit donné ou d'un ordre d'achat.
◆ gestion de la production et des stocks

### buyer cycle
The purchasing sequence that generally follows the buyer's product and budget cycles.

### cycle[nm] d'achat
Succession des phases qui caractérisent le processus d'achat d'un produit ou d'un service.
◆ gestion des approvisionnements

### buyer/planner
A buyer who also does material planning. This term should not be confused with planner/buyer.

### acheteur-planificateur[nm]
### acheteuse-planificatrice[nf]
Acheteur qui est également chargé de la planification des matières.
◆ gestion des approvisionnements

### buyer's market
A market in which goods can easily be secured and when the economic forces of business tend to cause goods to be priced at the purchaser's estimate of value.

### marché[nm] acheteur
Situation conjoncturelle qui caractérise un marché où l'acheteur est en position favorable, ayant de larges possibilités de choix.
*Quand on peut se procurer des produits facilement et quand le marché permet à l'acheteur de fixer le prix d'achat d'après ses seuls critères, on parle de marché acheteur.*
◆ économie

### buying capacity
→ capacity buying

### by-product
A material of value produced as residual of or incidental to the production process. The ratio of by-product to primary product is usually predictable. By-products may be recycled, sold as is, or used for other purposes.

**sous-produit** nm

**= produit** nm **dérivé**

Produit obtenu accessoirement lors de la fabrication du produit principal ou de la transformation d'une matière première.

*Le raffinage du pétrole fournit de nombreux sous-produits.*

**NOTE** Les sous-produits peuvent être recyclés, vendus en l'état ou utilisés à d'autres fins.

◆ gestion de la production et des stocks

## CAD
Acronym for **computer-aided design.**

## CAO
Abréviation de **conception assistée par ordinateur.**

## CAD/CAM
The integration of computer-aided design and computer-aided manufacturing to achieve automation from design through manufacturing.

## CFAO
Automatisation qui s'étend de la conception à la fabrication.

**NOTE** CFAO est l'abréviation de **conception et fabrication assistées par ordinateur.**

◆ informatique

## CAE
Abbreviation for **computer-aided engineering.**

## IAO
Abréviation de **ingénierie assistée par ordinateur.**

## CAIT
Abbreviation for **computer-aided inspection and test.**

## ICAO
Abréviation de **inspection et contrôle assistés par ordinateur.**

## calculated capacity
→ **rated capacity** 1.

## calculated usage
The determination of usage of components or ingredients in a manufacturing process by multiplying the receipt quantity of a parent by the quantity per of each component/ingredient in the bill/recipe, accommodating standard yields.

## consommation$^{nf}$ théorique
Détermination du nombre de composants utilisés lors d'une fabrication à l'aide de la multiplication des éléments des diverses nomenclatures par les quantités de produits fabriqués.

◆ gestion de la production et des stocks

## calendar time
The passage of days or weeks as in the definition of lead time or scheduling rules, in contrast with running time.

## durée$^{nf}$ civile
= **temps$^{nm}$ de calendrier**
= **durée$^{nf}$ calendaire**
Durée établie en jours ou en semaines plutôt qu'en temps de fabrication effectif dans le cadre du jalonnement de la production.

◆ gestion de la production et des stocks

## calibration
Maintenance work performed on a tool in order to bring its performance up to an acceptable level or to ensure that current performance levels will be sustained.

## calibrage$^{nm}$
Ensemble d'opérations de maintenance ou d'entretien permettant de mettre au point et de faire fonctionner un outil, un appareil afin d'atteindre et de maintenir les niveaux de production désirés.

◆ gestion de la production et des stocks

## calibration frequency
Interval in days between tooling calibrations.

## fréquence$^{nf}$ de calibrage
Période de temps s'écoulant entre deux réglages.

◆ gestion de la production et des stocks

▼ **CAM**
Acronym for **computer-aided manufacturing**.

**FAO**
Abréviation de **fabrication assistée par ordinateur**.

▼ **cancellation charge**
A fee charged by a seller to cover its costs associated with a customer's cancellation of an order. If the seller has started any engineering work, purchased raw materials, or started any manufacturing operations, these changes could also be included in the cancellation charge.

**frais**nm pl **d'annulation**
Somme d'argent due, sur une base contractuelle, en cas d'annulation d'une commande, d'un marché.

*Les frais d'annulation peuvent comprendre les sommes engagées par le fournisseur, notamment pour la conception et la recherche, l'achat de matières, le lancement de la production.*
◆ gestion

▼ **capacity** 1.
The capability of a system to perform its expected function.

**capacité**nf
Aptitude d'un système à remplir des fonctions déterminées, à atteindre les objectifs établis.
◆ gestion

▼ **capacity** 2.
The capability of a worker, machine, work center, plant, or organization to produce output per time period. Capacity required represents the system capability needed to make a given product mix (assuming technology, product specification, etc.). As a planning function, both capacity available and capacity required can be measured in the short (capacity requirements planning), intermediate (rough cut capacity plan) and long term (resource plan). Capacity control is the execution through the I/O control report of the short-term plan. Capacity can be classified as theoretical, rated, demonstrated, protective, productive, dedicated, budgeted, or standing.

**capacité**nf
= **capacité**nf **de production**
Quantité d'unités d'œuvre susceptibles d'être réalisées par un moyen de production dans une période déterminée.

*La capacité disponible d'un moyen de production correspond à la capacité non encore affectée à une tâche précise pour la période considérée; elle se déter-*mine en soustrayant de la capacité du moyen de production, les charges déjà affectées.

**NOTE** On distinguera notamment la **capacité théorique**, la **capacité nominale**, la **capacité réelle**, la **capacité pratique**, la **capacité de sécurité**, la **capacité budgétée**, la **capacité disponible**.
◆ gestion de la production et des stocks

▼ **capacity available**
The capability of a system or resource to produce a quantity of output in a particular time period.

**capacité**nf **potentielle**
Aptitude d'une ressource à atteindre un objectif de production au cours d'une période donnée.
◆ gestion de la production et des stocks

▼ **capacity buying**
= **buying capacity**
A purchasing practice whereby a company commits to a supplier for a given amount of its capacity per unit of time. Subsequently, schedules for individual items are given to the supplier in quantities to match the committed level of capacity.

**achat**nm **de capacité**
Mode d'acquisition d'une partie de la capacité d'un fournisseur par la sous-traitance de moyens de production en vue d'augmenter la capacité de l'entreprise pour une période donnée.
◆ gestion de la production et des stocks

▼ **capacity control**
= **input/output control**
The process of measuring production output and comparing it with the capacity requirements plan, determining if the variance exceeds pre-established limits, and taking corrective action to get back on plan if the limits are exceeded.

**contrôle**nm **de la capacité**
Activité de mesure de la production réalisée qui compare les extrants aux besoins de capacité et qui prend les actions correctives appropriées, s'il y a lieu.
◆ gestion de la production et des stocks

▼ **capacity management**
The function of establishing, measuring, monitoring, and adjusting limits or levels of capacity in order to execute all manufacturing schedules; i. e., the production plan, master production schedule, material requirements plan, and dispatch list. Capacity management is executed at four levels: resource planning, rough cut capacity planning, capacity requirements planning, and input/output control.

## gestion[nf] de la capacité

Ensemble des activités qui assurent la réalisation du programme directeur de production par l'utilisation optimale des ressources de l'entreprise ou par la location de ressources externes, le cas échéant, pour répondre aux besoins de capacité planifiés.

*La gestion de la capacité s'effectue à quatre niveaux : la planification des ressources, la planification sommaire des besoins de capacité, la planification des besoins de capacité et le contrôle des intrants-extrants.*

◆ gestion de la production et des stocks

---

## ▼ capacity pegging

Displaying the specific sources of capacity requirements. This is analogous to pegging in MRP, which displays the source of material requirements.

## détermination[nf] des besoins de capacité

Ensemble des techniques utilisées pour compiler les ordres de fabrication en vue d'établir la charge des divers moyens de production et de procéder à la planification des besoins de capacité.

*La détermination des besoins de capacité s'apparente à la détermination des besoins matières qui soustend la planification des besoins matières.*

◆ gestion de la production et des stocks

---

## ▼ capacity planning
→ **capacity requirements planning**

---

## ▼ capacity required

The capacity of a system or resource needed to produce a desired output in a particular time period.

## capacité[nf] requise

Aptitude d'un système, d'une ressource à atteindre un taux de production défini au cours d'une période donnée.

◆ gestion de la production et des stocks

---

## ▼ capacity requirements

The resources needed to produce the projected level of work required from a facility over a time horizon. Capacity requirements are usually expressed in terms of hours of work or, when units consume similar resources at the same rate, units of production.

## besoins[nm] de capacité

Ensemble des ressources nécessaires à la réalisation du programme directeur de production au cours d'une période donnée.

*Les besoins de capacité sont généralement exprimés en heures de travail et parfois, en unités d'œuvre.*

◆ gestion de la production et des stocks

---

## ▼ capacity requirements plan
= **load profile**
= **load projection**

A time-phased display of present and future load (capacity required) on all resources based on the planned and released supply authorizations (i.e., orders) and the planned capacity (capacity available) of these resources over a span of time.

## plan[nm] des besoins de capacité
= **plan[nm] de charge**

Plan définissant la répartition dans le temps des ressources nécessaires à l'exécution du programme directeur de production en fonction des capacités de l'entreprise pour des périodes définies.

*Le plan des besoins de capacité constitue la traduction des ordres de fabrication en heures de travail par poste de charge et par période; ces charges sont ensuite positionnées dans le temps en vue de répondre aux besoins définis à des dates déterminées.*

◆ gestion de la production et des stocks

---

## ▼ capacity requirements planning
(CRP)
= **capacity planning**

The function of establishing, measuring, and adjusting limits or levels of capacity. The term "capacity requirements planning" in this context is the process of determining in detail how much labor and machine resources are required to accomplish the tasks of production. Open shop orders and planned orders in the MRP system are input to CRP, which "translates" these orders into hours of work by work center by time period.

## planification[nf] des besoins de capacité
(PBC)

Détermination des divers niveaux de capacité de l'entreprise et des ressources (main-d'œuvre et machines) nécessaires à l'atteinte des objectifs de production par période.

*La planification des besoins de capacité s'effectue à l'aide du calcul des charges induites à partir des ordres de fabrication lancés et prévisionnels et de la comparaison des résultats à la capacité théorique de l'entreprise.*

**NOTE** Cette planification permet à la direction de prévoir les goulots d'étranglement, les sous-charges, les zones critiques.

◆ gestion de la production et des stocks

---

## ▼ capacity simulation

The ability to do rough cut capacity planning using a "simulated" master production schedule or material plan rather than live data.

### simulation[nf] de capacité
Méthode permettant la détermination de la capacité requise à l'aide de données simulées d'un programme directeur de production.

*La simulation de capacité permet d'étudier le comportement possible d'un système de production à partir d'un modèle mathématique approprié.*

◆ gestion de la production et des stocks

---

▼
### capacity smoothing
→ load leveling

---

▼
### capacity strategy
One of the strategic choices that a firm must make as part of its manufacturing strategy. There are three commonly recognized capacity strategies: lead, lag, and tracking. A lead capacity strategy adds capacity in anticipation of increasing demand. A lag strategy does not add capacity until the firm is operating at or beyond full capacity. These two strategies may be combined and called a "chase strategy." A tracking strategy adds capacity in small amounts or takes capacity away in small amounts in an attempt to respond to changing demand in the marketplace. This strategy is also called a "level strategy."

### stratégie[nf] de capacité
Détermination des ressources à mettre en œuvre pour l'atteinte des objectifs de production fixés par la stratégie de production de l'entreprise.

**NOTE** Les stratégies les plus courantes sont la **stratégie proactive** (ou **d'anticipation**) qui préconise un accroissement de la capacité en prévision d'une augmentation de la demande, la **stratégie réactive** (ou **de réaction**) qui n'autorise une augmentation de la capacité que lorsque l'entreprise fonctionne à pleine capacité et la **stratégie ponctuelle** qui adapte graduellement la capacité pour suivre très précisément les variations de la demande. La **stratégie d'anticipation** et la **stratégie de réaction** peuvent être combinées en une **stratégie synchrone**.

◆ gestion de la production des stocks

---

▼
### capital budgeting
Actions relating to the planning and financing of capital outlays for such purposes as the purchase of new equipment, the introduction of new product lines, and the modernization of plant facilities.

### établissement[nm] du budget des investissements
= choix[nm] des investissements
Examen attentif des coûts caractéristiques et des re-

tombées de divers projets d'investissement en vue de la détermination des investissements les plus judicieux.

◆ comptabilité; gestion

---

▼
### CAPP
Acronym for **computer-aided process planning**.

### PAO
Abréviation de **planification assistée par ordinateur**.

---

▼
### carload lot
A shipment that qualifies for a reduced freight rate because it is greater than a specified minimum weight. Since carload rates usually include minimum rates per unit of volume, the higher LCL (less than carload) rate may be less expensive for a heavy but relatively small shipment.

### chargement[nm] complet
Chargement auquel s'appliquent des taux de fret réduits en raison de son poids ou de son cubage.

**NOTE** Compte tenu des taux de fret des chargements complets, il peut être avantageux de grouper des chargements partiels lourds, mais de faible volume.

◆ gestion des approvisionnements; transport

---

▼
### carrying cost
Cost of carrying inventory, usually defined as a percentage of the dollar value of inventory per unit of time (generally one year). Carrying cost depends mainly on the cost of capital invested as well as the costs of maintaining the inventory, such as taxes and insurance, obsolescence, spoilage, and space occupied. Such costs vary from 10% to 35% annually, depending on type of industry. Ultimately, carrying cost is a policy variable reflecting the opportunity cost of alternative uses for funds invested in inventory.

### coût[nm] de possession (des stocks)
Ensemble des coûts liés au maintien d'un article en stock.

*Le coût de possession des stocks est habituellement exprimé selon un pourcentage de la valeur de l'article par rapport à une période donnée (généralement un an).*

**NOTE** Le coût de possession comprend notamment l'intérêt du capital immobilisé sous forme de stock, les coûts d'entretien, de manutention, les coûts d'entreposage, certains frais administratifs (taxes, assurances, etc.), la dépréciation et la détérioration des articles stockés.

◆ gestion de la production et des stocks

---

▼
### cascaded systems
Multi-storage operations. The input to each stage is the

output of a preceding stage, thereby causing interdependencies among the stages.

### production[nf] en cascade
= production[nf] cascadée

Système de production composé de plusieurs étapes successives liées entre elles, l'extrant du poste de travail antérieur constituant l'intrant du poste de travail suivant.

◆ gestion de la production et des stocks

---

### cascading yield loss
= cumulative yield
= composite yield

The condition where yield loss happens in multiple operations or tasks resulting in a compounded yield loss.

### perte[nf] de rendement matières cumulée

Total des écarts négatifs de rendement matières résultant de l'insuffisance des divers postes de travail et qui est susceptible de se répercuter sur le rendement global des opérations suivantes.

◆ gestion de la production et des stocks

---

### CASE

Acronym for **computer-assisted software engineering.**

### GIAO

Abréviation de **génie informatique assisté par ordinateur.**

---

### categorical plan

A method of selecting and evaluating suppliers that considers input from many departments and functions within the buyer's organization and systematically categorizes that input. Engineering, production, quality assurance, and other functional areas evaluate each supplier for critical factors within their scope of responsibility. For example, engineering would develop a category evaluating suppliers' design flexibility. Rankings are developed across categories, and performance ratings are obtained and supplier selections are made.

### sélection[nf] collégiale (des fournisseurs)

Mode d'évaluation et de sélection des fournisseurs qui prend en compte les critères spécifiques de nombreuses unités administratives de l'entreprise.

*La sélection collégiale permet de prendre en considération les critères des responsables de la conception des produits, de la gestion des approvisionnements, de la gestion de la qualité et des divers autres gestionnaires pour le choix des fournisseurs de l'entreprise.*

◆ gestion des approvisionnements

---

### cathode ray tube
(CRT)

A device for displaying pictures and information. A television set has a CRT (pictures) as does a video display unit (information).

### tube[nm] (à rayons) cathodique(s)
(TRC)

Tube à vide dans lequel les rayons cathodiques sont dirigés sur un écran où leur impact produit une image visible.

*De nombreux terminaux, la plupart des micro-ordinateurs sont dotés d'un écran de tube cathodique.*

◆ informatique

---

### cause-and-effect diagram
= fishbone chart
= Ishikawa diagram

A precise statement of a problem or phenomenon with a branching diagram leading from the statement to the known potential causes.

### diagramme[nm] cause-effet
= diagramme[nm] en arête de poisson
= diagramme[nm] d'Ishikawa

Graphique arborescent sur lequel on fait figurer toutes les causes potentielles d'un problème donné.

◆ gestion de la qualité; gestion

---

### caveat emptor

A Latin phrase meaning "Let the buyer beware," i.e., the purchase is at the buyer's risk.

### caveat emptor[loc adj]

Locution latine signifiant littéralement «à l'acheteur de prendre garde» et qualifiant un achat fait aux risques de l'acheteur.

◆ gestion des approvisionnements

---

### cellular layout

An equipment configuration to support cellular manufacturing.

### aménagement[nm] en cellules
= aménagement[nm] cellulaire
= implantation[nf] par groupes

Disposition des moyens de production en sous-ensembles, de façon qu'une famille de pièces ne soit élaborée que par un seul sous-ensemble, par opposition à l'organisation traditionnelle où les moyens de production sont regroupés par fonction.

◆ gestion de la production et des stocks

▼ **cellular manufacturing**
A manufacturing process that produces families of parts within a single line or cell of machines operated by machinists who work only within the line or cell.

### production[nf] en cellules
= **fabrication**[nf] **cellulaire**
Processus de production permettant de fabriquer des familles de produits différents, mais relevant du même processus, sur des chaînes ou des cellules autonomes où les opérateurs sont le plus souvent polyvalents.
*L'organisation des ateliers de production en cellules est caractérisée par la polyvalence des opérateurs, leur passage d'une machine à l'autre dans la même cellule.*
◆ gestion de la production et des stocks

▼ **centralized dispatching**
Organization of the dispatching function into one central location. This often involves the use of data collection devices for communication between the centralized dispatching function, which usually reports to the production control department, and the shop manufacturing departments.

### lancement[nm] centralisé
Centralisation des activités d'ordonnancement et d'affectation des ordres de fabrication aux divers postes de travail.
◆ gestion de la production et des stocks

▼ **centralized inventory control**
Inventory decision making exercised from one office or department for an entire company (all SKUs).

### gestion[nf] centralisée des stocks
Mode de gestion selon lequel l'ensemble des activités relatives à la constitution, à l'inventaire, à l'entretien des matières, fournitures, articles d'une entreprise relèvent d'une seule unité administrative.
◆ gestion de la production et des stocks

▼ **central processing unit**
(CPU)
The electronic processing unit of a computer where mathematical calculations are performed.

### unité[nf] centrale de traitement
(UCT)
Partie essentielle d'un ordinateur assurant le traitement des informations en mémoire principale.
◆ informatique

▼ **certificate of compliance**
A supplier's certification to the effect that the supplies

or services in question meet certain specified requirements.

### certificat[nm] de conformité
Attestation du fournisseur indiquant que ses biens ou services remplissent les conditions du client et sont parfaitement conformes aux spécifications données par celui-ci.
◆ gestion des approvisionnements; gestion de la qualité

▼ **Certified as a Fellow level in Production and Inventory Management**
(CFPIM)

▼ **Certified in Production and Inventory Management**
(CPIM)

▼ **certified supplier**
A status awarded to a supplier who consistently meets predetermined quality, cost, delivery, financial, and count objectives. Incoming inspection may not be required.

### fournisseur[nm] agréé
= **fournisseur**[nm] **homologué**
Statut attribué à un fournisseur qui satisfait pleinement aux diverses normes (conformité, qualité définie, coût, livraison, etc.) retenues par l'entreprise.
◆ gestion des approvisionnements

▼ **CFPIM**
Abbreviation for **Certified Fellow in Production and Inventory Management** by the American Production and Inventory Control Society. This certification recognizes superior knowledge and performance in contributing to the profession.

### CFPIM
Abréviation de **Certified Fellow in Production and Inventory Management**.
    **NOTE** Ce titre accordé par l'Association canadienne de la gestion de la production et des stocks (ACGPS), membre de l'American Production and Inventory Control Society (APICS), atteste la compétence et l'expérience exceptionnelles de son titulaire.

▼ **chance**
Something that happens as a result of random, unknown, or unconsidered influences.

**aléa**nm
= **hasard**nm
Événement imprévisible, risque d'incidents défavorables.
*Les aléas de la production.*
NOTE Ce terme s'emploie généralement au pluriel.
◆ généralités

▼ **change order**
A formal notification that a purchase order or shop order must be changed in some form. This can result from a changed quantity, date or specification by the customer; an engineering change; a change in inventory requirement date; etc.

**note**nf **rectificative**
= **avis**nm **de modification**
Document ayant pour objet d'apporter un changement à un ordre d'achat ou de fabrication.
NOTE La modification peut porter notamment sur la date de livraison, la quantité, les caractéristiques techniques.
◆ gestion de la production et des stocks

▼ **changeover**
= **setup** 2.
= **turnaround**
= **turnaround time**
The refitting of equipment to neutralize the effects of the just-completed production, or to prepare the equipment for production of the next scheduled item, or both.

**mise**nf **en course**
= **changement**nm **de fabrication**
= **changement**nm **de série**
Mise au point, réglage, conversion d'une machine, d'une chaîne de montage en vue d'une nouvelle fabrication.
*En fonction du programme de fabrication, on doit procéder à une mise en course pour la production d'une nouvelle série.*
◆ gestion de la production et des stocks

▼ **changeover cost**
= **setup cost**
= **turnaround cost**
The sum of the teardown costs and the setup costs for a manufacturing operation.

**coût**nm **de mise en course**
= **coût**nm **de changement de série**
Ensemble des coûts liés au lancement d'une nouvelle série pour la mise en œuvre des moyens de production et qui comprennent les coûts de démontage de l'ordre

de fabrication précédent ainsi que les coûts de montage et de réglage de l'ordre de fabrication suivant.
◆ gestion de la production et des stocks

▼ **channels of distribution**
Any series of firms or individuals who participate in the flow of goods and services from the raw material supplier or producer to the final user or consumer.

**canal**nm **de distribution**
= **circuit**nm **de distribution**
Ensemble des voies d'acheminement de biens ou de services entre le producteur et l'utilisateur final.
NOTE L'ensemble des canaux par lesquels s'écoule un bien forment le circuit de distribution. Dans les faits, les termes *circuit* et *canal* sont souvent employés comme des synonymes.
◆ marketing

▼ **charge**
The initial loading of ingredients/raw materials into a processor, such as a reactor, to begin the manufacturing process.

**chargement**nm
Ensemble des matières premières, ingrédients nécessaires au lancement d'une fabrication.
◆ gestion de la production et des stocks

▼ **charge ticket**
A document used for receiving goods and charging those goods to an operating cost center.

**bon**nm **de prise en charge**
= **note**nf **de débit**
Document informant de la réception de marchandises et imputant celles-ci au centre de coûts approprié.
◆ gestion des approvisionnements; gestion de la production et des stocks.

▼ **chase method**
A production planning method that maintains a stable inventory level while varying production to meet demand. Companies may combine chase and level schedule methods.

**stratégie**nf **de production synchrone**
Méthode de planification de la production selon laquelle l'usine fabrique suivant la demande tout en maintenant des niveaux de stock stables.
*L'entreprise peut retenir une stratégie mixte de production synchrone et de nivellement de la production.*
◆ gestion de la production et des stocks

▼ **check digit**

A digit added to each number in a coding system that allows for detection of errors in the recording of the code numbers. Through the use of the check digit and a predetermined mathematical formula, recording errors such as digit reversal or omission can be noted.

### chiffre[nm] de contrôle

Chiffre apposé à chaque nombre d'un système de classement en vue de faciliter le repérage des erreurs de numéros de code.

**NOTE** Les chiffres de contrôle mettent en évidence les inversions, les omissions et les erreurs de saisie.

◆ gestion de la qualité; informatique

▼ **checking**

Verifying and documenting the order selection in terms of both product number and quantity.

### contrôle[nm]

Vérification de la conformité des commandes exécutées (articles spécifiés et quantités de ces articles).

◆ gestion de la production et des stocks

▼ **CIF**

Abbreviation for **cost, insurance, freight.**

### CAF

Abréviation de **coût, assurance, fret.**

▼ **CIM**

Acronym for **computer-integrated manufacturing.**

▼ **clean technology**

A technical measure taken to reduce or even eliminate at the source the production of any nuisance, pollution, or waste and help save raw materials, natural resources, and energy.

### technique[nf] écologique
= technologie[nf] écologique

Méthodes et procédés industriels visant le respect des équilibres naturels et la protection de l'environnement.

◆ gestion de la production et des stocks

▼ **cleanup**

The neutralizing of the effects of production just completed. It may involve cleaning of residues, sanitation, equipment refixturing, etc.

### nettoyage[nm]

Ensemble des activités de l'entretien ou de réaménagement des postes de travail en cours ou en fin de production (enlèvement des rebuts, mise au point de l'outillage).

◆ gestion de la production et des stocks

▼ **clerical/administration**

Several related activities necessary for the organization's operation, generally including but not limited to the following: updating records and files based on receipts, shipments, and adjustments; maintaining labor and equipment records; and performing locating, order consolidation, correspondence preparation, and other similar activities.

### travaux[nm] administratifs
= travail[nm] de bureau

Ensemble d'activités qui découlent de l'exploitation d'une entreprise.

*Les travaux administratifs comprennent notamment la mise à jour des dossiers de commandes, de livraisons, le classement des dossiers du personnel, la correspondance.*

**NOTE** L'expression *travail clérical est un calque de l'anglais.

◆ gestion

▼ **clock card**
= time card

A form used to record attendance and/or time applied to various jobs.

### carte[nf] de pointage
= carton[nm] de pointage

Fiche horodatée servant à consigner les heures de travail ainsi qu'à les ventiler en fonction des diverses tâches.

◆ gestion de la production et des stocks

▼ **closed-loop MRP**

A system built around material requirements planning that includes the additional planning functions of sales and operations (production planning, master production scheduling, and capacity requirements planning). Once this planning phase is complete and the plans have been accepted as realistic and attainable, the execution functions come into play. These include the manufacturing control functions of input-output (capacity) measurement, detailed scheduling and dispatching, as well as anticipated delay reports from both the plant and suppliers, supplier scheduling, etc. The term "closed loop" implies that not only is each of these elements included in the overall system, but also that feedback is provided by the execution functions so that the planning can be kept valid at all times.

**planification$^{nf}$ des besoins matières à boucle fermée**
= **calcul$^{nm}$ des besoins matières à boucle fermée**
Mode de planification des besoins matières à partir du plan de production, du programme directeur de production, du plan des besoins de capacité et comportant des fonctions de rétroaction de l'exécution en atelier et des fournisseurs vers la planification pour corriger les écarts.
◆ gestion de la production et des stocks

## CNC
Abbreviation for **computer numerical control.**

## co-design
➔ **participative design/engineering**

## COFC
Abbreviation for **container on a railroad flatcar.**

## collective bargaining
A highly regulated system established to control conflict between labor and management. It defines and specifies the rules and procedures of how the labor-management relationship should be initiated, negotiated, maintained, changed, and terminated.

**convention$^{nf}$ collective**
Accord conclu entre un employeur et une ou plusieurs organisations syndicales de salariés en vue de fixer en commun les conditions de travail.
◆ gestion des ressources humaines

## combined lead time
➔ **cumulative lead time**

## commodity buying
Grouping like parts or materials under one buyer's control for the procurement of all requirements to support production.

**groupage$^{nm}$ des achats**
Mode de gestion selon lequel l'approvisionnement de pièces ou de matières similaires destinées au programme de production est sous la responsabilité d'un seul acheteur.
◆ gestion des approvisionnements

## commonality
A condition wherein given raw materials/ingredients are used in multiple parents.

**similitude$^{nf}$**
Identité fonctionnelle de composants.
*La similitude de certaines pièces de systèmes différents les rend interchangeables.*
◆ gestion de la production et des stocks

## common carrier
Transportation available to the public that does not provide special treatment to any one party and is regulated as to the rates charged, the liability assumed, and the service provided. A common carrier must obtain a certificate of public convenience and necessity from the Federal Trade Commission for interstate traffic.

**entreprise$^{nf}$ de transport public**
= **transporteur$^{nm}$ public**
Entreprise qui se charge de transporter des marchandises ou des personnes en contrepartie d'un droit ou d'un tarif uniforme.
◆ transport

## common parts bill (of material)
A type of planning bill that groups common components for a product or family of products into one bill of material, structured to a pseudo parent item number.

**nomenclature$^{nf}$ de tronc commun**
= **nomenclature$^{nf}$ de composants universels**
Nomenclature de planification qui regroupe les composants communs d'un produit ou d'une gamme de produits en complément à la nomenclature modulaire.
◆ gestion de la production et des stocks

## compensation
Pay and/or benefits given for services rendered to an organization.

**rémunération$^{nf}$**
Salaires et avantages sociaux attribués par l'entreprise aux membres de son personnel en contrepartie du travail exécuté, des services rendus.
◆ gestion des ressources humaines

## competitive advantage
An edge; e.g., a process, patent, management philosophy, distribution system, etc., that a seller has that enables the seller to control a larger market share or profit margin than the seller would have without the competitive advantage.

**avantage$^{nm}$ concurrentiel**
= **facteur$^{nm}$ clé de succès**
Caractéristique distinctive d'un produit, d'un procédé, d'un prix, d'un réseau de distribution, etc., qui permet à

une entreprise de se distinguer de la concurrence et d'être durablement compétitive dans un secteur défini.

◆ marketing; gestion

## ▼ component
= **ingredient**
= **intermediate**

Raw material, ingredient, part, or subassembly that goes into a higher level assembly, compound, or other item. This term may also include packaging materials for finished items.

### composant[nm]
Élément qui entre dans la composition d'un ensemble plus complexe.

*Dans un système de planification des besoins matières, toutes les matières, les pièces, les sous-ensembles utilisés en amont du produit fini (niveau 0) sont des composants.*

**NOTE** Le terme *composante est erroné en ce sens.

◆ gestion de la production et des stocks

## ▼ component availability
The availability of component inventory for the manufacture of a specific parent order or group of orders or schedules.

### disponibilité[nf] d'un composant
Composant en stock, à la disposition des postes de travail pour l'exécution des ordres de fabrication.

◆ gestion de la production et des stocks

## ▼ composite lead time
→ **cumulative lead time**

## ▼ composite manufacturing lead time
→ **cumulative manufacturing lead time**

## ▼ composite part
A part that represents operations common to a family or group of parts controlled by group technology. Tools, jigs, and dies are used for the composite part and therefore any parts of that family can be processed with the same operations and tooling. The goal here is to reduce setup costs.

### pièce[nf] type
Pièce requérant des opérations de fabrication communes à une famille de pièces conçue selon le principe de la technologie de groupe.

*Le recours aux pièces types permet de réduire les coûts de changement d'outillage.*

◆ gestion de la production et des stocks

## ▼ composite yield
→ **cascading yield loss**

## ▼ composition
The makeup of an item, typically expressing chemical properties rather than physical properties.

### composition[nf]
Proportion et nature des éléments qui entrent dans une combinaison chimique.

◆ gestion de la production et des stocks

## ▼ compound yield
The resulting effect of yield loss at multiple operations within the manufacturing cycle.

### rendement[nm] matières global
Détermination du taux de rendement matières de l'ensemble des opérations d'un cycle de fabrication, compte tenu des pertes cumulées de chaque étape du cycle.

◆ gestion de la production et des stocks

## ▼ computer-aided design
(CAD)

The use of computers in interactive engineering drawing and storage of designs. Programs complete the layout, geometric transformations, projections, rotations, magnifications, and interval (cross-section) views of a part and its relationship with other parts.

### conception[nf] assistée par ordinateur
(CAO)

Ensemble des techniques informatiques utilisées lors de l'élaboration d'un nouveau produit depuis sa définition jusqu'à sa mise en fabrication.

*Les programmes informatiques de conception assistée par ordinateur permettent de visualiser la disposition, la géométrie d'une pièce en mouvement, des grossissements et des vues en coupe de cette pièce, ainsi que ses interactions avec d'autres pièces.*

◆ informatique; gestion de la production et des stocks

## ▼ computer-aided engineering
(CAE)

The process of generating and testing engineering specifications on a computer workstation.

### ingénierie[nf] assistée par ordinateur
(IAO)

Ensemble des études réalisées à l'aide d'un ordinateur

et comportant la conception des objets à réaliser, la simulation de la réalisation, la mise au point et les tests.

◆ informatique; gestion de la production et des stocks

---

### computer-aided inspection and test
(CAIT)
The utilization of computer technology in the inspection and testing of manufactured products.

#### inspection[nf] et contrôle[nm] assistés par ordinateur
(ICAO)
Ensemble des vérifications portant sur des articles produits qui sont faites à l'aide d'un ordinateur.

◆ informatique; gestion de la qualité

---

### computer-aided manufacturing
(CAM)
Use of computers to program, direct, and control production equipment in the fabrication of manufactured items.

#### fabrication[nf] assistée par ordinateur
(FAO)
Ensemble des techniques informatiques utilisées pour la planification, le pilotage et le contrôle du système productif.

◆ informatique; gestion de la production et des stocks

---

### computer-aided process planning
(CAPP)
A method of process planning in which a computer system is used to assist in the development of manufacturing process plans (defining operation sequences, machine and tooling requirements, cut parameters, part tolerances, inspection criteria and other items). Artificial intelligence and classification and coding systems may be used in the generation of the process plan.

#### planification[nf] assistée par ordinateur
(PAO)
Ensemble des techniques informatiques utilisées pour l'élaboration, l'organisation et la coordination des programmes de fabrication de l'entreprise.

*La planification assistée par ordinateur constitue un des domaines d'application de l'intelligence artificielle.*

◆ informatique; gestion de la production et des stocks

---

### computer-assisted software engineering
(CASE)
The use of computerized tools to assist in the process

of designing, developing, and maintaining software products and systems.

### génie[nm] informatique assisté par ordinateur
(GIAO)
Conception, mise au point et entretien de logiciels et de systèmes à l'aide d'un ordinateur.

◆ informatique; gestion de la production et des stocks

---

### computer-integrated manufacturing
(CIM)
The integration of the total manufacturing organization through the use of computer systems and managerial philosophies that improve the organization's effectiveness; the application of a computer to bridge various computerized systems and connect them into a coherent, integrated whole. For example, budgets, CAD/CAM, process controls, group technology systems, MRP II, financial reporting systems, etc., are linked and interfaced.

#### productique[nf]
= fabrication[nf] intégrée à l'aide de l'ordinateur
Ensemble des techniques qui concourent à la conception, à la mise en place, à la gestion et au contrôle des systèmes de production automatisées.

*La productique comprend la conception assistée par ordinateur (CAO), la fabrication assistée par ordinateur (FAO), la robotique, l'utilisation des machines-outils à commande numérique.*

**NOTE** La productique fait appel aux ressources informatiques pour réussir l'intégration efficace du système de production.

◆ informatique; gestion de la production et des stocks

---

### computer numerical control
(CNC)
A technique in which a machine tool control uses a minicomputer to store numerical instructions.

#### commande[nf] numérique informatisée
(CNI)
Commande d'une machine-outil permettant de stocker des instructions numériques à des fins de programmation et d'exécution automatique des tâches.

*Les machines à commande numérique informatisée sont le maillon ouvrier dans un atelier flexible où les manipulations de pièces à usiner sont robotisées.*

◆ informatique

---

### concentration
The percentage of active ingredient within the whole, as a 40% solution of HCL (hydrochloric acid).

**concentration**nf
Rapport entre la quantité d'un corps et sa solution.

---

**concurrent design**
→ **participative design/engineering**

---

**concurrent engineering**
→ **participative design/engineering**

---

**confidence interval**
The range on either side of an estimate from a sample that is likely to contain the "true" value for the whole population.

### intervallenm de confiance
Zone dans laquelle peut se situer, dans la réalité, une valeur observée à partir d'un échantillon.
◆ statistique

---

**configuration**
The arrangement of components as specified to produce an assemby.

### configurationnf
Répartition des composants d'un produit définie par sa nomenclature.
◆ gestion de la production et des stocks

---

**configuration control**
The function of ensuring that the product being built and shipped corresponds to the product that was designed and ordered. This means that the correct features, customer options, and engineering changes have been incorporated and documented.

### contrôlenm de configuration
Contrôle de la correspondance du produit fini obtenu avec le cahier des charges du client.
*Le contrôle de configuration vise à s'assurer que les caractéristiques du produit, les options du client et les modifications techniques demandées ont été pleinement respectées.*
**NOTE** Le contrôle de configuration est particulièrement important dans les entreprises où le cycle de fabrication d'un produit est long, où des modifications interviennent constamment entre la conception initiale du produit et sa livraison.
◆ gestion de la production et des stocks

---

**configuration system**
→ **customer order servicing system**

---

**confirming order**
A purchase order issued to a supplier, listing the goods or services and terms of an order placed orally or otherwise in advance of the usual purchase document.

### confirmationnf de commande
= **commande**nf **ferme**
Document transmis à un fournisseur afin de passer commande d'un bien ou d'un service de façon ferme dans un délai déterminé et moyennant un certain prix.
*La confirmation de commande rappelle les conditions d'une commande passée souvent de manière verbale.*
◆ gestion des approvisionnements

---

**consigned stocks**
Inventories, generally of finished products, that are in the possession of customers, dealers, agents, etc., but remain the property of the manufacturer by agreement with those in possession.

### articlesnm en consignation
= **marchandise**nf **en dépôt**
Marchandise remise à un dépositaire, lequel ne paie les produits qu'au fur et à mesure de leur vente.
*Les articles en consignation peuvent être conservés chez les clients, les concessionnaires, etc., mais ils demeurent la propriété du fabricant.*
◆ marketing; gestion de la production et des stocks

---

**consignment** 1.
A shipment that is handled by a common carrier.

### expéditionnf
= **envoi**nm
Acheminement de produits par l'intermédiaire d'une entreprise de transport public.
◆ transport

---

**consignment** 2.
The process of a supplier placing goods at a customer location but without payment being received until after the goods are used or sold.

### ventenf en consignation
= **vente**nf **en dépôt**
Forme de vente dans laquelle un déposant (consignateur) confie à un dépositaire (consignataire) des marchandises pour que celui-ci les vende en son nom.
**NOTE** Le dépositaire ne paie les produits qu'au fur et à mesure de leur vente.
◆ marketing

---

**constant**
A quantity that has a fixed value.
**ANT.** variable

## constante[nf]
Quantité qui a une valeur fixe.

NOTE Par opposition à la **constante**, la **variable** peut prendre plusieurs valeurs distinctes.

◆ généralités

## constrained optimization
Achieving the best possible solution to a problem in terms of a specified objective function and a given set of constraints.

### optimisation[nf] sous contraintes
Détermination de la meilleure valeur (valeur optimale) que peut atteindre un résultat par rapport à une fonction objectif et selon des contraintes déterminées.

◆ recherche opérationnelle

## constraint
Any element or factor that prevents a system from achieving a higher level of performance with respect to its goal. Constraints can be physical, such as a machine center or lack of material, but they can also be managerial, such as a policy or procedure.

### contrainte[nf]
Limitation économique, technique, légale, contractuelle à la maximisation ou à la minimisation d'une fonction objectif.

*Les disponibilités de ressources humaines, de capital, de matières premières peuvent constituer des contraintes dans la poursuite d'un objectif déterminé.*

◆ gestion; recherche opérationnelle

## constraint theory
→ theory of constraints

## consumables
= consumable tooling
= supplies
= expendables

Supplies or materials consumed or exhausted in production or sale such as paint, cleaning materials, or fuel.

### bien[nm] de consommation intermédiaire
= bien[nm] intermédiaire

Bien de production entrant dans la production d'un bien et généralement transformé ou détruit dès son utilisation.

◆ gestion de la production et des stocks

## consumable tooling
→ consumables

## consuming the forecast
The process of reducing the forecast by customer orders or other types of actual demands as they are received. The adjustments yield the value of the remaining forecast for each period.

### consommation[nf] des prévisions
Action de déduire des prévisions les commandes au fur et à mesure de leur réception.

◆ gestion de la production et des stocks

## consumption
= forecast consumption

What is used in the production process.

### consommation[nf]
Quantité de biens ou d'énergie utilisée par une industrie, une machine ou un appareil pour assurer sa production ou son fonctionnement pendant une période déterminée.

◆ gestion de la production et des stocks

## container
A large box in which commodities to be shipped are placed.

### conteneur[nm]
Unité de chargement prenant la forme d'une vaste caisse métallique destinée à faciliter le transport et la manutention de marchandises.

◆ transport

## containerization
A shipment method in which commodities are placed in containers, and after initial loading the commodities per se are not rehandled in shipment until they are unloaded at the destination.

### conteneurisation[nf]
Action de regrouper des marchandises dans un conteneur afin d'en faciliter le transport et la manutention.

◆ transport

## container on a railroad flatcar
(COFC)

A specialized form of containerization in which rail and motor transport coordinate.

### transport[nm] rail-route par conteneur
= ferroutage[nm] par conteneur

Mode de transport des marchandises utilisant conjointement la route et le chemin de fer afin d'éviter les transbordements.

◆ transport

▼ **continuous flow (production)**
Lotless production in which products flow continuously rather than being divided.

**production**nf **en continu**
Fabrication où les produits sont obtenus à partir d'une transformation continue de la matière première.
*La production en continu s'oppose à la production discontinue par lots.*
◆ gestion de la production et des stocks

▼ **continuous process control**
The use of transducers (sensors) to monitor a process and make automatic changes in operations through the design of appropriate feedback control loops. Although such devices have historically been mechanical or electromechanical, there is now widespread use of microcomputers and centralized control.

**maîtrise**nf **continue du processus**
Technique de contrôle à l'aide de lecteurs optiques, de capteurs qui permet un réajustement continu et automatique du système de fabrication.
*La maîtrise continue du processus est fondée sur la rétroaction transmise en temps réel en vue de corriger immédiatement les écarts observés.*
◆ gestion de la production et des stocks

▼ **continuous process improvement**
(CPI)
= **kaizen**
A never-ending effort to expose and eliminate root causes of problems; small-step improvement as opposed to big-step improvement.

**amélioration**nf **continue du processus**
Mode de gestion favorisant l'adoption de petites améliorations graduelles du processus de fabrication en vue d'éliminer les causes de problèmes.
**NOTE** En japonais, cette approche à petits pas est nommée *kaïzen.*
◆ gestion de la production et des stocks

▼ **continuous production**
= **mass production**
A production system in which the productive equipment is organized and sequenced according to the steps involved to produce the product. This term denotes that material flow is continuous during the production process. The routing of the jobs is fixed and setups are seldom changed.

**production**nf **continue**
= **production**nf **de masse**
Système de production selon lequel les postes de travail sont disposés de façon à permettre l'obtention de produits par la transformation continue des matières.
*La production continue requiert un aménagement par produit ainsi que des gammes de fabrication standardisées.*
◆ gestion de la production et des stocks; gestion

▼ **contract**
An agreement between two or more competent persons or companies to perform or not to perform specific act(s) or service(s) or to deliver merchandise. A contract may be oral or written. A purchase order, when accepted by a supplier, becomes a contract. Acceptance may be in writing or by performance unless the purchase order requires acceptance in writing.

**contrat**nm
Accord entre des parties (les cocontractants) pour la production et la livraison d'un bien, pour la réalisation d'une activité.
*Le contrat de vente, le contrat de louage de biens ou de services sont des contrats commerciaux.*
◆ droit

▼ **contract accounting**
The function of collecting costs incurred on a given job and/or contract, usually in a progress payment situation. Certain U.S. government contracting procedures require contract accounting.

**comptabilité**nf **par contrat**
= **comptabilité**nf **par affaire**
Attribution des coûts liés à un ordre de fabrication, à un contrat.
◆ comptabilité

▼ **contract carrier**
A carrier that does not serve the general public, but provides transportation for hire for one or a limited number of shippers under a specific contract.

**transporteur**nm **à forfait**
Entreprise de transport privée qui se charge de l'acheminement de marchandises d'un nombre limité d'expéditeurs, moyennant rémunération.
◆ transport

▼ **contract date**
The date when a contract is accepted by all parties.

**date**nf **contractuelle**
Date à laquelle une entente a été conclue et matérialisée dans un contrat.
◆ droit

▼ **contract pegging**
→ **full pegging**

▼ **contract reporting**
Reporting of and the accumulation of finished production against commitments to a customer.

**état**[nm] **d'avancement d'une commande**
Rapport de l'ensemble des produits qui peuvent être livrés à un client, conformément aux engagements pris par l'entreprise.
◆ gestion de la production et des stocks

▼ **contribution**
→ **contribution margin**

▼ **contribution margin**
An amount equal to the difference between sales revenue and variable costs.

**marge**[nf] **brute**
= **marge**[nf] **sur coûts variables**
Excédent du prix de vente sur les coûts variables.
*La marge brute sert à la couverture des frais fixes et à la réalisation d'un profit.*
◆ comptabilité

▼ **contribution margin pricing**
A method of setting prices based on the contribution margin. It provides a ceiling and a floor between which the price setter operates. The ceiling is the target selling price—what the seller would like to get—and the floor is the total variable costs of the product.

**fixation**[nf] **des prix en fonction de la marge brute**
Méthode d'établissement des prix qui prend en compte l'excédent du prix de vente du produit sur ses coûts variables.
*Selon la méthode de fixation des prix en fonction de la marge brute, le prix plancher correspond aux coûts variables totaux du produit.*
◆ comptabilité; marketing

▼ **control board**
= **dispatch(ing) board**
= **planning board**
= **schedule board**
A visual means of showing machine loading or project planning, usually a variation of the basic Gantt chart.

**tableau**[nm] **de contrôle**
= **tableau**[nm] **de bord**
Représentation de l'ensemble des postes de travail permettant de suivre la progression des activités et l'état d'avancement de chaque ordre de fabrication ou d'un ensemble d'activités planifiées, sur le modèle du diagramme de Gantt.
◆ gestion de la production et des stocks

▼ **control center**
In a centralized dispatching operation, the place at which the dispatching is done.

**centre**[nm] **de répartition**
= **centre**[nm] **de pilotage**
Lieu où s'effectue le lancement des ordres de fabrication et la répartition des tâches en vue de l'exécution du programme de production établi.
◆ gestion de la production et des stocks

▼ **control chart**
A graphic comparison of process performance data to predetermined computed control limits. The process performance data usually consist of groups of measurements selected in regular sequence of production that preserve the order. The primary use of control charts is to detect assignable causes of variation in the process as opposed to random variations.

**graphique**[nm] **de contrôle**
Relevé statistique permettant de suivre et de contrôler un processus répétitif, et de mettre en évidence les points aléatoires ou les tendances des déviations par rapport à une valeur moyenne ou à un objectif attendu.
*Le graphique de contrôle permet de veiller à ce qu'un processus demeure sous contrôle.*
**NOTE** Les statistiques utilisées (moyenne, étendue, proportion de défectueux, etc.) définissent les différents types de graphiques de contrôle.
◆ gestion de la qualité

▼ **controlled issue**
→ **planned issue**

▼ **control number**
Typically the manufacturing order or schedule number used to identify a specific instance or period of production.

**numéro**[nm] **de contrôle**
Numéro servant à recenser un ordre de fabrication ou à déterminer la date de sa production.
◆ gestion de la production et des stocks

▼ **converter**
A manufacturer that changes the products of a basic producer into a variety of industrial and consumer

products. An example is the firm that changes steel ingot into bar stock tubing or plate. Other converter products are paper, soap, and dyes.

### entreprise<sup>nf</sup> du secteur secondaire

Entreprise qui utilise des produits de base de l'industrie primaire pour les transformer en biens intermédiaires ou en produits de consommation.

*Pour fabriquer des tiges d'acier, l'entreprise du secteur secondaire utilise des lingots d'acier produits par le secteur primaire à partir du minerai de fer.*

NOTE Les intrants de ces entreprises sont toujours des produits ayant subi une première transformation.

◆ économie

---

### ▼ cooperative training

An educational process in which students alternate formal studies with actual on-the-job experience. Successful completion of the off-campus experience may be a prerequisite for graduation from the program of study.

### programme<sup>nm</sup> d'enseignement coopératif

Formation généralement de niveau universitaire faisant alterner les sessions d'études et les stages de travail.

◆ gestion des ressources humaines

---

### ▼ co-products

Products that are usually manufactured together or sequentially because of product and/or process similarities.

### coproduits<sup>nm</sup>

Produits qui sont fabriqués ensemble ou successivement en raison de leur similitude ou de leur procédé de fabrication.

◆ gestion de la production et des stocks

---

### ▼ corporate culture

The set of important assumptions that members of the company share. It is a system of shared values about what is important and beliefs about how the company works. These common assuptions influence the ways the company operates.

### culture<sup>nf</sup> d'entreprise

Ensemble des attitudes communes à la plupart des membres d'une entreprise ainsi que des principales valeurs partagées.

◆ gestion

---

### ▼ corrective maintenance

Maintenance performed to restore an item to a satisfactory condition by correction of a malfunction.

### maintenance<sup>nf</sup> corrective

= entretien<sup>nm</sup> curatif

Maintenance effectuée après défaillance, ou après altération ou cessation de l'aptitude d'un article à accomplir la fonction requise.

◆ gestion de la production et des stocks

---

### ▼ correlation

The relationship between two sets of data such that when one changes the other is likely to make a corresponding change. If the changes are in the same direction, there is positive correlation. When changes tend to go in opposite directions, there is negative correlation. When there is little correspondence or random changes, there is no correlation.

### corrélation<sup>nf</sup>

Intensité de la relation entre deux ensembles de données selon laquelle la variation de l'un correspondra à la variation de l'autre dans le même sens (corrélation positive) ou dans le sens opposé (corrélation négative).

*La recherche des coefficients de corrélation est le but principal de l'analyse de la variance.*

◆ statistique

---

### ▼ cost

The total acquisition and usage cost of the procurement to the buying firm.

### coût<sup>nm</sup> (d'achat)

Ensemble des coûts liés à l'acquisition d'un bien.

*Le coût d'achat est composé du montant des factures d'achat des marchandises, matières et fournitures majoré des frais d'approvisionnement, des frais de transport, de manutention jusqu'au stade ultime de leur réception dans l'entreprise.*

◆ gestion des approvisionnements

---

### ▼ cost analysis

A review and an evaluation of actual and/or anticipated cost data.

### analyse<sup>nf</sup> des coûts

Étude de la structure des coûts, de leur évolution et de leurs effets sur le coût de revient des biens et services.

◆ comptabilité

---

### ▼ cost center

The smallest segment of an organization for which costs are collected and formally reported, typically a department. The criteria in defining cost centers are that the cost be significant and that the area of responsibility be clearly defined. A cost center is not necessarily identical to a work center; normally, a cost center encompasses more than one work center, but this may not always be the case.

### centre<sup>nm</sup> de coûts

Groupe, section ou division d'une entreprise dont on isole les coûts afin d'exercer un meilleur contrôle.

**NOTE** Le centre de coûts doit correspondre à un centre de responsabilité bien défini dont les coûts sont significatifs pour l'entreprise.

◆ comptabilité; gestion

---

### costed bill of material

A form of bill of material that extends the quantity per of every component in the bill by the cost of the components.

### nomenclature<sup>nf</sup> avec coûts de revient
= nomenclature<sup>nf</sup> valorisée

Nomenclature dans laquelle figurent, outre les renseignements habituels, le coût de revient unitaire des composants ainsi que le coût de revient global.

◆ gestion de la production et des stocks; comptabilité

---

### cost, insurance, freight
(CIF)

A freight term indicating that the seller is responsible for cost, the marine insurance, and the freight charges on an ocean shipment of goods.

### coût<sup>nm</sup>, assurance<sup>nf</sup>, fret<sup>nm</sup>
(CAF)

Terme de transport précisant que le prix de vente comprend, outre la valeur de la marchandise, tous les frais de transport intérieur, les frais de mise à bord, le fret maritime et le montant de la prime d'assurance pour le voyage maritime.

◆ transport

---

### cost of capital

The cost of maintaining a dollar of capital invested for a certain period, normally one year. This cost is normally expressed as a percentage and may be based upon factors such as the average expected return on alternative investments and current bank interest rate for borrowing.

### coût<sup>nm</sup> du capital

Taux de rendement minimal que l'entreprise doit réaliser sur ses nouveaux investissements afin de garantir aux actionnaires un rendement au moins comparable à celui qu'ils pourraient obtenir sur le marché pour des investissements de même nature.

*Le coût du capital n'est qu'un des éléments définissant le taux de rejet des projets d'investissement.*

◆ gestion

---

### cost of sales

The total costs attached (allocated) to units of finished product delivered to customers during the period.

### coût<sup>nm</sup> des produits vendus
(CPV)

Coût complet d'un produit au stade final, coût de distribution inclus.

◆ comptabilité

---

### cost-plus

A pricing method whereby the purchaser agrees to pay the supplier an amount determined by the costs incurred by the supplier to produce the goods and/or services plus a stated percentage or fixed sum.

### prix<sup>nm</sup> coûtant majoré

Méthode de détermination des prix selon laquelle l'acheteur convient de payer le prix coûtant du fournisseur plus un montant forfaitaire ou une somme égale à un certain pourcentage des coûts engagés.

◆ gestion

---

### cost-ratio plan

A variation of the weighted-point plan of supplier evaluation and selection. The cost ratio is obtained by dividing the bid price by the weighted scores determined by the weighted-point plan. This is done to determine the true costs by taking into account compensating factors. Suppliers are selected and/or evaluated based on the lowest cost ratio.

### grille<sup>nf</sup> de sélection par coûts pondérés

Mode de sélection des fournisseurs selon lequel on pondère le prix demandé à l'aide de critères déterminés pour définir la valeur globale des propositions formulées par les fournisseurs.

◆ gestion des approvisionnements

---

### cost reduction

The act of lowering the cost of goods or services, by securing a lower price, reducing labor costs, etc. In cost reduction, the item usually isn't changed, but the circumstances around which the item is secured are changed, versus value analysis in which the item itself is actually changed to produce a lower cost.

### réduction<sup>nf</sup> des coûts

Ensemble des actions destinées à faire baisser le coût de revient des biens et services.

*La négociation de meilleurs coûts d'achat des matières et produits, la rationalisation des coûts de main-d'œuvre contribuent à la réduction des coûts.*

**NOTE** La réduction des coûts est une diminution du coût de revient d'un produit alors que l'analyse de la

valeur s'applique à la conception du produit en vue d'une fabrication à moindre coût.
◆ gestion

▼ **counselling**
The providing of basic, technical, and sometimes professional human assistance to the employees to help them with personal and work-related problems.

**service**nm **de consultations**
Mode d'assistance destiné à aider les employés à s'adapter à une situation personnelle ou professionnelle en surmontant des obstacles d'ordre général, technique, financier, psychologique, etc.
◆ gestion des ressources humaines

▼ **count point**
= **pay point**
A point in a flow of material or sequence of operations at which parts, subassemblies, or assemblies are counted as being complete. Count points may be designated at the ends of lines or upon removal from a work center, but most often they are designated as the points at which material transfers from one department to another.

**point**nm **de comptage**
= **point**nm **de dénombrement**
Endroit où les articles (encours ou produits finis) sont déclarés terminés dans une chaîne d'assemblage ou dans une succession d'opérations.
◆ gestion de la production et des stocks

▼ **count point backflush**
= **key point backflush**
A backflush technique using more than one level of the bill of materials and extending back to the previous points where production was counted.

**déduction**nf **à partir du point de comptage précédent**
Technique de dénombrement des composants selon laquelle il est tenu compte de tous les niveaux de nomenclature jusqu'au point de comptage antérieur.
◆ gestion de la production et des stocks

▼ **CPI**
Abbreviation for **continuous process improvement.**

**AC**
Abréviation de **amélioration continue du processus.**

▼ **CPIM**
Abbreviation for **Certified in Production and Inven-**

tory **Management** by the American Production and Inventory Control Society. This certification is a recognition of a high level of professional knowledge.

**CPIM**
Abréviation de **Certified in Production and Inventory Management.**
NOTE Ce titre accordé par l'Association canadienne de la gestion de la production et des stocks, membre de l'American Production and Inventory Control Society, atteste que la compétence et l'expérience du titulaire justifient son agrément.

▼ **CPM**
Abbreviation for **critical path method.**

▼ **CPU**
Abbreviation for **central processing unit.**

**UCT**
Abréviation de **unité centrale de traitement.**

▼ **crew size**
The number of people required to perform an operation. The associated standard time should represent the total time for all crew members to perform the operation, not the net start to finish time for the crew.

**taille**nf **de l'équipe**
Nombre de personnes que requiert l'exécution d'une opération.
◆ gestion de la production et des stocks

▼ **critical characteristics**
= **functional requirements**
Attributes of a product that must function properly to avoid the failure of the product.

**attributs**nm **critiques**
Éléments d'un produit qui sont essentiels à son fonctionnement.
◆ gestion de la production et des stocks; gestion de la qualité

▼ **critical failure**
The malfunction of those parts that are essential for continual operation or the safety of the user.

**défaut**nm **critique**
Défaillance d'un produit, d'un système qui empêche la poursuite des activités ou qui menace la sécurité des utilisateurs.
◆ gestion de la production et des stocks; gestion de la qualité

## critical path lead time
→ **cumulative lead time**

## critical path method
(CPM)

A network planning technique for the analysis of as project's completion time used for planning and controlling the activities in a project. By showing each of these activities and their associated times, the "critical path," which identifies those elements that actually constrain the total time for the project, can be determined.

### méthode^nf du chemin critique

Méthode de planification utilisée pour l'ordonnancement et le contrôle de projets complexes, qui consiste à déterminer toutes les activités et à les représenter sur un graphe illustrant les étapes et les durées, afin de pouvoir trouver une solution optimale et ordonner l'ensemble des activités pour réaliser le projet en respectant les contraintes de temps.

**NOTE** Chaque activité, qui ne peut être sautée sans compromettre l'ensemble, est représentée par un point; les points sont reliés entre eux par des segments plus ou moins longs suivant le temps nécessaire à l'exécution de l'activité. Le temps le plus court pour parcourir l'ensemble constitue le chemin critique.

◆ gestion de la production et des stocks; recherche opérationnelle

## critical process parameters

A variable or a set of variables that dominates the other variables. Focusing on these variables will yield the greatest return in investment in quality control and/or improvement.

### paramètres^nm critiques d'un processus

Ensemble d'éléments essentiels, de variables dont il faut tenir compte absolument dans un contexte de gestion et d'amélioration de la qualité.

◆ gestion de la qualité

## critical ratio

A dispatching rule that calculates a priority index number by dividing the time to due date remaining by the expected elapsed time to finish the job.

$$\frac{\text{time remaining}}{\text{work remaining}} = \frac{30}{40} = .75$$

A ratio less than 1.0 indicates the job is behind schedule, a ratio greater than 1.0 indicates the job is ahead of schedule, and a ratio of 1.0 indicates the job is on schedule.

## (règle du) ratio^nm critique

Technique d'ordonnancement selon laquelle la priorité est donnée aux commandes dont la marge de manœuvre est la plus réduite.

**NOTE** On calcule le ratio critique en divisant le temps qui reste jusqu'à la date d'exigibilité par la durée prévue du travail.

◆ gestion de la production et des stocks

## cross-shipment

Material flow activity whereby materials are shipped to customers from a secondary shipping point rather than from a preferred shipping point.

### expédition^nf croisée
= **livraison^nf croisée**

Expédition de marchandises à un client à partir d'un lieu secondaire d'expédition différent du lieu d'expédition préféré.

◆ transport

## cross-training

The providing of training or experience in several different areas, e.g., training an employee on several machines rather than one. This provides backup workers in case the primary operator is unavailable.

### formation^nf polyvalente

Acquisition de connaissances et d'expériences variées en vue de l'exercice de plusieurs fonctions et d'une plus grande mobilité des travailleurs.

◆ gestion des ressources humaines; gestion de la production et des stocks

## CRP

Abbreviation for **capacity requirements planning.**

## PBC

Abréviation de **planification des besoins de capacité.**

## CRT

Abbreviation for **cathode ray tube.**

## TRC

Abréviation de **tube à rayons cathodiques.**

## cubage

Cubic volume of space being used or available for shipping or storage.

### cubage^nm

Volume exprimé en unités cubiques pour le transport et l'entreposage

◆ transport

▼ **cumulative lead time**
= **aggregate lead time**
= **combined lead time**
= **composite lead time; critical path lead time; stacked lead time**

The longest planned length of time involved to accomplish the activity in question. For any item planned through MRP, it is found by reviewing the lead time for each bill of material path below the item; whichever path adds up to the greatest number defines cumulative lead time.

**délai$^{nm}$ cumulatif**
= **délai$^{nm}$ cumulé**

Durée de réalisation maximale pour une activité donnée.

*Le délai cumulatif est obtenu en jalonnant les divers niveaux de la nomenclature et en déterminant le chemin le plus long.*

◆ gestion de la production et des stocks

▼ **cumulative manufacturing lead time**
= **composite manufacturing lead time**

The cumulative planned lead time when all purchased items are assumed to be in stock.

**délai$^{nm}$ de fabrication cumulatif**
= **délai$^{nm}$ de fabrication cumulé**

Durée maximale pour la production d'un article dans la mesure où tous les composants sont disponibles au lieu de stockage.

◆ gestion de la production et des stocks

▼ **cumulative MRP**

The planning of parts and subassemblies by exploding a master schedule, as in MRP, except that the master scheduled items and therefore the exploded requirements are time phased in cumulative form. Usually these cumulative figures cover a planning year.

**calcul$^{nm}$ des besoins matières cumulatifs**

Planification des éléments et sous-ensembles par éclatement du programme directeur de production.

*Le calcul des besoins matières cumulatifs est effectué pour chaque période de temps et couvre généralement une période d'un an.*

◆ gestion de la production et des stocks

▼ **cumulative receipts**

A cumulative number, or running total, as a count of parts received in a series or sequence of shipments. The cumulative receipts provide a number that can be compared with the cumulative figures from a plan developed by cumulative MRP.

**réceptions$^{nf}$ cumulatives**

Total de l'ensemble des réceptions à compter d'une date correspondante à celle qui est utilisée dans le calcul des besoins matières cumulatifs.

◆ gestion de la production et des stocks

▼ **cumulative sum**
= **sum of deviations**

The accumulated total of all forecast errors, both positive and negative. This sum will approach zero if the forecast is unbiased.

**cumul$^{nm}$ des écarts (de prévision)**

Total cumulé des erreurs de prévision, positives ou négatives.

*Si la prévision est non biaisée, le cumul des écarts se situera à proximité du zéro.*

◆ prévision

▼ **cumulative system**

A method for planning and controlling production that makes use of cumulative MRP, cumulative requirements, and cumulative counts.

**système$^{nm}$ cumulatif**

Méthode de planification et de contrôle de la production fondée sur le calcul des besoins matières cumulatifs et le cumul des réceptions.

◆ gestion de la production et des stocks

▼ **cumulative yield**
→ **cascading yield loss**

▼ **current cost**

The current or replacement cost of labor, material, or overhead. Its computation is based on current performance or measurements, and it is used to address "today's" costs before production as a revision of annual standard costs.

**coût$^{nm}$ actuel**
= **coût$^{nm}$ de remplacement actuel**

Ensemble des coûts de main-d'œuvre, de matières, des frais généraux, calculés sur la base des derniers coûts compilés.

*Le coût actuel est utilisé lors d'un lancement de production à des fins d'actualisation des coûts standards annuels.*

◆ comptabilité

▼ **current price**

The price currently being paid versus standard cost.

**prix**nm **courant**
= **cours**nm **actuel**
Prix en vigueur par opposition au coût standard.
◆ comptabilité

---

### curve fitting
An approach to forecasting based upon a straight line, polynomial, or other curve that describes some historical time series data.

### lissage**nm** de courbe
Recherche de la représentation graphique ou mathématique exprimant le mieux un ensemble de données chronologiques.
◆ prévision

---

### customer order
An order from a customer for a particular product or a number of products. It is often referred to as an "actual demand" to distinguish it from a forecasted demand.

### commande**nf** client
Commande pour un produit donné, ou un ensemble de produits, passée par un client.
*La commande client est fréquemment qualifiée de demande réelle par opposition à une demande prévue.*
◆ gestion de la production et des stocks

---

### customer order promising
→ **order promising**

---

### customer order servicing system
= **configuration system**
= **sales order configuration**
An automated system for order entry, where orders are keyed into a local terminal and a bill of material translator converts the catalog ordering numbers into required manufacturing part numbers and due dates for the MRP system. Advanced systems contain customer information, sales history, forecasting information, and product option compatibility checks to facilitate order processing, "cleaning up" orders before placing a demand on the manufacturing system.

### système**nm** de traitement des commandes clients
Système de gestion des commandes clients selon lequel les articles commandés sont automatiquement traduits en articles à produire et en dates d'exigibilité pour la planification des besoins matières.
*Le système de traitement des commandes clients transforme les bons de commande en ordres de fabrication ou de montage destinés aux postes de travail.*

---

**NOTE** L'objectif de ce système est de gérer avec une efficacité maximale le traitement des commandes par une saisie rapide et exacte des articles commandés ainsi qu'un examen des options demandées afin de faciliter le traitement des commandes, d'assurer une livraison ponctuelle et ainsi de mieux répondre aux besoins de la clientèle.
◆ gestion de la production et des stocks

---

### customer service 1.
Ability of a company to address the needs, inquiries, and requests from customers.

### service**nm** à la clientèle
Possibilité pour une entreprise de satisfaire pleinement la clientèle, notamment en définissant avec justesse ses besoins, en lui facilitant le choix, l'acquisition et l'usage des biens ou services rendus.
◆ marketing

---

### customer service 2.
A measure of the delivery of a product to the customer at the time the customer specified.

### service**nm** (à la clientèle)
Évaluation du nombre des livraisons effectuées aux dates d'exigibilité convenues.
*La qualité du service à la clientèle est fonction notamment du respect des dates de livraison convenues.*
◆ gestion de la production et des stocks

---

### customer service ratio
= **percent of fill**
A measure of delivery performance of finished goods, usually expressed as a percentage. In a make-to-stock company, this percentage usually represents the number of items or dollars (on one or more customer orders) that were shipped on schedule for a specific time period, compared to the total that were supposed to be shipped in that time period. In a make-to-order company, it is usually some comparison of the number of jobs or dollars shipped in a given time period (e.g., a week) compared with the number of jobs that were supposed to be shipped in that time period.

### taux**nm** de service (à la clientèle)
Pourcentage des demandes satisfaites dans les temps requis par rapport aux demandes totales reçues au cours de la même période de référence.
*Dans les entreprises produisant pour les stocks, le taux de service correspond aux livraisons (en unités d'œuvres ou en dollars) effectuées selon l'horaire prévu au cours d'une période déterminée comparativement aux livraisons planifiées. Dans les entreprises produisant sur commande, le taux de service équivaut au*

nombre de commandes clients effectivement livrées au cours d'une période par rapport aux livraisons planifiées.

◆ gestion de la production et des stocks

▼ **cut-off control**
A procedure for synchronizing cycle counting and transaction processing.

**arrêtnm d'inventaire**
= **tempsnm d'arrêt de contrôle**
Synchronisation du recensement des articles en stock avec le traitement des mouvements d'entrée et de sortie de ces articles.

◆ gestion de la production et des stocks

▼ **cybernetics**
The study of control processes in mechanical, biological, electrical, and information systems.

**cybernétiquenf**
Science des systèmes automatiques de communication et de régulation, qu'ils soient naturels (biologiques, écologiques), techniques (mécaniques, électriques...) ou virtuels (modèles économiques, modèles mathématiques...).

◆ informatique

▼ **cybernetic system**
The information flow and/or information system (electronic, mechanical, logical) that controls an industrial process.

**systèmenm cybernétique**
Système d'information et de régulation électronique, mécanique ou logique qui pilote un processus industriel.

◆ gestion de la production et des stocks

▼ **cycle** 1.
The interval of time during which a system or process, such as seasonal demand or a manufacturing operation, periodically returns to similar initial conditions.

**cyclenm**
Période s'écoulant entre les retours successifs d'actions ou de programmes répétitifs.

◆ généralités

▼ **cycle** 2.
The interval of time during which an event or set of events is completed.

**cyclenm**
Temps nécessaire pour l'accomplissement de certaines

opérations, pour la réalisation de certains programmes.
*Cycle de fabrication, cycle de vie d'un produit.*

◆ gestion de la production et des stocks

▼ **cycle counter**
An individual who is assigned to do cycle counting.

**agentnm d'inventaire**
**agentenf d'inventaire**
= **inventoristenm et nf**
Personne chargée d'effectuer le dénombrement périodique des articles en stock.

◆ gestion de la production et des stocks

▼ **cycle counting**
An inventory accuracy audit technique where inventory is counted on a cyclic schedule rather than once a year. A cycle inventory count is usually taken on a regular, defined basis (often more frequently for high-value or fast-moving items and less frequently for low-value or slow-moving items). Most effective cycle counting systems require the counting of a certain number of items every workday with each item counted at a prescribed frequency. The key purpose of cycle counting is to identify items in error, thus triggering research, identification, and elimination of the cause of the errors.

**inventairenm tournant**
= **dénombrementnm périodique**
Comptage des articles en stock effectué à des intervalles de temps déterminés suivant la catégorie des articles.
*L'objectif de l'inventaire tournant est d'assurer la fiabilité des données relatives aux articles en stock et d'apporter les corrections utiles si des erreurs ou des écarts sont décelés.*
**NOTE** Suivant la méthode ABC, le dénombrement peut être hebdomadaire, mensuel, annuel selon la catégorie d'articles ou il peut s'effectuer conformément à un programme défini.

◆ gestion de la production et des stocks

▼ **cycle reduction stocks**
Stock held to reduce delivery time.

**stocknm de diminution des délais de livraison**
Stock constitué pour se garantir contre des insuffisances dans la production, des retards dans l'approvisionnement des matières ou pour réduire les délais de livraison.

◆ gestion de la production et des stocks

▼ **cycle stock**
One of the two main components of any item inventory,

the cycle stock is the most active part, i.e., that which depletes gradually and is replenished cyclically when customer orders are received. The other part of the item inventory is the safety stock, which is a cushion of protection against uncertainty in the demand or in the replenishment lead time.

### stock[nm] actif
### = stock[nm] vif

Stock constitué pour répondre aux besoins de l'activité normale d'une entreprise et qui diminue en fonction des quantités consommées par la fabrication jusqu'à ce que les demandes de réapprovisionnement soient livrées.

**NOTE** Par opposition au **stock actif,** le **stock de sécurité** est constitué pour absorber les irrégularités de la consommation et des approvisionnements.

◆ gestion de la production et des stocks

---

▼ **cycle time** 1.

In industrial engineering, the time between completion of two discrete units of production. For example, the cycle time of motors assembled at a rate of 120 per hour would be 30 seconds.

### cycle[nm] de fabrication

Temps nécessité pour la production d'une unité d'œuvre.

*Si 120 articles sont produits à l'heure, le cycle de fabrication de l'article est de 30 secondes.*

**NOTE** Le **cycle de fabrication** s'oppose à la **cadence** qui définit la quantité d'unités produites par un poste de travail au cours d'une période déterminée. Si 360 unités sont produites par poste de 8 heures, la cadence est de 0,75 unité à la minute.

◆ gestion de la production et des stocks

---

▼ **cycle time** 2.
**= throughput time**

In materials management, it refers to the length of time from when material enters a production facility until it exits.

### temps[nm] de cycle

Temps compris entre l'arrivée des matières premières dans l'entreprise et la mise à disposition du produit fini.

◆ gestion de la production et des stocks

## dampeners
User-input parameters to suppress the reporting of insignificant or unimportant action messages created during the computer processing of MRP.

### filtres[nm]
= réducteurs[nm]
Paramètres intégrés au système informatique par l'utilisateur pour éliminer des messages d'intérêt négligeable.
◆ gestion de la production et des stocks

## dark factory
A completely automated production facility with no labor.

### usine[nf] sans ouvriers
= usine[nf] presse-bouton
= usine[nf] zéro ouvrier
Unité de production dont le fonctionnement, intégralement automatisé, s'effectue à l'aide d'un tableau de commande informatisé.
*L'usine sans ouvriers est peut-être la préfiguration de l'atelier du futur.*
◆ gestion de la production et des stocks

## data
Any representations such as alphabetic or numeric characters to which meaning can be assigned.

### donnée[nf]
Représentation conventionnelle d'une information en vue d'une communication, d'une interprétation ou d'un traitement humain ou informatique.
◆ généralités

## database
A data processing file-management approach designed to establish the independence of computer programs from data files. Redundancy is minimized and data elements can be added to, or deleted from, the file designs without necessitating changes to existing computer programs.

### base[nf] de données
Ensemble structuré de fichiers reliés entre eux pour rassembler des données destinées à une application précise.
*Les bases de données peuvent se présenter sous différentes formes : listes, fichiers, etc.*
**NOTE** Ne pas confondre avec le terme **banque de données** qui désigne un ensemble de données relatif à un domaine défini des connaissances et organisé pour être offert aux consultations d'utilisateurs.
◆ informatique

## data collection
The method of recording a transaction at its source and transmitting it to a central storage device or computer.

### collecte[nf] de données
Action de rassembler les données variables destinées à un traitement.
**NOTE** L'expression *cueillette des données est impropre, le nom **cueillette** ne désignant que l'action de cueillir des végétaux.
◆ généralités

## data communications
The transmission of data over a distance.

### transmission[nf] de données
= télématique[nf]
Ensemble des techniques de communication appliquées à la transmission à distance de données informatiques.
◆ informatique

## data dictionary 1.
A catalog of requirements and specifications for an information system.

### dictionnaire[nm] de données
= répertoire[nm] de données

Répertoire de toutes les entités manipulées dans les travaux exécutés par un système informatique et dont le but est de faciliter le rangement, la recherche ainsi que la mise à jour des informations qu'il contient.

*Le dictionnaire de données comprend notamment des travaux, programmes, fichiers, schémas, articles, rubriques, formats et masques d'écran ou d'imprimés.*

◆ informatique

---

▼ **data dictionary** 2.

A file that stores facts about the files and databases for all systems that are currently being used or for the software involved.

### dictionnaire[nm] des données

Programme chargé de gérer les données élémentaires dans un système de programmation.

*Toutes les variables utilisées dans les différents programmes sont enregistrées avec leurs spécifications informatiques et logiques dans le dictionnaire des données.*

◆ informatique

---

▼ **data element**
= data field

A characteristic that is common to a particular entity.

### élément[nm] d'information

Donnée représentée sous une forme conventionnelle convenant à une communication ou à un traitement.

◆ généralités

---

▼ **data field**
→ data element

---

▼ **data file**

A collection of related data records organized in a specific manner (e.g., one record for each inventory item showing product code, unit of measure, production costs, transactions, selling price, production lead time, etc.).

### fichier[nm] (de données)

Ensemble d'informations structuré qui peut être conservé sur divers supports tels que disque, disquette, bande magnétique.

◆ informatique

---

▼ **date code**

A label on products with the date of production. In food industries, it is often an integral part of the lot number.

---

▼ **code[nm] dateur**
= code[nm] «date de fabrication»

Code servant à indiquer la date de production d'un produit.

◆ gestion de la production et des stocks

---

▼ **date effectivity**

A technique used to identify the effective date of a configuration change. A component change is controlled by effective date within the bill of material for the unchanged parent part number.

### applicabilité[nf] d'une modification

Technique utilisée pour déterminer la date de mise en application d'une modification technique.

◆ gestion de la production et des stocks

---

▼ **deadhead**

The return of an empty transportation container to its point of origin.

### retour[nm] à vide

Transport de retour effectué sans marchandises.

◆ transport

---

▼ **deblend**

The further processing of product to adjust specific physical and chemical properties to within specification ranges.

### séparation[nf]

Traitement final d'un produit visant à rendre ses propriétés (physiques ou chimiques) conformes aux spécifications établies.

◆ généralités

---

▼ **debt**

An amount owed to creditors. It is generally equal to the total assets in a company less the equity.

### dette[nf]

Obligation contractée à l'égard d'un tiers (le créancier) par une personne physique ou morale (le débiteur) de payer une somme d'argent.

◆ comptabilité

---

▼ **decentralized dispatching**

The organization of the dispatching function into individual departemental dispatchers.

### ordonnancement[nm] décentralisé
= répartition[nf] décentralisée

Mode d'organisation selon lequel les décisions relatives à la répartition du travail et au lancement des ordres de fabrication se prennent dans les unités décentralisées au niveau des contremaîtres ou chefs d'équipe.

◆ gestion de la production et des stocks

---

## ▼ decentralized inventory control
Inventory decision making exercised at each stocking location for SKUs at that location.

### gestion[nf] décentralisée des stocks
Mode de gestion des stocks selon lequel les décisions relatives aux articles en stock sont prises dans chaque magasin.

◆ gestion de la production et des stocks

---

## ▼ decision support system
(DSS)
A computer system designed to assist managers in selecting and evaluating courses of action by providing a logical, usually quantitative, analysis of the relevant factors.

### système[nm] d'aide à la décision
(SAD)
Système informatique destiné à seconder les gestionnaires dans la prise de décision par l'analyse principalement quantitative de critères définis.

◆ informatique; gestion

---

## ▼ decision table
A means of displaying logical conditions in an array that graphically illustrates actions associated with stated conditions.

### tableau[nm] de décision
Mode de représentation des conditions logiques associées à diverses actions dont l'objet est de permettre une meilleure compréhension du problème.

◆ gestion

---

## ▼ decision tree
A method of analysis that evaluates alternative decisions in a tree-like structure to estimate values and/or probabilities. Decision trees into account the time value of future earnings by using a rollback concept. Calculations are started at the far right-hand side, then traced back through the branches to identify the appropriate decision.

### arbre[nm] de décision
Représentation dans une structure arborescente des diverses décisions qui peuvent être prises, avec leurs conséquences probables.

*L'arbre de décision est une méthode d'analyse de problèmes complexes selon laquelle sont étudiées* diverses actions séquentielles. Au lieu de tenter de déterminer quelle est la meilleure première décision, on détermine la meilleure décision de la fin de la séquence, c'est-à-dire qu'on remonte à partir de la dernière décision à prendre.

◆ gestion; recherche opérationnelle

---

## ▼ decomposition
A method of forecasting whereby time series data are separated into up to three components: trend, seasonal, and cyclical where trend includes the general horizontal upward or downward movement over time; where seasonal includes a recurring demand pattern such as day of the week, weekly, monthly, etc.; and cyclical includes any repeating, nonseasonal pattern. A fourth component is random, that is, data with no pattern. The new forecast is made by projecting the patterns individually determined and then combining them.

### (méthode de) décomposition[nf]
Méthode statistique d'extrapolation qui consiste à décomposer les données historiques (tendances, variations saisonnières ou cycliques) en un certain nombre d'éléments dont on analyse et extrapole séparément l'évolution à des fins de prévision.

◆ prévision

---

## ▼ dedicated capacity
A work center that is designated to produce a single item or a limited number of similar items. Equipment that is dedicated may be special equipment or may be grouped general purpose equipment committed to a composite part.

### unité[nf] de production spécialisée
= installation[nf] dédiée
Poste de travail réservé à la production d'un article spécifique ou d'un nombre limité d'articles.

◆ gestion de la production et des stocks

---

## ▼ dedicated equipment
Equipment whose use is restricted to specific operation(s) on a limited set of components.

### équipement[nm] dédié
Matériel, équipement ne servant qu'à l'exécution d'opérations spécifiques sur un nombre limité de composants ou de produits.

◆ gestion de la production et des stocks

---

## ▼ dedicated line
A production line "permanently" configured to run well-defined parts, one piece at a time from station to station.

### chaîne[nf] de montage dédiée

Unité de production configurée en permanence pour produire des articles bien définis les uns après les autres, d'un poste à un autre.

◆ gestion de la production et des stocks

---

▼
### de-expedite

The reprioritizing of jobs to a lower level of activity. All extraordinary actions involving these jobs stop.

### reporter[v] (la production)
= différer[v] (la production)

Classer de façon moins prioritaire des ordres de fabrication qui jusqu'alors étaient considérés comme urgents.

◆ gestion de la production et des stocks

---

▼
### default

The action that will be taken by a computer program when the user does not specify a variable parameter.

### par défaut[loc adj]

Se dit d'une valeur, d'un attribut adopté par le système informatique en l'absence d'une valeur ou d'un attribut précisé par l'utilisateur.

◆ informatique

---

▼
### degrees of freedom

A statistical term indicating the number of variables or data points used for testing a relationship. The greater the degrees of freedom, the greater the confidence that can be placed on the statistical significance of the results.

### degrés[nm] de liberté

Expression statistique désignant le nombre de variables ou de données utilisées pour un test.

*Plus les degrés de liberté sont nombreux, plus la confiance dans les résultats statistiques pourra être grande.*

◆ statistique

---

▼
### delay report
→ anticipated delay report

---

▼
### delay reporting

Reporting against an operation status of a manufacturing order on an exception basis, when delays are anticipated.

### diffusion[nf] des retards prévus
= saisie[nf] des retards

Action de signaler les retards prévisibles d'un ordre de fabrication.

◆ gestion de la production et des stocks

---

▼
### delinquent order
= late order
= past due order

A line item on an open customer order that has an original scheduled ship date that is earlier than the current date.

### commande[nf] en retard
= commande[nf] en souffrance

Commande dont l'exécution n'est pas achevée à la date de livraison promise.

◆ gestion de la production et des stocks

---

▼
### delivery cycle
→ delivery lead time

---

▼
### delivery lead time
= delivery cycle

The time from the receipt of a customer order to the delivery of the product.

### délai[nm] de livraison

Période de temps qui s'écoule entre la réception d'une commande et sa mise à disposition chez le client.

◆ gestion de la production et des stocks

---

▼
### delivery policy

The company's goal for the time to ship the product after the receipt of a customer's order. The policy is sometimes stated as "our quoted delivery time."

### politique[nf] de livraison

Objectifs de l'entreprise en matière de délai de livraison.

◆ gestion de la production et des stocks

---

▼
### delivery schedule

The required and/or agreed time or rate of delivery of goods or services purchased for a future period.

### programme[nm] de livraison
= calendrier[nm] de livraison

Cadencement convenu des mises à disposition des marchandises ou des services achetés devant s'échelonner dans le temps.

◆ gestion de la production et des stocks

---

▼
### Delphi method

A qualitative forecasting technique where the opinions of experts are combined in a series of iterations. The results of each iteration are used to develop the next, so that convergence of the experts' opinion is obtained.

### méthode[nf] Delphi

Méthode de prévision qui a pour but d'obtenir un consensus d'un groupe d'experts auxquels on demande séparément leur opinion sur le lancement d'un produit, l'établissement d'un budget de production, etc.

*La méthode Delphi est employée notamment pour l'établissement des prévisions à long terme.*

NOTE L'analyse des réponses au premier questionnaire sert à concevoir le deuxième et ainsi de suite.

◆ prévision; gestion

### ▼ demand

A need for a particular product or component. The demand could come from any number of sources, e.g., customer order or forecast, or an interplant requirement or a request from a branch warehouse for a service part or for manufacturing another product. At the finished goods level, "demand data" are usually different from "sales data" because demand does not necessarily result in sales; i.e., if there is no stock, there will be no sale.

### demande[nf]

Ensemble des besoins d'un produit ou composant spécifique provenant de différentes sources (commande client, prévisions, magasin régional, service à la clientèle, fabrication d'un autre produit).

◆ gestion de la production et des stocks

### ▼ demand curve

A graphic description of the relationship between price and quantity demanded in a market, assuming that all other factors stay the same. Quantity demanded of a product is measured on the horizontal axis for an array of different prices measured on the vertical axis.

### courbe[nf] de la demande

Courbe illustrant le rapport demande/prix d'un bien ou d'un service, c'est-à-dire les quantités du bien ou du service demandées par les acheteurs en fonction de différents prix de vente.

◆ économie

### ▼ demand during lead time
→ expected demand

### ▼ demand filter

A standard that is set to monitor sales data for individual items in forecasting models. It is usually set to be tripped when the demand for a period differs from the forecast by more than some number of mean absolute deviations.

### encadrement[nm] des statistiques de vente
= filtre[nm] de la demande

Bornes d'un modèle de prévision permettant de signa-ler les statistiques de vente qui s'écartent de façon significative des prévisions établies.

◆ prévision

### ▼ demand lead time

The amount of time potential customers are willing to wait for the delivery of a good or a service.

### délai[nm] de livraison acceptable

Laps de temps maximal précédant la livraison d'un produit que les consommateurs potentiels sont prêts à admettre.

◆ gestion de la production et des stocks

### ▼ demand management

The function of recognizing and managing all of the demands for products to ensure that the master scheduler is aware of them. It encompasses the activities of forecasting, order entry, order promising, branch warehouse requirements, interplant orders, service parts requirements.

### gestion[nf] de la demande

Fonction permettant de regrouper les demandes de produits et de les gérer de façon à s'assurer que le programme directeur de production les prenne en compte.

◆ gestion de la production et des stocks

### ▼ demand pull

The triggering of material movement to a work center only when that work center is out of work and/or ready to begin the next job. It in effect eliminates the queue from in front of a work center, but it can cause a queue at the end of a previous work center.

### production[nf] à flux tiré
= production[nf] appelée par l'aval

Mode de production suivant lequel les pièces n'avancent à l'opération suivante que lorsque celle-ci les réclame.

*La production à flux tiré supprime les files d'attente devant un poste de travail, mais peut en occasionner à la sortie du poste précédent.*

◆ gestion de la production et des stocks

### ▼ demand rate

A statement of requirements in terms of quantity per unit of time (hour, day, week, month, etc.).

### cadence[nf] de la demande
= taux[nm] de la demande

Expression des besoins quantifiés par unité de temps (heure, jour, semaine, mois, etc.).

◆ gestion de la production et des stocks

▼ **demand time fence**
(DTF)

A point in time in the master production schedule. The master schedule planning horizon is divided into three regions. In the master production schedule the demand time fence is set between the current date and the planning fence to establish two regions. The first region between the current date and the demand fence establishes the area where orders are frozen, that is, no unanalyzed and unapproved changes are made to the MPS. The second region, between the demand time fence and planning fence, is the area where actual orders may consume the forecast.

**limite[nf] de période**

Dans le programme directeur de production, espace de temps entre la période de temps présente et la borne de planification servant à définir les conditions d'application des modifications.

*Les modifications demandées en deçà de la limite de période peuvent être difficiles à obtenir, voire refusées. Par contre, les modifications demandées au-delà de cette limite peuvent être acceptées et débitées des prévisions.*

◆ gestion de la production et des stocks

▼ **demand uncertainty**

The uncertainty or variability in demand as measured by the standard deviation, mean absolute deviation (MAD), or variance of forecast errors.

**incertitude[nf] de la demande**

Variation de la demande mesurée par l'écart-type, l'écart moyen absolu (ÉMA) ou la variance des erreurs de prévision.

◆ prévision

▼ **Deming circle**

Concept of a continuously rotating wheel of plan-do-check-action (PDCA) used to show the need for interaction among market research, design, production, and sales so as to improve quality.

**cycle[nm] PDCA**

Cycle penser-démarrer-contrôler-agir.

*Le cycle PDCA consiste à penser et à planifier avant de faire quoi que ce soit. Ensuite, on exécute et on s'arrête encore pour vérifier, contrôler et, finalement, on agit pour corriger ou améliorer.*

◆ gestion de la qualité

▼ **Deming's 14 points**

An action plan and overall strategy developed by W. Edwards Deming for increasing quality and productivity in both manufacturing and service organizations. Generally they are:

1. Create consistency of purpose toward overall system improvement.
2. No longer accept defects and mistakes.
3. Do not rely on mass inspections to find errors.
4. Use quality as well as price to award business.
5. Find problems and use them to improve the business.
6. Institute training programs.
7. Add quality as well as quantity to supervisor responsibilities.
8. Eliminate fear in the workplace.
9. Eliminate departmental (functional) barriers.
10. Provide real methods to improve productivity.
11. Eliminate work standards that establish goals.
12. Instill pride of workmanship in employees.
13. Institute education and retraining programs.
14. Create top management focus on quality.

**les 14 points[nm] de Deming**

Stratégie d'ensemble proposée par W. Edwards Deming en vue d'accroître la qualité et la productivité et comportant 14 commandements :

1. Créer un objectif permanent d'amélioration continue du système.
2. Éliminer le concept de niveau de qualité acceptable.
3. Cesser de compter sur une inspection massive.
4. Considérer la qualité et non uniquement le plus bas coût lors du choix d'un fournisseur.
5. Définir les problèmes et retenir leurs solutions pour l'amélioration du système de production.
6. Mettre en œuvre des activités de formation au travail.
7. Instaurer des critères aussi bien qualitatifs que quantitatifs dans l'évaluation des gestionnaires.
8. Permettre à chacun de s'exprimer ouvertement à propos des problèmes qu'il rencontre sans crainte pour son emploi.
9. Décloisonner les unités administratives.
10. Proposer des méthodes efficaces pour accroître la productivité.
11. Éliminer les temps standards qui se limitent à établir des quotas de quantités à produire.
12. Favoriser le sentiment de la fierté du travail bien fait.
13. Mettre en place un programme complet de formation et de perfectionnement.
14. Convaincre la direction de l'entreprise de l'importance stratégique de la qualité.

◆ gestion de la qualité; gestion

▼ **demonstrated capacity**

Proven capacity calculated from actual output performance data, usually expressed as the average number of items produced multiplied by the standard hours per item.

## capacité<sup>nf</sup> établie

**= capacité<sup>nf</sup> pratique**

Capacité calculée à partir du nombre d'unités d'œuvre effectivement utilisables en fabrication.

*La capacité établie est obtenue par la multiplication du nombre d'articles produits par le temps standard unitaire.*

◆ gestion de la production et des stocks

---

## ▼ denied party listing

A list of organizations that are unauthorized to submit a bid for an activity.

### liste<sup>nf</sup> noire (des fournisseurs)

Énumération des entreprises qui ne sont pas admises à présenter une offre pour la livraison de produits ou la prestation de services.

◆ gestion des approvisionnements

---

## ▼ departmental stocks

An informal system of holding some stock in a production department. This action is taken as a protection from stockouts in the stockroom or for convenience: however, it results in increased inventory investment and possible degradation of the accuracy of the inventory records.

### stock<sup>nm</sup> atelier

Stock conservé au sein des unités de production comme mesure de protection pour contrer les ruptures de stock, ou simplement par commodité.

*Le stock atelier crée une augmentation du nombre d'articles en stock.*

**NOTE** Le stock atelier peut causer des inexactitudes de l'inventaire.

◆ gestion de la production et des stocks

---

## ▼ department overhead rate

The overhead rate applied to jobs passing through a department.

### coefficient<sup>nm</sup> d'imputation des frais généraux par unité

**= taux<sup>nm</sup> de frais généraux par section**

Coefficient utilisé par l'entreprise pour imputer les frais généraux d'une unité de production aux ordres de fabrication traités par cette unité.

◆ comptabilité

---

## ▼ dependent demand

Demand that is directly related to or derived from the bill of material structure for other items or end products. Such demands are therefore calculated and need not and should not be forecast. A given inventory item may have both dependent and independent demand at any given time. For example, a part may simultaneously be the component of an assembly and also sold as a service part.

### demande<sup>nf</sup> dépendante

**= consommation<sup>nf</sup> dépendante**

Consommation calculée à partir de la nomenclature des produits et du programme directeur de production.

*C'est l'ordonnancement qui fournit les données nécessaires à la gestion de la demande dépendante.*

◆ gestion de la production et des stocks

---

## ▼ depreciation

An allocation of the original value of an asset against current income to represent the declining value of the asset as a cost of that time period. Depreciation does not involve a cash payment. It acts as a tax shield and thereby reduces the tax payment.

### amortissement<sup>nm</sup>

**= amortissement<sup>nm</sup> pour dépréciation**

Constatation comptable systématique d'un amoindrissement de la valeur d'une immobilisation corporelle résultant de l'usage, du temps, des changements technologiques et de toute autre cause dont les effets sont jugés irréversibles.

*L'amortissement constitue généralement l'étalement du coût d'achat d'un bien amortissable sur sa durée de vie probable; il permet de diminuer le bénéfice imposable sans réduire le fonds de roulement.*

◆ comptabilité

---

## ▼ derived demand

Demand for industrial products that arises from the demand for final design products. For example, the demand for steel is derived from the demand for automobiles.

### demande<sup>nf</sup> dérivée

Demande d'un facteur de production résultant de la demande d'un bien final qu'il contribue à produire.

*La demande d'acier est une demande dérivée qui résulte de la demande pour les véhicules automobiles, dans lesquels ce facteur de production est utilisé.*

◆ économie

---

## ▼ design review

A technique for evaluating a proposed design to ensure that the design (1) is supported by adequate materials and materials that are available on a timely basis, (2) will perform successfully during use, (3) can be manufactured at low cost, and (4) is suitable for prompt field maintenance.

### revue[nf] de conception

Examen en règle d'une conception mené de façon complète et systématique en vue de permettre une production à faible coût, de faciliter l'entretien du produit, d'assurer un rendement adéquat et répondant aux besoins du consommateur.

◆ gestion de la production et des stocks

### detailed scheduling
→ operations scheduling

### detail file

A file which contains manufacturing, routing, or specification details.

**ANT.** master file

### fichier[nm] détaillé

Fichier comportant des données précises sur la fabrication industrielle, le jalonnement, les spécifications des produits.

◆ gestion de la production et des stocks

### deterioration

Product spoilage, damage to the package, etc. This is one of the considerations in inventory carrying cost.

### détérioration[nf]

Endommagement d'un article.

**NOTE** La détérioration est un des éléments à considérer dans le calcul du coût de stockage.

◆ gestion de la production et des stocks

### deterministic models

Models where no uncertainty is included, e.g., inventory models without safety stock considerations.

### modèles[nm] déterministes

Modèles pour lesquels ne joue aucune incertitude.

◆ recherche opérationnelle

### deviation

The difference, usually the absolute difference, between a number and the mean of a set of numbers, or between a forecast value and the actual data.

### écart[nm]

Différence entre une valeur observée et une autre valeur (norme, objectif, moyenne, prévision) prévue.

◆ prévision; gestion

### direct costing
→ variable costing

### direct costs

Variable costs that can be directly attributed to a particular job or operation.

### coûts[nm] directs

Coûts variables qui peuvent être affectés à un ordre de fabrication particulier.

◆ comptabilité

### direct-deduct inventory transaction processing
= discrete issue

A method of inventory bookkeeping that decreases the book (computer) inventory of an item as material is issued from stock, and increases the book inventory as material is received into stock by means of individual transactions processed for each item. The key concept here is that the book record is updated coincidentally with the movement of material out of or into stock. As a result, the book record is a representation of what is physically in stock.

### suivi[nm] des stocks en temps réel

Méthode de tenue de livre où l'inventaire comptable des composants est mis à jour au moment où les entrées et les sorties de stock sont effectuées.

◆ gestion de la production et des stocks

### direct delivery

The consignment of goods directly from the supplier to the buyer, frequently used where a third party acts as intermediary agent between supplier and buyer.

### livraison[nf] directe

Expédition de marchandises directement du fournisseur au client avec ou sans l'intervention d'un intermédiaire.

◆ transport; gestion des approvisionnements

### direct labor

Labor that is specifically applied to the product being manufactured or utilized in the performance of the service.

### main-d'œuvre[nf] directe

Main-d'œuvre utilisée dans une entreprise pour transformer des intrants qui font partie intégrante d'un produit ou d'un service.

◆ gestion de la production et des stocks

### direct material

Material that becomes a part of the final product in measurable quantities.

### matière<sup>nf</sup> directe

Matière destinée à être incorporée aux produits fabriqués et dont la quantité peut être mesurée en vue du calcul des coûts.

◆ gestion de la production et des stocks

---

### direct numerical control
(DNC)

A system where sets of numerical control machines are connected to a computer allowing direct control of a piece of equipment by the computer without use of tapes.

### commande<sup>nf</sup> numérique directe
(CND)

Connexion entre un ordinateur central et une ou plusieurs machines à commande numérique afin de transmettre directement les programmes d'usinage.

◆ informatique; gestion de la production et des stocks

---

### disbursement

The physical issuance and reporting of the movement of raw material, components, or other items from a stores room or warehouse.

### sortie<sup>nf</sup> (de stock)
= prélèvement<sup>nm</sup> de stock

Action de comptabiliser et d'effectuer les sorties de matières de magasin afin de les mettre à la disposition de l'atelier.

◆ gestion de la production et des stocks

---

### disbursement list
→ picking list

---

### disciplinary action

Action taken to enforce compliance with organizational rules and policies.

### mesure<sup>nf</sup> disciplinaire

Action corrective visant à accroître le respect des règles et politiques d'une entreprise.

◆ gestion

---

### discontinuous demand
= lumpy demand

A demand pattern that is characterized by large demands interrupted by periods with no demand, as opposed to a continuous or "steady" (e.g., daily) demand.

### demande<sup>nf</sup> discontinue
= consommation<sup>nf</sup> discontinue

Type de consommation caractérisé par une alternance de grande demande ponctuelle et de périodes où la demande est faible ou nulle.

*La demande discontinue s'oppose à une demande continue et régulière (par exemple, quotidienne).*

◆ gestion de la production et des stocks

---

### discount

An allowance or deduction granted by the seller to the buyer, usually when the buyer meets certain stipulated conditions that reduce the price of the goods purchased. A quantity discount is an allowance determined by the quantity or value of purchase. A cash discount is an allowance extended to encourage payment of invoice on or before a stated date that is earlier than the net date. A trade discount is a deduction from an established price for items or services, often varying in percentage with volume of transactions, made by the seller to those engaged in certain businesses and allowed regardless of the time when payment is made.

### remise<sup>nf</sup>
= rabais<sup>nm</sup>

Réduction consentie sur le prix courant d'un bien ou d'un service.

**NOTE** La **remise quantitative** est fonction de la valeur ou de la quantité achetée, l'**escompte** est une réduction consentie pour paiement anticipé ou paiement comptant tandis que la **ristourne** est une réduction calculée sur l'ensemble des opérations faites avec un même tiers.

◆ gestion des approvisionnements

---

### discounted cash flow method

A method of investment analysis in which future cash flows are converted, or discounted, to their value at the present time. The rate of return for an investment is that interest rate at which the present value of all related cash flow equals zero.

### (méthode de la) valeur<sup>nf</sup> actualisée nette

Méthode d'évaluation de la rentabilité d'un projet d'investissement fondée sur l'actualisation mathématique des rentrées et des sorties de fonds liées à ce projet.

**NOTE** La valeur actualisée nette (VAN) est le montant obtenu par ce calcul d'actualisation.

◆ gestion

---

### discrete issue
→ direct-deduct inventory transaction processing

---

### discrete manufacturing

Production of distinct items such as automobiles, appliances, or computers.

### production[nf] en discontinu

Système de production qui est basé sur l'assemblage de produits divers à partir de pièces uniformes et standardisées.

◆ gestion de la production et des stocks

---

▼
### discrete order quantity
→ lot-for-lot

---

▼
### dispatch(ing) board
→ control board

---

▼
### dispatcher

A production control person whose primary function is dispatching.

### répartiteur[nm]
### répartiteure[nf]
= agent[nm] de lancement
   agente[nf] de lancement

Personne chargée du jalonnement des ordres de fabrication et de l'affectation des tâches aux divers postes de travail.

◆ gestion de la production et des stocks

---

▼
### dispatching

The selecting and sequencing of available jobs to be run at individual workstations and the assignment of those jobs to workers.

### lancement[nm]
= répartition[nf] des tâches

Processus de mise en œuvre d'un ordonnancement pour les heures à venir, par l'affectation des tâches aux divers postes de travail (bons de travaux), par la mise à disposition des matières premières et des composants (bons de matières).

**NOTE** Les principales tâches de lancement consistent à vérifier la disponibilité des approvisionnements, des outillages, du personnel nécessaire; à distribuer le travail à la maîtrise en tenant compte du jalonnement (gestion des délais); à obtenir le plein emploi des moyens de production (gestion des charges); à veiller à réduire les encours (gestion des stocks).

◆ gestion de la production et des stocks

---

▼
### dispatching rule

The logic used to assign priorities to jobs at a work center.

### règle[nf] de lancement

Méthode d'attribution des priorités de fabrication aux divers postes de travail.

◆ gestion de la production et des stocks

---

▼
### dispatch list

A listing of manufacturing orders in priority sequence. The dispatch list is usually communicated to the manufacturing floor via hard copy or CRT display, and contains detailed information on priority, location, quantity, and the capacity requirements of the manufacturing order by operation. Dispatch lists are normally generated daily and oriented by work center.

### feuille[nf] de lancement
= liste[nf] des travaux à effectuer

Programme détaillé des travaux à effectuer par un centre de charge qui est établi par ordre prioritaire.

*Généralement imprimée par ordinateur quotidiennement, la feuille de lancement est présentée par date croissante et les priorités relatives des travaux sont maintenues à jour à partir du calcul des besoins.*

◆ gestion de la production et des stocks

---

▼
### distributed data processing

A data processing organizational concept under which computer resources of a company are installed at more than one location with appropriate communication links. Processing is performed at the user's location generally on a smaller computer, and under the user's control and scheduling, as opposed to processing for all users being done on a large, centralized computer system.

### informatique[nf] décentralisée
= informatique[nf] répartie

Système informatique comportant différents ordinateurs installés dans les unités et branchés en réseau.

*L'informatique décentralisée favorise l'emploi de petits ordinateurs autonomes situés à proximité des postes de travail, contrairement à un ordinateur central commun à tous les utilisateurs de l'entreprise.*

◆ informatique

---

▼
### distributed numerical control
(DNC)

An approach to automated machining in which each machine tool has its own dedicated microcomputer or computer numerical control (CNC). Each machine tool's CNC is connected via a network with a minicomputer that handles distributed processing between the host mainframe computer and the CNC. This minicomputer handles part program transfers and machine status data collection. This approach is considered more advanced than direct numerical control in which several machine tools are tied directly to a mainframe computer.

### système[nm] à commande numérique informatisée

Système d'automatisation comportant des machines-outils où sont stockées des instructions numériques à des fins de programmation et d'exécution automatique des tâches.

*Dans le système à commande numérique informatisée, les machines-outils dotées de commande numérique sont reliées entre elles par réseau à un mini-ordinateur qui gère le traitement des données et assure la liaison avec l'ordinateur central.*

**NOTE** Ce système est plus perfectionné que la commande numérique directe où les machines-outils sont reliées directement à l'ordinateur central.

◆ informatique; gestion de la production et des stocks

---

▼ **distributed systems**
Computer systems in multiple locations throughout an organization, working in a cooperative fashion, with the system at each location primarily serving the needs of that location but also able to receive and supply information from other systems within a network.

**systèmes**nm **informatiques décentralisés**
Répartition des ressources informatiques dans l'ensemble des unités administratives afin de répondre aux besoins locaux des utilisateurs et de permettre l'échange de données avec les autres ordinateurs, tous reliés en réseau.

◆ informatique

---

▼ **distribution**
→ **physical distribution**

---

▼ **distribution by value**
→ **ABC classification**

---

▼ **distribution center**
= **field warehouse**
A warehouse with finished goods and/or service items. A company, for example, might have a manufacturing facility in Philadelphia and distribution centers in Atlanta, Dallas, Los Angeles, San Francisco, and Chicago. Distribution center is synonymous with the term "branch warehouse," although the former has become more commonly used recently. When there is a warehouse that serves a group of satellite warehouses, it is usually called a regional distribution center.

**centre**nm **de distribution**
= **dépôt**nm
Entrepôt d'un réseau de distribution dont l'objectif est de desservir les clients de l'entreprise.

◆ gestion de la production et des stocks

---

▼ **distribution cost**
Those items of cost related to the activities associated

with the movement and storage of finished products. This can include inventory costs, transportation costs, and order processing costs.

**coût**nm **de distribution**
Coût de l'ensemble des activités de suivi des commandes, de gestion des stocks et de transport qui assurent l'acheminement des produits finis aux acheteurs.

◆ gestion de la production et des stocks

---

▼ **distribution network structure**
= **bill of distribution**
The planned channels of inventory distribution from one or more sources to distribution centers or field warehouses. There may be one or more levels in the network.

**structure**nf **du réseau de distribution**
Ensemble des canaux de distribution reliant les unités de production aux centres de distribution ou aux magasins.

◆ marketing; gestion de la production et des stocks

---

▼ **distribution of forecast errors**
Tabulation of the forecast errors according to the frequency of occurrence of each error value. The errors in forecasting are, in many cases, normally distributed even when the observed data do not come from a normal distribution.

**distribution**nf **des erreurs de prévision**
= **distribution**nf **des erreurs prévisionnelles**
Répartition par classes des erreurs de prévision selon leur fréquence.

◆ prévision

---

▼ **distribution planner**
A person who plans inventories and schedules replenishment shipments for the distribution centers.

**agent**nm **de planification des besoins de distribution**
**agente**nf **de planification des besoins de distribution**
Personne chargée de planifier les stocks et les approvisionnements pour les centres de distribution.

◆ gestion de la production et des stocks

---

▼ **distribution requirements planning** 1.
The function of determining the needs to replenish inventory at branch warehouses. A time-phased order point approach is used where the planned orders at the branch warehouse level are "exploded" via MRP logic to become gross requirements on the supplying source.

In the case of multilevel distribution networks, this explosion process can continue down through the various levels of regional warehouses master warehouse, factory warehouse, etc., and become input to the master production schedule. Demand on the supplying source(s) is recognized as dependent, and standard MRP logic applies.

### planification[nf] des besoins de distribution
Méthode utilisée pour planifier et calculer les besoins en réapprovisionnement de produits d'un réseau de distribution pour une période définie.

*La planification des besoins de distribution s'apparente à la planification de besoins matières : les ordres d'approvisionnement des centres de distribution sont transformés en besoins bruts pour leurs sources d'approvisionnement.*

◆ gestion de la production et des stocks

---

▼ **distribution requirements planning** 2.
More generally, replenishment inventory calculations, which may be based on other planning approaches such as "period order quantities" or "replace exactly what was used" rather than being limited to solely the time-phased order point approach.

### planification[nf] des besoins de distribution
Planification et calcul des besoins en réapprovisionnement selon des méthodes comme celle de la période économique de commande.

◆ gestion de la production et des stocks

---

▼ **distribution resource planning**
(DRP)
The extension of distribution requirements planning into the planning of the key resources contained in a distribution system: warehouse space, work force, money, trucks, freight cars, etc.

### planification[nf] des ressources de distribution
(PRD)
Calcul des besoins de la distribution appliqué à l'ensemble des ressources critiques du système de distribution : main-d'œuvre, moyens de transport, de livraison et de stockage, moyens financiers, etc.

*La planification des ressources de distribution est utilisée pour mieux gérer d'autres aspects de la distribution, tels que la planification des cubages et des poids à transporter, les valeurs de stock prévisionnelles du réseau, les prévisions logistiques de toutes sortes...*

◆ gestion de la production et des stocks

---

▼ **distributor**
A business that does not manufacture its own products but purchases and resells these products. Such a business usually maintains a finished goods inventory.

### distributeur[nm]
Personne morale liée à une entreprise par un contrat selon lequel elle est habilitée à vendre les produits ou services.

*Le distributeur assure généralement la gestion des stocks de produits finis qu'il revend à sa clientèle.*

◆ marketing; gestion de la production et des stocks

---

▼ **diversification strategy**
An expansion of the scope of the product line to exploit new markets. A key objective of a diversification strategy is to spread the company's risk over several product lines in case there should be a downturn in any one product's market.

### diversification[nf]
Implantation stratégique d'une entreprise sur de nouveaux marchés, dans de nouveaux secteurs d'activité.

*Les justifications de diversification sont très variées, allant de la volonté de mieux répartir les risques à la nécessité de survie.*

**NOTE** La diversification peut être **horizontale** lorsque le nouveau produit est conforme à la pratique actuelle de l'entreprise; elle est **verticale** lorsque l'entreprise étend son activité vers l'amont ou vers l'aval; elle est **latérale** lorsque l'entreprise choisit un nouveau domaine d'activité.

◆ gestion; économie

---

▼ **DNC**
Abbreviation for **distributed numerical control.**

---

▼ **DNC**
Abbreviation for **direct numerical control.**

---

▼ **dock receipt**
A receipt recorded for a shipment received or delivered at a pier or dock.

### bon[nm] de réception au quai
Document du service de la réception sur lequel figure la description des marchandises reçues au quai de déchargement.

◆ transport; gestion des approvisionnements

---

▼ **documentation**
The process of collecting and organizing documents or the information recorded in documents. The term usually refers to the development of material specifying inputs, operations, and outputs of a computer system.

### documentation[nf]
Ensemble des opérations, des méthodes qui facilitent la collecte, le stockage, la circulation des documents et de l'information.
◆ informatique

---

### double order point system
A distribution inventory management system that has two order points. The smallest equals the original order point, which cover replenishment lead time. The second order point is the sum of the first order point plus normal usage during manufacturing lead time. It enables warehouses to forewarn manufacturing of future replenishment orders.

### méthode[nf] du double point de commande
= système[nm] à double point de commande
Système de gestion des stocks des centres de distribution comportant deux seuils de commande : le premier couvrant la consommation prévue pendant le délai de réapprovisionnement, le second, la consommation prévue pendant le délai de fabrication.

*La méthode du double point de commande permet d'informer les services de fabrication des commandes de réapprovisionnement à venir pour les centres de distribution.*
◆ gestion de la production et des stocks

---

### double smoothing
→ second order smoothing

---

### downgrade
The substitution of a product of lower quality value or status for another either in planning or actual fact.

### déclassement[nm]
Remplacement d'un article par un autre article de moindre valeur.
◆ gestion de la production et des stocks

---

### download
Transfer of information from a mainframe system to a personal computer environment.

### transfert[nm] (de données)
Déplacement d'une information de l'ordinateur central à des micro-ordinateurs.
◆ informatique

---

### downstream operation
Task(s) subsequent to the task currently being planned or executed.

### opération[nf] en aval
= opération[nf] suivante
Tâche qui suit la tâche planifiée ou en cours d'exécution.
◆ gestion de la production et des stocks

---

### downtime
Time when a resource is scheduled for operation but is not producing for reasons such as maintenance, repair, or setup.

### temps[nm] d'arrêt
= arrêt-machine[nm]
Période au cours de laquelle l'équipement est inutilisé à la suite d'une pénurie de stock, d'une panne, d'une réparation ou d'imprévus.
◆ gestion de la production et des stocks

---

### drawback
A refund of customs duties paid on material imported and later exported.

### remboursement[nm] de droits de douane
Remboursement de taxe pour les produits en importation temporaire.
◆ généralités

---

### drop ship
To take the title of the product but not actually handle, stock, or deliver it, i.e., to have one supplier ship directly to another or to have a supplier ship directly to the buyer's customer.

### faire[v] un envoi direct
= faire[v] une livraison directe
Expédier des produits directement du fournisseur au consommateur final, ou d'un fournisseur à un autre.
◆ transport

---

### DRP
Abbreviation for **distribution resource planning.**

### PRP
Abréviation de **planification des ressources de distribution.**

---

### drum-buffer-rope
The generalized technique described by the theory of constraints to manage resources in order to maximize throughput. The drum is the rate or pace of production set by the system's constraint. The buffer(s) establish(es) the protection against uncertainty so that the constraint can maximize throughput. The rope is a communication process from the constraint to the gating operation that paces material released into the system to support the constraint.

### technique[nf] cadence-tampon-lien

Technique de gestion des ressources fondée sur la théorie des contraintes qui a pour objectif de maximiser la production.

NOTE La **cadence** constitue le taux de production établi par les contraintes du système. Le **tampon** représente la sécurité contre les irrégularités de la production, tandis que le **lien** assure la liaison entre les éléments et définit les cadences de production.

◆ gestion de la production et des stocks

---

### ▼ DSS

Abbreviation for **decision support system.**

---

### ▼ DTF

Abbreviation for **demand time fence.**

---

### ▼ due date
= **arrival date**
= **expected receipt date**

The date when purchased material or production material is due to be available for use.

### date[nf] d'exigibilité
= **date[nf] d'échéance**

Date à laquelle une commande doit être livrée.

◆ gestion de la production et des stocks

---

### ▼ due date rule

A dispatching rule that directs the sequencing of jobs by the earliest due date.

### règle[nf] de la date d'exigibilité
= **règle[nf] de la date d'échéance**

Règle accordant la priorité aux commandes dont la date de livraison est la plus rapprochée.

◆ gestion de la production et des stocks

---

### ▼ duty

A tax levied by a government on the importation, exportation, or use and consumption of goods.

---

### taxe[nf]

Impôt perçu par l'État lors de l'importation, de l'exportation ou de l'utilisation d'un bien ou service.

◆ généralités

---

### ▼ duty free zone

An area where merchandise is brought into the country for further work to be done. Duty is paid only on the items brought in, normally at a lower rate than finished goods, and paid only at the time of sale.

### zone[nf] franche

Partie du territoire où est applicable un régime administratif et douanier préférentiel.

*Dans la zone franche, les taxes ne sont payées que sur les composants importés et à un taux inférieur à celui des produits finis.*

◆ généralités

---

### ▼ dynamic lot sizing

A lot-sizing technique that creates an order quantity subject to continuous recomputation.

### quantification[nf] dynamique des lots

Technique de détermination de la taille des lots dans laquelle la quantité du lot est recalculée en permanence en fonction des modifications qui surviennent.

◆ gestion de la production et des stocks

---

### ▼ dynamic programming

A method of sequential decision making in which the result of the decision at each stage affords the best possible means to exploit the expected range of likely (yet unpredictable) outcomes in the following decision-making stages.

### programmation[nf] dynamique

Technique servant à résoudre les programmes séquentiels dans lesquels les résultats de chaque étape deviennent les conditions des étapes ultérieures.

◆ recherche opérationnelle

## EAP
Abbreviation for **employee assistance programs.**

## earliest start date
The earliest date an operation or order can start. It may be restricted by the current date, material availability, and/or management-specified "maximum advance."

### date<sup>nf</sup> de début au plus tôt
Date la plus précoce à laquelle doit démarrer une opération, une activité ou un ordre de fabrication pour que soit respectée la date de fin programmée.

**NOTE** La date de début au plus tôt dépend de la date du jour, de la disponibilité des composants, de la date de début au plus tard et de la marge maximale fixée par le programme directeur de la production.

◆ gestion de la production et des stocks

## earmarked material
Reserved material on hand that is physically identified, rather than merely reserved in a balance-of-stores record.

### stock<sup>nm</sup> réservé et marqué
= **article<sup>nm</sup> réservé et marqué**
= **matière<sup>nf</sup> marquée**
Matières, composants sur lesquels une réservation est indiquée par opposition à des composants réservés strictement dans un état de stock.

◆ gestion de la production et des stocks

## earned hours
= **earned volume**
A statement of output reflecting the standard hours for actual production reported during the period.

### état<sup>nm</sup> des heures produites
= **heures<sup>nf</sup> produites**
Document où figure le total des heures standards correspondant à la production réelle d'une période déterminée.

◆ gestion de la production et des stocks

## earned volume
→ **earned hours**

## econometric models
A system of simultaneous equations for forecasting, based on mutual dependance among the variables used.

### modèle<sup>nm</sup> économétrique
Modèle qui exprime quantitativement les relations entre des phénomènes économiques grâce à l'utilisation des mathématiques et des statistiques.

*Les modèles économétriques servent aux prévisions à moyen et à long terme.*

◆ prévision; économie

## economic lot size
→ **economic order quantity**

## economic order quantity
(EOQ)
= **economic lot size**
= **minimum cost order quantity**
A type of fixed order quantity model that determines the amount of an item to be purchased or manufactured at one time. The intent is to minimize the combined costs of acquiring and carrying inventory. The basic formula is:

$$Qnty = \sqrt{\frac{2 \times \text{annual demand} \times \text{avg cost of order preparation}}{\text{annual inventory carrying cost percentage} \times \text{unit cost}}}$$

### quantité<sup>nf</sup> économique de commande
(QÉC)
= **lot<sup>nm</sup> économique**
= **série<sup>nf</sup> économique (de réapprovisionnement)**
Quantité optimale à commander (approvisionnement ou fabrication) pour minimiser les frais de passation des commandes et les frais de possession des stocks ainsi que les risques de pénurie ou de rupture de stocks.

*La quantité économique de commande est calculée à l'aide de la formule de Wilson :*

*quantité économique de commande =*

$$\sqrt{\frac{2 \times \substack{\text{consommation} \\ \text{annuelle}} \times \substack{\text{frais de passation} \\ \text{d'une commande}}}{\substack{\text{taux du coût de} \\ \text{possession du stock}} \times \substack{\text{coût unitaire} \\ \text{de l'article}}}}$$

**NOTE** Cette quantité est dite économique parce que sa technique de calcul optimise les coûts d'acquisition par rapport aux coûts de possession.

◆ gestion de la production et des stocks

---

▼ **economy of scale**

A phenomenon whereby larger volumes of production reduce unit cost by distributing fixed costs over a larger quantity.

**économie**nf **d'échelle**

Réduction des coûts unitaires par une répartition des coûts fixes sur un plus grand nombre d'unités et dont peuvent bénéficier les entreprises qui augmentent leur capacité de production.

*Les économies d'échelle conduisent à la concentration, à la spécialisation et à l'intensification des échanges.*

◆ gestion de la production et des stocks

---

▼ **EDI**

Abbreviation for **electronic data interchange.**

**ÉDI**

Abréviation de **échange de données informatiques.**

---

▼ **EEO**

Abbreviation for **equal employment opportunity.**

---

▼ **effective date**
= **effectivity date**

The date on which a component or an operation is to be added or removed from a bill of material or an assembly process. The effective dates are used in the explosion process to create demands for the correct items. Normally, bill of material and routing systems provide for an effectivity "start date" and "stop date," signifying the start or stop of a particular relationship. Effectivity control may also be by serial number rather than date.

**date**nf **d'entrée en vigueur**
= **date**nf **d'application (d'une modification)**

Date à partir de laquelle un composant doit être ajouté ou supprimé d'une nomenclature, une opération doit être introduite ou retirée d'une gamme.

*Les dates d'entrée en vigueur sont utilisées lors de l'éclatement des nomenclatures afin d'établir précisément la demande pour chacun des articles.*

◆ gestion de la production et des stocks

---

▼ **effectivity date**
→ **effective date**

---

▼ **efficiency**

A measure (as a percentage) of the actual output to the standard output expected. Efficiency measures how well something is performing relative to expectations; it does not measure output relative to any input. Efficiency is the ratio of actual units produced to the standard rate of production expected in a time period, or actual hours produced to standard hours, or actual dollar volume to a standard dollar volume in a time period. For example, if there is a standard of 100 pieces per hour and 780 units are produced in one eight-hour shift, the efficiency is 780/800 multiplied by 100% or 97.5%.

**efficience**nf

Rapport entre ce qui est réalisé, les résultats obtenus, et les moyens de production mis en œuvre.

*L'efficience, c'est l'atteinte des objectifs dans le respect des normes de consommation.*

**NOTE** Ne pas confondre avec le terme *efficacité* qui désigne le degré de réalisation des objectifs d'un programme.

◆ gestion de la production et des stocks

---

▼ **EFT**

Abbreviation for **electronic funds transfer.**

**TÉF**

Abréviation de **transfert électronique de fonds.**

---

▼ **EI**

Abbreviation for **employee involvement.**

---

▼ **electronic data interchange**
(EDI)

The paperless (electronic) exchange of trading documents, such as purchase orders, shipment authorizations, advanced shipment notices, and invoices, using standardized document formats.

**échange**nm **de données informatiques**
(ÉDI)
= **échange**nm **de documents informatisés**

Circulation d'informations d'origines diverses (banques, entreprises, etc.) grâce à l'interconnexion de réseaux informatiques hétérogènes.

◆ informatique

▼
## electronic funds transfer
(EFT)

A computerized system that processes financial transactions and information about these transactions or performs the exchange of value between two parties.

### transfert<sup>nm</sup> électronique de fonds
(TEF)

Ensemble des techniques qui permettent le traitement des opérations bancaires sans déplacement d'un support physique.

◆ informatique

▼
## elemental parts
= piece parts

Those parts that consist of one piece. No assembly is involved.

### pièces<sup>nf</sup> élémentaires
= éléments<sup>nm</sup> constitutifs

Éléments simples ne nécessitant pas d'assemblage et entrant dans la composition d'un ensemble.

◆ gestion de la production et des stocks

▼
## empirical

Pertaining to a statement or formula based upon experience or observation rather than on deduction or theory.

### empirique<sup>adj</sup>

Qui ne s'appuie que sur l'expérience ou l'observation par opposition à ce qui découle d'un raisonnement ou s'appuie sur la théorie.

◆ généralités

▼
## employee assistance programs
(EAP)

Employer provided service aimed at helping employees and their families with personal and work-related problems. Examples include financial counseling and chemical dependency rehabilitation programs.

### programme<sup>nm</sup> d'aide aux employés
(PAE)

Service d'écoute et de conseil proposé par une entreprise aux membres du personnel afin de les aider à surmonter des problèmes professionnels, financiers, psychologiques, etc.

◆ gestion des ressources humaines

▼
## employee empowerment

The practice of giving nonmanagerial employees the responsibility and the power to make decisions regarding their jobs or tasks. It is associated with the practice of transfer of managerial responsibility to the employee. Empowerment allows the employee to take on the responsibility for tasks normally associated with staff specialists. Examples include allowing the employee to make scheduling, quality, process design, or purchasing decisions.

### habilitation<sup>nf</sup>

Mode de gestion qui accorde davantage d'autorité et de responsabilités aux salariés en ce qui a trait à l'exécution de leurs tâches et de certaines activités relevant généralement du personnel spécialisé.

*L'habilitation donne carte blanche aux employés dans certains domaines : choix des horaires, programmation de l'ordonnancement, gestion des approvisionnements, etc.*

◆ gestion des ressources humaines

▼
## employee involvement
(EI)

The concept of using the experience, creative energy, and intelligence of all employees by treating them with respect, keeping them informed, and including them and their ideas in decision-making processes appropriate to their areas of expertise. Employee involvement focuses on quality and productivity improvements.

### gestion<sup>nf</sup> participative

Mode de gestion qui tient compte de la créativité, de l'expérience, du jugement des employés et qui les associe à la prise de décision dans leur champ d'activité.

*La gestion participative met l'accent sur l'accroissement de la qualité et de la productivité.*

◆ gestion des ressources humaines

▼
## employee stock ownership plan
(ESOP)

A program to encourage workers to purchase stock of the company, generally tied into the compensation/benefits package. The intention is to give workers a feeling of participation in the management and direction of the company.

### actionnariat<sup>nm</sup> des salariés

Programme visant à accroître le sentiment d'appartenance et la motivation des employés par l'acquisition d'actions de leur entreprise.

◆ gestion des ressources humaines

▼
## ending inventory

A statement of on-hand quantities/money at the end of a period, often determined by a physical inventory.

**stock**nm **final**
= **stock**nm **de clôture**
= **stock**nm **de fermeture**
Quantité d'articles en stock à la fin d'une période et, par extension, valeur attribuée à ces articles.
*Le stock final est souvent établi par inventaire physique.*
◆ gestion de la production et des stocks

▼ **end item**
= **end product**
= **finished good**
= **finished product**
A product sold as a completed item or repair part; any item subject to a customer order or sales forecast.

**produit**nm **fini**
Produit prêt à être livré aux clients.
**NOTE** Les produits finis sont utilisés pour la satisfaction directe ou immédiate des besoins économiques.
◆ gestion de la production et des stocks

▼ **endogenous variable**
A variable whose value is determined by relationships included within the model.

**variable**nf **endogène**
= **variable**nf **dépendante**
Variable liée au phénomène étudié et dépendante de lui.
◆ prévision; économie

▼ **end product**
→ **end item**

▼ **enforced problem solving**
The methodology of intentionally restricting a resource (e.g., inventory, storage space, number of workers, etc.) to expose a problem that must then be resolved.

**résolution**nf **de problème théorique**
Démarche servant à résoudre un problème dans un contexte où une ressource (stock, nombre d'opérateurs, nombre de machines, espaces) a été volontairement limitée afin de mettre en évidence un problème auquel il faut vraiment remédier.
◆ gestion; gestion de la qualité

▼ **engineering change**
A revision to a blueprint or design released by engineering to modify or correct a part. The request for the change can be from a customer or from production quality control or another department.

**modification**nf **technique**
Modification apportée par le service d'ingénierie à un dessin, à une nomenclature ou à un dossier technique d'études en vue d'améliorer les caractéristiques d'un produit ou de diminuer son coût.
◆ gestion de la production et des stocks

▼ **engineering drawings**
A visual representation of the dimensional characteristics of a part or assembly at some stage of manufacture.

**plans**nm **et devis**nm
Représentation visuelle des caractéristiques d'une pièce ou d'un ensemble à une étape de sa fabrication.
◆ gestion de la production et des stocks

▼ **engineering order**
→ **experimental order**

▼ **engineer-to-order**
Products whose customer specifications require unique engineering design or significant customization. Each customer order results in a unique set of part numbers, bills of materials, and routings.

**conception**nf **(de produit) à la demande**
= **produit**nm **conçu à la commande**
Création ou adaptation d'un produit aux options spécifiques d'un client.
*Les options ou personnalisations du produit pour un client seront traitées comme des opérations venant modifier la conception à la demande et se traduisant par un ensemble spécifique de numéros de pièces, de nomenclatures et de gammes.*
◆ gestion de la production et des stocks

▼ **EOQ**
Abbreviation for **economic order quantity.**

**QÉC**
Abréviation de **quantité économique de commande.**

▼ **EOQ = 1**
Reducing setup time and inventory to the point where it is economically sound to produce one piece.

**série**nf **unitaire**
Réduction des temps de mise en course et diminution du stock de façon qu'il devienne rentable de produire une seule pièce à la fois.
◆ gestion de la production et des stocks

▼ **EOQ tables**
Tables listing several ranges of monthly usages in dol-

lars and the appropriate order size in dollars or months' usage for each usage range.

### tableau[nm] des quantités économiques
= tableau[nm] des séries économiques
Tableau présentant les tailles de lots économiques en fonction des consommations mensuelles (quantité et valeur).
◆ gestion de la production et des stocks

### equal employment opportunity
(EEO)
The laws prohibiting discrimination in employment, particularly discrimination because of (1) race or color, (2) sex, (3) age, (4) handicap status, (5) religion, and (6) national origin.

### programme[nm] d'égalité des chances (en emploi)
Programme visant à supprimer toutes les formes de discrimination (race, sexe, âge, religion, origine) dans le recrutement des travailleurs.
◆ gestion des ressources humaines

### equal runout quantities
Order quantities for items in a group that result in a supply that covers an equal time for all items.

### quantités[nf] à épuisement égal
= quantités[nf] à même délai de rupture
Quantité de commande d'articles d'un même ensemble qui résulte en une durée de consommation avant rupture identique pour chaque article de cet ensemble.
◆ gestion de la production et des stocks

### equilibrium point
The point in a market where the demand for a product and the supply of that product are exactly equal. If supply were greater, price would fall. If demand were greater, price would rise. Free markets tend to move toward their equilibrium point.

### point[nm] d'équilibre
État d'un système économique dans lequel l'offre et la demande sont égales.
NOTE Dans ce contexte, lorsqu'un bien donné atteint son prix d'équilibre, les acheteurs sont disposés à acheter sur le marché la quantité exacte de ce que les vendeurs sont disposés à offrir, ni plus, ni moins.
◆ économie

### equity
The part of a company's total assets not provided by creditors; owner invested funds.

### capitaux[nm] propres
= fonds[nm] propres
Différence entre la valeur des biens d'une entreprise et celle de ses dettes à l'égard de tiers.
*Les capitaux propres sont les sommes investies dans une entreprise augmentées des bénéfices réalisés et non distribués.*
NOTE L'emploi du mot *équité en ce sens est un anglicisme.
◆ comptabilité

### equivalent days
The standard hour requirements to a job converted to calendar days for scheduling purposes.

### jours[nm] équivalents
= équivalent[nm] en jours
Conversion des heures standard de fabrication en jours civils à des fins d'ordonnancement.
◆ gestion de la production et des stocks

### equivalent unit cost
A method of costing that uses the total cost incurred for all like units for a period of time divided by the "equivalent" units completed during the same time period. An equivalent unit can be the sum of several partially completed units. Two units 50% completed are equivalent to one unit 100% completed.

### coût[nm] unitaire équivalent
Méthode de détermination du coût selon laquelle les coûts totaux imputables à l'ensemble des articles identiques sont divisés par le nombre d'unités équivalentes produites au cours de la même période.
◆ comptabilité

### equivalent units
A translation of inventories into equivalent finished goods units or of inventories exploded back to raw materials for period end valuation of inventories.

### unités[nf] équivalentes
Conversion des stocks en unités équivalentes de produits finis ou décomposition jusqu'aux matières premières afin de faciliter l'évaluation des stocks à la fin de l'exercice.
◆ gestion de la production et des stocks

### erection department
= final assembly 2.
The final assembly department (usually used in a heavy industry such as machine tool manufacture).

### service<sup>nm</sup> de montage
Unité dans l'entreprise où s'effectue l'assemblage final des produits.
◆ gestion de la production et des stocks

▼
## ergonomics
Approach to job design that focuses on the interactions between the human operator and such traditional environmental elements as atmospheric contaminants, heat, light, sound, and all tools and equipment pertaining to the workplace.

### ergonomie<sup>nf</sup>
Étude quantitative et qualitative du travail dans l'entreprise, visant à améliorer les conditions de travail et à accroître la qualité et la productivité.
◆ gestion de la production et des stocks

▼
## escalation
An amount or percentage by which a contract price may be adjusted if specified contingencies occur, such as changes in the supplier's raw material or labor costs.

### échelle<sup>nf</sup> mobile
= clause<sup>nf</sup> d'échelle mobile
Disposition contractuelle permettant de faire varier automatiquement l'un des éléments d'un contrat en fonction des variations d'un ou de plusieurs éléments déterminés.
◆ gestion; droit

▼
## ESOP
Abbreviation for **employee stock ownership plan.**

▼
## exception message
→ action message

▼
## exception report
A report that lists or flags only those items that deviate from the plan.

### liste<sup>nf</sup> des anomalies
= état<sup>nm</sup> des exceptions
État ne signalant que les écarts, les anomalies de certains articles par rapport au programme établi.
◆ gestion de la production et des stocks

▼
## excess capacity
Output capabilities at a nonconstraint resource exceeding the amount required to achieve a given level of throughput at the constraint.

### capacité<sup>nf</sup> excédentaire
Capacité trop élevée et dépassant le niveau requis pour l'atteinte des objectifs de l'entreprise.
◆ gestion de la production et des stocks

▼
## excess inventory
Any inventory in the system that exceeds the minimum amount necessary to achieve the desired throughput rate at the constraint.

### stocks<sup>nm</sup> excédentaires
= surstock<sup>nm</sup>
Matières premières, produits, fournitures dont la quantité dépasse le niveau nécessaire à l'exploitation.
◆ gestion de la production et des stocks

▼
## excess issue
= overissue
The removal from stock and assignment to a schedule of a quantity higher than the schedule quantity.

### sortie<sup>nf</sup> supplémentaire
Sortie du stock et affectation à un programme d'une quantité supérieure à la quantité établie par le programme.
◆ gestion de la production et des stocks

▼
## exchange unit
The number of units to be produced before changing the bit, tool, or die.

### lot<sup>nm</sup> de mise en course
= série<sup>nf</sup> avant changement
Nombre d'unités devant être produites avant un changement ou un nouveau réglage d'outil pour le prochain lot à fabriquer.
◆ gestion de la production et des stocks

▼
## exempt carrier
A for-hire carrier that is free from economic regulation.

### transporteur<sup>nm</sup> autonome
Transporteur à forfait dont l'activité n'est pas assujettie à une réglementation.
◆ transport

▼
## exempt positions
Positions that do not require the payment of overtime because they meet the tests of executive, supervisory, or administrative activity, as defined under the Fair Labor Standards Act.

### postes<sup>nm</sup> administratifs
Postes de gestionnaires qui ne sont pas admissibles au règlement d'heures supplémentaires.
◆ gestion des ressources humaines

▼
## exit interview
An interview given to an employee who is leaving the company. The purpose is to find out why a person is leaving, what was liked and disliked about the job and the company, and what changes would make the department and the company a better place to work.

### entrevue[nf] de cessation d'emploi
= entrevue[nf] de départ
Rencontre organisée par le service des ressources humaines avec un employé qui quitte son travail en vue de définir les motifs de ce départ et de corriger certains problèmes, s'il y a lieu.
◆ gestion des ressouces humaines

▼
## exogenous variable
A variable whose values are determined by considerations outside the model in question.

### variable[nf] exogène
= variable[nf] indépendante
Variable indépendante extérieure au phénomène étudié et prise comme une donnée.
◆ prévision; économie

▼
## expected completion quantity
The planned quantity of a manufacturing order after expected scrap.

### quantité[nf] transmise après contrôle
Nombre d'articles fabriqués qu'on prévoit obtenir en tenant compte du nombre estimé de rejets.
◆ gestion de la production et des stocks

▼
## expected demand
= demand during lead time
The quantity expected to be withdrawn from stock during the lead time when usage is at the forecasted rate.

### demande[nf] prévisionnelle
= consommation[nf] attendue
Nombre de composants, d'articles que l'on prévoit retirer des stocks si la consommation de la production correspond aux prévisions établies au cours de la période d'approvisionnement.
◆ gestion de la production et des stocks

▼
## expected receipt date
→ due date
→ arrival date

▼
## expected value
The average value that would be observed in taking an action an infinite number of times. The expected value of an action is calculated by multiplying the outcome of the action by the probability of achieving the outcome.

### espérance[nf] mathématique
Valeur moyenne qui serait atteinte si une activité était répétée, indéfiniment.
*L'espérance mathématique se calcule en multipliant le résultat de l'activité par la probabilité d'obtenir ce résultat.*
◆ statistique

▼
## expedite
= stockchase
To "rush" or "chase" production or purchase orders that are needed in less than the normal lead time; to take extraordinary action because of an increase in relative priority.

### relancer[v]
= mettre[v] en urgence
Devancer le lancement d'un ordre de fabrication ou d'achat parce que la mise à disposition doit être faite dans un délai inférieur au délai normal.
◆ gestion de la production et des stocks

▼
## expeditor
A production control person whose primary duties are expediting.

### agent[nm] de relance
### agente[nf] de relance
Personne chargée de la mise en urgence d'ordres de fabrication ou d'achat.
◆ gestion de la production et des stocks

▼
## expendables
→ consumables

▼
## experience curve
→ learning curve

▼
## experience curve pricing
The average cost pricing method, but using an estimate of future average costs, based on an experience (learning) curve.

### fixation[nf] des prix en fonction de la courbe d'apprentissage
Méthode d'établissement des prix s'apparentant à la méthode du coût moyen, mais tenant compte des réductions découlant de la courbe d'apprentissage pour la détermination des coûts moyens futurs.
◆ gestion de la production et des stocks

## experimental order
= **engineering order**
= **laboratory order**
= **pilot order; R&D order**
Usually an order generated by the laboratory or research and development group that must be run through regular production facilities.

### ordre nm pilote
= **ordre nm expérimental**
Ordre de fabrication lancé généralement par une unité de recherche et de développement et qui est mis en production dans l'atelier à des fins d'essai.
◆ gestion de la production et des stocks

## expert system
A type of artificial intelligence computer system that mimics human experts by using rules and heuristics rather than deterministic algorithms.

### système nm expert
Programme informatique simulant le raisonnement humain dans des domaines spécifiques de la connaissance.
◆ informatique

## explode-to-deduct
→ **backflush**
→ **post-deduct inventory transaction processing**

## explosion
→ **requirements explosion**

## explosion level
→ **low-level code**

## exponential distribution
A continuous probability distribution where the probability of occurrence either steadily increases or decreases. The steady increase case (positive exponential distribution) is used to model phenomena such as customer service level versus cost. The steady decrease case (negative exponential distribution) is used to model phenomena such as the weight given to any one time period of demand in exponential smoothing.

### distribution nf exponentielle
Distribution continue où la probabilité des événements croît ou décroît régulièrement.
NOTE La modélisation de la relation entre le niveau de service client et le coût permettra d'observer une croissance régulière (distribution exponentielle positive). Par contre, on appliquera une décroissance régulière (distribution exponentielle négative) au poids donné à une période dans un lissage exponentiel.
◆ statistique

## exponential smoothing
A type of weighted moving average forecasting technique in which past observations are geometrically discounted according to their age. The heaviest weight is assigned to the most recent data. The smoothing is termed "exponential" because data points are weighted in accordance with an exponential function of their age. The technique makes use of a smoothing constant to apply to the difference between the most recent forecast and the critical sales data, thus avoiding the necessity of carrying historical sales data. The approach can be used for data which exhibit no trend or seasonal patterns. Higher order exponential smoothing models can be used for data with either (or both) trend and seasonality.

### lissage nm exponentiel
Technique de prévision caractérisée par le fait que les coefficients de pondération associés aux observations passées décroissent géométriquement avec l'éloignement de la dernière période disponible à laquelle des prévisions seront calculées.
*La méthode du lissage exponentiel utilise la dernière prévision jumelée à la nouvelle donnée de demande pour établir la nouvelle prévision.*
◆ prévision

## exposures
The number of times per year that the system risks a stockout. The number of exposures is arrived at by dividing the lot size into the annual usage.

### risque nm de rupture (de stock)
Nombre de fois, au cours d'une année, où un manque de matières ou d'articles en magasin peut empêcher de répondre instantanément aux besoins exprimés de la fabrication ou de la clientèle.
*On calcule le risque de rupture en divisant la consommation annuelle par la taille du lot.*
◆ gestion de la production et des stocks

## express warranty
A positive representation, made by a seller, concerning the nature, character, use, and purpose of goods, which induces the buyer to buy and upon which the seller intends the buyer to depend.

### garantie nf formelle
Obligation contractuelle du vendeur qui assure l'acheteur de la qualité et du bon fonctionnement d'un bien ou d'une installation pendant un temps d'utilisation donné.
◆ généralités

### external failures cost
The cost related to problems found after the product reaches the customer. This usually includes such costs as warranty and returns.

### coût$^{nm}$ des défaillances externes
Coût des anomalies détectées après l'expédition du produit aux distributeurs, grossistes, clients (respect de la garantie, défectueux, rendus, etc.).

NOTE Par opposition, le coût des défaillances internes se rapporte aux anomalies détectées avant qu'un produit ne quitte l'entreprise.

◆ gestion de la qualité

### external setup time
Time associated with elements of a setup procedure performed while the process or machine is running.

ANT. internal setup time

### temps$^{nm}$ de mise en course externe
Durée correspondant aux opérations de changement de série, exécutées en temps masqué, c'est-à-dire pendant que la machine tourne encore.

◆ gestion de la production et des stocks

### extrapolation
= projection
Estimating the future value of some data series based on past observations. Statistical forecasting is a common example.

### extrapolation$^{nf}$
Méthode consistant à prolonger de manière hypothétique, vers l'avenir, les tendances antérieures d'une série statistique.

*La méthode de l'extrapolation permet d'estimer la valeur future d'une donnée à partir de ses valeurs passées.*

◆ statistique

### extrinsic forecast
A forecast based on a correlated leading indicator such as estimating furniture sales based on housing starts. Extrinsic forecasts tend to be more useful for large aggregations, such as total company sales, than for individual product sales.

ANT. intrinsic forecast

### prévision$^{nf}$ extrinsèque
Prévision basée sur un indicateur qui est en corrélation avec elle.

NOTE L'analyse de régression permet de déterminer les relations entre l'indicateur et une demande prévisionnelle pour un article ou un groupe d'articles. Un exemple d'indicateur externe à l'entreprise serait le taux d'intérêt moyen appliqué par les banques sur les prêts.

◆ prévision

## fabrication
Manufacturing operations for components as opposed to assembly operations.

### fabrication[nf] de composants
Ensemble des activités visant la production de composants, par opposition au montage d'ensembles ou de sous-ensembles.
◆ gestion de la production et des stocks

## fabrication level
The lowest production level. The only components at this level are parts (as opposed to assemblies or sub-assemblies). These parts are either procured from outside sources or fabricated within the manufacturing organization.

### niveau[nm] initial de fabrication
Premier niveau de production où l'on retrouve des composants (et non des ensembles ou des sous-ensembles).
NOTE Ces composants sont approvisionnés ou fabriqués par l'entreprise.
◆ gestion de la production et des stocks

## fabrication order
= batch card
= manufacturing order
A manufacturing order to a component-making department authorizing it to produce component parts.

### ordre[nm] de fabrication de composants
Document indiquant au service de fabrication de mettre à disposition une quantité donnée de composants pour une date déterminée.
◆ gestion de la production et des stocks

## fabricator
A manufacturer that turns the product of a converter into a larger variety of products. For example, a fabricator may turn steel rods into nuts, bolts, and twist drills, or may turn paper into bags and boxes.

### fabricant[nm]
Entreprise manufacturière qui transforme des composants en une variété d'articles.
*À titre d'exemple, le fabricant produit vis et boulons à partir de tiges d'acier qui avaient été préalablement transformées par une entreprise du secteur secondaire à partir de lingots d'acier.*
◆ gestion de la production et des stocks

## facilities
The physical plant and equipment.

### installations[nf]
Ensemble des biens (terrain, bâtiment, équipement, outillage) aménagés en vue d'un usage déterminé.
*Des installations industrielles non polluantes.*
NOTE En ce sens, le terme *facilités est calqué de l'anglais.
◆ généralités

## factory within a factory
= plant within a plant
A technique to improve management focus and overall productivity by creating autonomous business units within a larger physical plant.

### intraprise[nf]
Philosophie de gestion qui favorise l'émergence d'unités de production ciblées à l'intérieur de l'entreprise à des fins de maximisation du rendement et d'accroissement de la productivité.
NOTE Ce nouveau terme est formé à partir des termes *intrapreneurship* et *entreprise.*
◆ gestion de la production et des stocks

## failsafe techniques
→ poka-yoke

### ▼ failsafe work methods
Methods of performing operations so that actions that are incorrect cannot be completed. For example, a part without holes in the proper place cannot be removed from a jig, or a computer systems will reject "invalid" numbers or require double entry of transaction quantities outside the normal range. Called "poka-yoke" by the Japanese.

### système$^{nm}$ anti-erreur
= méthodes$^{nf}$ anti-erreur
Dispositif technique destiné à détecter l'apparition de défauts afin d'empêcher l'exécution incorrecte d'une opération dans un processus de production par l'arrêt de l'opération.

NOTE En ce sens, les Japonais emploient le terme *poka-yoke* qui signifie «garde-fou».

◆ gestion de la qualité; gestion de la production et des stocks

### ▼ failure analysis
The collection, examination, review, and classification of failures to determine trends and to identify poorly performing parts or components.

### analyse$^{nf}$ des défaillances
Étude systématique des défauts constatés dans un produit (bien ou service) en vue d'en déterminer les causes et de les supprimer.

◆ gestion de la qualité

### ▼ Fair Labor Standards Act
(FLSA)
Federal (US) law that governs the definitions of management and labor and establishes wage payment and hours worked and other employment practices.

### Fair Labor Standards Act
Loi américaine définissant des pratiques de gestion du travail et de rémunération.

NOTE Au Québec, c'est la *Loi sur les normes du travail* qui s'applique.

◆ gestion des ressources humaines

### ▼ families
A group of end items whose similarity of design and manufacture facilitates being planned in aggregate, whose sales performance is monitored together, and occasionally, whose cost is aggregated at this level.

### famille$^{nf}$
Ensemble d'articles regroupés sur la base de critères communs de conception et de production afin de faciliter la planification globale, le suivi de leur rendement commercial et éventuellement le calcul des coûts globaux.

◆ gestion de la production et des stocks

### ▼ family contracts
A purchase order that groups families of similar parts together to obtain pricing advantages and a continous supply of material.

### commande$^{nf}$ par familles
Regroupement de familles de composants dans un ordre d'achat afin de négocier de meilleurs prix et d'assurer la régularité des livraisons.

◆ gestion des approvisionnements

### ▼ FAS 1.
Abbreviation for **final assembly schedule.**

### ▼ FAS 2.
Abbreviation for **free alongside ship.**

### FAQ
Abréviation de **franco à quai.**

### ▼ fault tolerance
The ability of a system to avoid or minimize the disruptive effects of defects by utilizing some form of redundancy or extra design margins.

### tolérance$^{nf}$ de défaut
Qualité d'un système, d'un dispositif dont la conception lui permet de continuer à fonctionner quand une panne affecte un de ses composants parce que ceux-ci sont doublés ou triplés.

◆ gestion de la qualité

### ▼ feasibility study
An analysis designed to establish the practicality and cost justification of a given project and, if it appears to be advisable to do so, to determine the direction of subsequent project efforts.

### étude$^{nf}$ de faisabilité
Étude ayant pour but de déterminer les conditions dans lesquelles une idée, un produit, une technique peut être mis en œuvre ainsi que la rentabilité à espérer.

*L'étude de faisabilité vise à déterminer si un projet est à la fois réalisable et rentable.*

◆ gestion

### ▼ feature
An accessory, attachment, or option.

### caractéristique[nf]
Élément distinctif permettant une qualification ou une personnalisation.
◆ gestion de la production et des stocks

---

▼ **feature code**
An identifying code assigned to a distinct product feature that may contain one or more specific part number configurations.

### code[nm] de caractéristique
Code attribué à un élément particulier d'un produit et pouvant contenir une ou plusieurs configurations spécifiques.
◆ gestion de la production et des stocks

---

▼ **feedback**
The flow of information back into the control system so that actual performance can be compared with planned performance.

### rétroaction[nf]
Information tirée d'un procédé ou d'une situation et utilisée pour le contrôle, la prévision ou la correction immédiate ou future de ce procédé ou de cette situation.
*Les effets de la rétroaction sont correctifs et stabilisateurs et visent à rapprocher le résultat effectif du résultat escompté et à permettre la suppression ou la réduction des écarts entre prévisions et réalisations.*
◆ généralités

---

▼ **feeder workstations**
An area of manufacture whose products feed a subsequent work area.

### poste[nm] de travail fournisseur
Poste de travail qui fournit des composants, des produits à un poste aval.
◆ gestion de la production et des stocks

---

▼ **feed stock**
The primary raw material in a chemical or refining process normally received by pipeline or large-scale bulk shipments. Feed stock availability is frequently the controlling factor in setting the production schedule and rate for a process.

### stock[nm] d'alimentation
Dans les entreprises chimiques ou de raffinage, matière première principale généralement reçue par pipeline ou par très grandes cargaisons.
*La disponibilité du stock d'alimentation est souvent l'élément clé servant à l'établissement du programme directeur de production et des cadences de travail.*
◆ gestion de la production et des stocks

---

▼ **field**
A specified area of a record used for a particular category of data.

### champ[nm]
Partie d'un enregistrement contenant une donnée d'un type déterminé, ou un ensemble de données liées logiquement.
◆ informatique

---

▼ **field warehouse**
→ **distribution center**

---

▼ **FIFO**
Acronym for **first in, first out.**

### PEPS
Abréviation de **premier entré, premier sorti.**

---

▼ **file**
An organized collection of records or the storage device in which these records are kept.

### fichier[nm]
Ensemble d'informations homogènes présentées dans un certain ordre de classement sur des supports tels que des fiches, bandes magnétiques, disques magnétiques.
*Un fichier clients.*
◆ informatique

---

▼ **file structure**
Manner in which records are stored within a file, e.g., sequential, random, or index-sequential.

### structure[nf] de classement (de données)
Organisation de données en fonction d'un ordre séquentiel, alphabétique, thématique, etc.
◆ informatique

---

▼ **fill rate**
→ **order-fill ratio**

---

▼ **final assembly** 1.
The highest level assembled product, as it is shipped to customers.

### assemblage[nm] final
= **montage[nm] final**
Résultat de la dernière étape de la fabrication, produit fini réalisé à partir d'ensembles ou de sous-ensembles et prêt à livrer au client.
◆ gestion de la production et des stocks

### final assembly 2.
= blending department
= erection department
= pack-out department

The name for the manufacturing department where the product is assembled.

### (poste de) montage<sup>nm</sup> final

Désignation du poste de travail, de l'atelier où le produit est assemblé.

◆ gestion de la production et des stocks

### final assembly schedule
(FAS)

A schedule of end items to finish the product for specific customers orders in a make-to-order or assemble-to-order environment. It is also referred to as the "finishing schedule" because it may involve operations other than just the final assembly; also, it may not involve "assembly," but simply final mixing, cutting, packaging, etc. The FAS is prepared after receipt of a customer order as constrained by the availability of material and capacity, and it schedules the operations required to complete the product from the level where it is stocked (or master scheduled) to the end-item level.

### programme<sup>nm</sup> de montage final
= programme<sup>nm</sup> d'assemblage final

Programme précisant jour par jour ce qui doit être monté et planifiant les opérations nécessaires à la finition du produit en fonction des commandes clients dans un contexte de fabrication ou de montage sur commande.

*Il se distingue du programme directeur de production (PDP) qui contient les modules standards (sous-ensemble, par exemple) fabriqués sur prévision. Alors que le PDP pilote les ateliers de fabrication, le programme de montage final pilote les ateliers d'assemblage, de montage et d'essai final.*

◆ gestion de la production et des stocks

### finished good
→ end item

### finished product
→ end item

### finished products inventories

Those items on which all manufacturing operations, including final test, have been completed. These products are available for shipment to the customer as either end items or repair parts.

### stock<sup>nm</sup> de produits finis

Ensemble des articles pour lesquels toutes les opérations de production sont terminées et qui sont prêts à être livrés au client à titre de produits ou de pièces de rechange.

◆ gestion de la production et des stocks

### finishing lead time 1.

The time that is necessary to finish manufacturing a product after receipt of a customer order.

### délai<sup>nm</sup> de finition

Temps nécessaire pour compléter la fabrication des sous-ensembles d'un produit, depuis la réception de la commande client.

◆ gestion de la production et des stocks

### finishing lead time 2.

The time allowed for completing the product based on the final assembly schedule.

### délai<sup>nm</sup> de montage final

Temps nécessaire pour assurer la finition d'un produit selon le programme de montage final.

### finish-to-order
→ assemble-to-order

### finite forward scheduling

An equipment scheduling technique that builds a schedule by proceeding sequentially from the initial period to the final period while observing capacity limits. A Gantt chart may be used with this technique.

### jalonnement<sup>nm</sup> aval

Méthode de détermination des dates du début et de la fin au plus tôt des principales activités, dates obtenues par addition des différents temps de travail en tenant compte des limites de capacité.

◆ gestion de la production et des stocks

### finite loading

Assigning no more work to a work center than the work center can be expected to execute in a given time period. The specific term usually refers to a computer technique that involves calculating shop priority revisions in order to level load operation by operation.

### chargement<sup>nm</sup> à capacité limitée
= affectation<sup>nf</sup> à capacité limitée

Chargement des postes de travail n'excédant pas la limite de leur capacité.

**NOTE** Le système effectue une mise à jour des priorités de la fabrication dans le but de niveler les charges, opération par opération.

◆ gestion de la production et des stocks

## firm planned order
(FPO)

A planned order that can be frozen in quantity and time. The computer is not allowed to automatically change it; this is the responsibility of the planner in charge of the item that is being planned. This technique can aid planners working with MRP systems to respond to material and capacity problems by firming up selected planned orders. Additionally, firm planned orders are the normal method of stating the master production schedule.

### ordre$^{nm}$ prévisionnel ferme
Ordre programmé qui peut être temporairement mis en attente, en ce qui a trait aux quantités à produire et aux dates d'exigibilité afin de résoudre des problèmes d'approvisionnement ou de capacité.

*Les ordres prévisionnels fermes servent à définir le programme directeur de production.*

◆ gestion de la production et des stocks

## first article inspection
= first piece inspection

A quality check on the first component run after a new setup has been completed.

### contrôle$^{nm}$ du premier article
Vérification de la première pièce, du premier produit fabriqué à la suite d'une mise en course.

◆ gestion de la qualité

## first-come-first-served rule
A dispatching rule under which the jobs are sequenced by their arrival times.

### règle$^{nf}$ par ordre d'arrivée
(PODA)
= règle$^{nf}$ du premier arrivé, premier servi

Règle d'ordonnancement accordant la priorité aux ordres de fabrication selon leur ordre de réception.

◆ gestion de la production et des stocks

## first in, first out
(FIFO)

A method of inventory valuation for accounting purposes. The assumption is made that oldest inventory (first in) is the first to be used (first out), but there is no necessary relationship with the actual physical movement of specific items.

### premier entré, premier sorti
(PEPS)
= méthode$^{nf}$ du premier entré, premier sorti

Méthode d'évaluation des stocks qui consiste à attribuer aux articles encore en stock les coûts les plus récents.

NOTE La méthode du premier entré, premier sorti repose sur l'hypothèse que l'entreprise vend les articles stockés dans l'ordre où elle les a achetés. Elle valorise les stocks en magasin aux coûts les plus récents, mais évalue les sorties de stock aux coûts les plus anciens.

◆ comptabilité

## first order smoothing
= single exponential smoothing
= single smoothing

Single exponential smoothing; a weighted moving average approach that is applied to forecasting problems where the data do not exhibit significant trend or seasonal patterns.

### lissage$^{nm}$ exponentiel simple
Lissage exponentiel n'utilisant qu'un seul facteur de pondération.

◆ prévision

## first piece inspection
→ first article inspection

## fishbone chart
A type of cause-and-effect diagram.

### diagramme$^{nm}$ en arête de poisson
= diagramme$^{nm}$ d'Ishikawa

Diagramme arborescent permettant de mettre en évidence les éléments d'un problème et d'en rechercher les causes potentielles.

◆ gestion de la qualité; gestion

## fitness for use
A concept that involves not only the quality of a product, but also the appropriateness of its design characteristics.

### convenance$^{nf}$ à l'usage
= aptitude$^{nf}$ à l'emploi

Concept selon lequel un produit doit se caractériser par l'adéquation de ses caractéristiques aux besoins des clients.

◆ gestion de la qualité

## five W's
The practice of Japanese managers to ask "why" five times. By the time they receive the answer to the fifth "why," they believe they have found the cause of the problem.

### les cinq «pourquoi»
Expression désignant l'attitude de l'encadrement japonais qui pose cinq fois de suite la question «pourquoi ?».

Lorsqu'il obtient la cinquième réponse, il estime avoir trouvé la vraie cause d'un problème.

◆ gestion de la qualité; gestion

▼
## fixed budget

A budget of expected costs based upon a specific level of production or other activity.

### budget[nm] fixe
= budget[nm] statique

Budget correspondant à un niveau défini d'activité ou de production.

◆ comptabilité

▼
## fixed cost

An expenditure that does not vary with the production volume, for example, rent, property tax, and salaries of certain personnel.

### coût[nm] fixe

Coût indépendant du niveau d'activité ou du volume de production.

*Le loyer, les taxes, les salaires des cadres sont des coûts fixes.*

◆ comptabilité

▼
## fixed cost contribution per unit

An allocation process where total fixed cost for a period is divided by total units produced in that given time period.

### répartition[nf] des coûts fixes par produit

Méthode de ventilation des coûts selon laquelle les coûts de fabrication fixes totaux d'une période déterminée sont divisés par le nombre de biens produits au cours de la même période.

◆ comptabilité

▼
## fixed interval reorder system
= fixed reorder cycle system
= fixed review period system
= periodic order system

A periodic reordering system where the time interval between orders is fixed, such as weekly, monthly, or quarterly, but the size of the order varies according to the usage since the last review. This type of inventory control system is employed where it is convenient to examine inventory stocks on a fixed time cycle, such as in warehouse control systems; in systems where orders are placed mechanically; or for handling inventories involving a very large variety of items under some form of clerical control.

### méthode[nf] d'approvisionnement périodique
= réapprovisionnement[nm] à date fixe

Mode d'approvisionnement à intervalle fixe (semaine, mois, etc.) selon lequel les quantités commandées varient en fonction de la consommation depuis la dernière commande.

*La méthode d'approvisionnement périodique permet le maximum de regroupement de commandes par fournisseur, mais augmente les stocks de sécurité car ceux-ci protègent pendant une période plus longue.*

◆ gestion des approvisionnements

▼
## fixed location storage

A method of storage in which a relatively permanent location is assigned for the storage of each item in a storeroom or warehouse. Although more space is needed to store parts than in a random location storage system, fixed locations become familiar and therefore a locator file may not be needed.

### stockage[nm] à emplacement fixe

Mode d'entreposage selon lequel chaque article dispose d'un emplacement réservé.

*Le système de stockage à emplacement fixe requiert davantage de place, mais il permet de se familiariser avec les espaces réservés à chaque article et facilite la gestion et le repérage des composants, fournitures et matières.*

◆ gestion de la production et des stocks

▼
## fixed order quantity

A lot-sizing technique in MRP or inventory management that will always cause planned or actual orders to be generated for a predetermined fixed quantity, or multiples thereof, if net requirements for the period exceed the fixed order quantity.

### quantité[nf] fixe de commande
= approvisionnement[nm] à quantité fixe

Taille de lot invariable ou multipliée si les besoins matières excèdent la quantité fixe déterminée pour la période.

◆ gestion de la production et des stocks

▼
## fixed order quantity system
= periodic order system
= periodic review system

An inventory control method in which the size of the order is fixed but the time interval between orders depends on actual demand. The practice of ordering a fixed quantity when needed assumes that individual inventories are under constant watch. This system consists of placing an order of a fixed quantity (the reorder quantity) whenever the amount on hand plus the amount on order falls to or below a specified level (the order point or reorder point).

## méthode[nf] d'approvisionnement à quantité fixe

Méthode d'approvisionnement où la quantité de commande est constante et invariable et selon laquelle la commande n'est transmise que lorsque le stock atteint le seuil de réapprovisionnement, dit point de commande ou stock d'alerte.

*Dans la méthode d'approvisionnement à quantité fixe, l'intervalle entre deux commandes dépend de la demande réelle.*

◆ gestion de la production et des stocks

---

## fixed overhead

Traditionally all manufacturing costs, other than direct labor and direct materials, that continue even if products are not produced. Although fixed overhead is necessary to produce the product, it cannot be directly traced to the final product.

### frais[nm pl] (généraux) fixes

Frais généraux dont le montant est constant même si l'entreprise ne produit pas.

*Les frais généraux fixes ne peuvent être imputés directement aux produits fabriqués, aux services rendus.*

**NOTE** Par opposition aux **frais fixes**, les **frais variables** peuvent être directement affectés à un produit (par exemple le coût des matières premières, le coût de la main-d'œuvre).

◆ comptabilité

---

## fixed period ordering
→ **period order quantity**

---

## fixed reorder cycle system
→ **fixed interval reorder system**

---

## fixed review period system
→ **fixed interval reorder system**

---

## flexible automation

Short setup times and the ability to switch quickly from one product to another.

### automatisation[nf] flexible

Emploi de moyens automatiques qui sont caractérisés par des temps de mise en course très courts et qui permettent de produire de petites séries de produits différents, mais de même type.

◆ gestion de la production et des stocks

---

## flexible benefits/cafeteria plans

Plans designed to give employees a core of minimum basic coverage with the option to choose other additional coverage or sometimes cash. The employee can customize a benefits package to suit his or her personal needs.

### avantages[nm] sociaux à la carte

Programme offrant aux travailleurs une gamme variée d'avantages sociaux (congés, assurances, caisse de retraite, etc.) que l'employé peut assortir selon ses besoins particuliers.

◆ gestion des ressources humaines

---

## flexible budget

A budget showing the costs and/or revenues expected to be incurred or realized over a period of time at different levels of activity, measured in terms of some activity base such as direct labor hours, direct labor costs, or machine hours. A flexible manufacturing overhead budget gives the product costs of various manufacturing overhead items at different levels of activity.

### budget[nm] flexible

Budget modulé en fonction du niveau d'activité.

*Le budget flexible comprend les frais fixes dont le montant reste le même pour une fourchette de niveau d'activité donné et les frais variables qui sont proportionnels à l'évolution d'une variable précisée à l'avance.*

◆ comptabilité

---

## flexible capability

Machinery's ability to be readily adapted to processing different components on an ongoing basis.

### flexibilité[nf]

Capacité d'un processus, d'un équipement de s'adapter facilement aux variations des besoins de la production de composants différents.

◆ gestion de la production et des stocks

---

## flexible capacity

The ability to operate manufacturing equipment at different production rates by varying staffing levels and operating hours or starting and stopping at will.

### capacité[nf] flexible

Possibilité pour une entreprise de faire varier la quantité des produits qu'elle est susceptible de produire au cours d'une période de temps déterminée en modifiant le nombre d'employés et les horaires de travail.

◆ gestion de la production et des stocks

▼ **flexible machine center**
(FMC)
An automated system, which usually consists of CNC machines with robots loading and unloading parts conveyed into and through the system. Its purpose is to provide quicker throughput, changeovers, setups, etc., to manufacture multiple products.

**atelier[nm] flexible**
Ensemble de machines automatisées (machines-outils à commande numérique) reliées entre elles par des moyens de manutention divers assurant le transfert des composants d'un poste de travail à un autre et qui permettent la production d'un grand nombre d'articles différents grâce à des mises en course rapides.

*Un atelier flexible peut se décomposer en trois éléments : un système de fabrication, un système de manutention et un système de pilotage.*

◆ gestion de la production et des stocks

▼ **flexible manufacturing system**
(FMS)
A group of numerically controlled machine tools interconnected by a central control system. The various machining cells are interconnected via loading and unloading stations by an automated transport system. Operational flexibility is enhanced by the ability to execute all manufacturing tasks on numerous product designs in small quantities and with faster delivery.

**système[nm] de production flexible**
= **système[nm] de fabrication flexible**
Processus de production composé de machines-outils à commande numérique reliées entre elles par un système de pilotage et de manutention permettant aux chaînes de montage d'être très rapidement reconverties, pour suivre au plus près la demande.

*Le système de production flexible est caractérisé par : (1) des groupes de postes de travail à fonctions multiples assurant la production (usinage, assemblage, contrôle, etc.) d'objets de nature variable produits en quantités variables, (2) un réseau de transport plus ou moins mécanisé pouvant permettre des liaisons souples entre postes de travail, (3) une automatisation intégrée de l'ensemble, y compris la gestion de l'approvisionnement.*

◆ gestion de la production et des stocks

▼ **flexible work force**
A work force whose members are crosstrained and whose work rules permit assignment of individual workers to different tasks.

**main-d'œuvre[nf] polyvalente**
= **main-d'œuvre[nf] flexible**
Salariés ayant une formation polyvalente et pouvant être affectés à des tâches diverses en fonction des besoins de la production.

◆ gestion de la production et des stocks

▼ **flextime**
An arrangement in which employees are allowed to choose work hours as long as the standard number of work hours is worked.

**horaire[nm] variable**
= **horaire[nm] flexible**
Horaire de travail permettant au salarié de choisir le début et la fin de sa journée tout en ayant une période de présence prédéterminée et obligatoire.

*L'horaire variable se compose de périodes obligatoires appelées **plages fixes** qui ont toujours une durée totale inférieure à la durée journalière normalement exigée et de périodes appelées **plages libres** durant lesquelles la présence au travail est facultative.*

◆ gestion des ressources humaines

▼ **float**
The amount of work-in-process inventory between two manufacturing operations, especially in repetitive manufacturing.

**marge[nf] d'encours**
Ensemble des encours de fabrication entre deux opérations, particulièrement en production répétitive.

◆ gestion de la production et des stocks

▼ **floating order point**
An order point that is responsive to changes in demand and/or to changes in lead time.

**point[nm] de commande variable**
Système de gestion des stocks où le point de commande est révisé périodiquement en raison des variations de la demande et du délai d'approvisionnement.

◆ gestion de la production et des stocks

▼ **floor stocks**
Stocks of inexpensive production parts held in the factory from which production workers can draw without requisitions.

**stock[nm] d'atelier**
Stock de pièces peu coûteuses mises à disposition à proximité des postes de travail et pour lequel aucun bon de sortie n'est requis.

◆ gestion de la production et des stocks

▼ **flowchart**
→ **block diagram**

## ▼ flowcharting

A system analysis tool to graphically present a procedure in which symbols are used to represent operations, data, transportation, storages, delays, and equipment.

### diagramme<sup>nm</sup> de flux
### = diagramme<sup>nm</sup> de cheminement

Outil d'analyse recourant à la représentation graphique d'un ensemble d'opérations, d'un cheminement à l'aide de symboles figurant les opérations, les données, les déplacements, les points de stock, les temps d'attente et les postes de travail.

◆ gestion de la production et des stocks

## ▼ flow control

A specific production control system that is based primarily on setting production rates and feeding work into production to meet these planned rates, then monitoring and controlling production.

### contrôle<sup>nm</sup> de cheminement
### = contrôle<sup>nm</sup> de flux

Méthode de régulation de la production fondée sur l'établissement de cadences de production et le lancement d'ordres de fabrication pour atteindre ces cadences programmées.

*Le contrôle de cheminement assure une comparaison entre cadences programmées et cadences réelles et permet le déclenchement des mesures voulues pour remédier aux causes des écarts observés.*

NOTE Le contrôle de cheminement s'applique particulièrement aux productions répétitives.

◆ gestion de la production et des stocks

## ▼ flow order

An order filled, not by moving material through production as an integral lot, but by production made over time and checked by a cumulative count until the flow order quantity is complete.

### ordre<sup>nm</sup> de fabrication en flux

Ordre qui n'est pas fabriqué en lot entier, mais plutôt en cumul jusqu'à ce que la quantité totale soit atteinte.

◆ gestion de la production et des stocks

## ▼ flow rate

Running rate; the inverse of cycle time, for example, 360 units per shift (or 0.75 units per minute).

### cadence<sup>nf</sup> (de production)

Quantité d'unités produites par un poste de travail au cours d'une période déterminée.

*La cadence de production de cette équipe est de 360 unités par poste de 8 heures ou 0,75 unité à la minute.*

NOTE La **cadence** s'oppose au **cycle de fabrication** qui correspond au temps nécessité par la production d'une unité d'œuvre. Si 45 unités sont produites à l'heure, le cycle de fabrication de l'article est de 80 secondes.

◆ gestion de la production et des stocks

## ▼ flow shop

A form of manufacturing organizations in which machines and operators handle a standard, usually uninterrupted material flow. The operators generally perform the same operations for each production run. A flow shop is often referred to as a mass production shop, or is said to have a continuous manufacturing layout. The plant layout (arrangement of machines, benches, assembly lines, etc.) is designed to facilitate a production "flow." Some process industries (chemicals, oil, paint, etc.) are extreme examples of flow shops. Each product, though variable in material specifications, uses the same flow pattern through the shop. Production is set at a given rate, and the products are generally manufactured in bulk.

### atelier<sup>nm</sup> à flux continu

Atelier où tous les ordres de fabrication suivent un cheminement identique, généralement ininterrompu, où les mêmes opérations sont exécutées sur chaque lot.

*L'aménagement de l'atelier à flux continu est conçu pour faciliter le cheminement en continu des produits.*

NOTE Les entreprises du domaine chimique ou pétrolier sont des cas limites d'atelier à flux continu où la production est fixée à une cadence donnée et les produits, fabriqués en très grande quantité.

◆ gestion de la production et des stocks

## ▼ FLSA

Abbreviation for **Fair Labor Standards Act.**

## ▼ fluctuation inventory
### = inventory buffer
### = inventory cushion

Inventories that are carried as a cushion to protect against forecast error.

### stock<sup>nm</sup> de sécurité

Stock constitué pour contrer les erreurs de prévision.

◆ gestion de la production et des stocks

## ▼ FMC

Abbreviation for **flexible machine center.**

## ▼ FMS

Abbreviation for **flexible manufacturing system.**

## FOB
Abbreviation for **free on board**.

## FAB
Abréviation de **franco à bord**.

---

## focused factory
A plant established to focus the entire manufacturing system on a limited, concise, manageable set of products, technologies, volumes, and markets precisely defined by the company's competitive strategy, its technology, and economics.

### usinenf ciblée
Usine où l'on fabrique un nombre limité de produits, où l'on recourt à un nombre limité de processus de production.
* gestion de la production et des stocks

---

## focus forecasting
A system that allows the user to simulate the effectiveness of numerous forecasting techniques, enabling selection of the most effective one.

### prévisionnf dynamique
Méthode de prévision permettant de vérifier l'efficacité de différentes techniques de prévision afin de retenir celle qui se révèle la plus efficace.
* prévision

---

## follow-up
Monitoring of job progress to see that operations are performed on schedule or that purchased material or products will be received on schedule.

### suivinm
Action de veiller au bon déroulement d'une activité, d'un processus en vue de s'assurer que les opérations seront terminées à temps et que la mise à disposition des produits se fera selon les délais programmés.
* gestion de la production et des stocks; gestion

---

## forecast
An estimate of future demand. A forecast can be determined by mathematical means using historical data; it can be created subjectively by using estimates from informal sources; or it can represent a combination of both techniques.

### prévisionnf
Estimation de la demande future établie soit mathématiquement à partir de données historiques, soit de façon plus subjective à partir de données du marché ou soit en combinant les informations tirées de ces deux sources.
* prévision

## forecast consumption
→ consumption

---

## forecast error
The difference between actual demand and forecast demand, stated as an absolute value or as a percentage.

### erreurnf de prévision
= erreurnf prévisionnelle
Différence entre la demande réelle et la demande prévue, généralement exprimée en valeur absolue ou en pourcentage.
* prévision

---

## forecast horizon
The period of time into the future for which a forecast is prepared.

### horizonnm de prévision
= horizonnm prévisionnel
Période de temps sur laquelle est établie une ou plusieurs prévisions.
*L'horizon de prévision excède l'horizon de planification afin d'assurer la continuité dans le temps des plans de production.*
* prévision

---

## forecasting
The business function that attempts to predict sales and use of products so they can be purchased or manufactured in appropriate quantities in advance.

### prévisionnf
Activité permettant d'apprécier la probabilité de voir se réaliser un événement à court, à moyen ou long terme.
* prévision

---

## forecast interval
= forecast period
The time unit for which forecasts are prepared, such as week, month, or quarter.

### périodenf de prévision
= périodenf prévisionnelle
Horizon sur lequel porte la prévision et exprimé en unités de temps (semaine, mois, trimestre).
* prévision

---

## forecast period
→ forecast interval

---

## foreign trade zones
(FTZ)
Areas within a country that are treated as foreign

territory by the U.S. Customs Service. Goods can be landed, stored, and processed within an FTZ without incurring any import duties or domestic taxes.

### zone[nf] franche
Partie du territoire, rigoureusement délimitée, où est applicable un régime douanier particulier.
◆ généralités

---

### ▼ format
The predetermined arrangement of the characters of data for computer input, storage, and/or output.

### format[nm]
Disposition des données en vue d'un traitement informatique (saisie, sauvegarde, traitement).
◆ informatique

---

### ▼ form-fit-function
A term used to describe the process of designing a part/product to meet or exceed the performance requirements expected by customers.

### adéquation[nf] de la conception
Action de concevoir un produit de manière à satisfaire ou à dépasser les attentes des clients.
◆ gestion de la qualité

---

### ▼ formula
= **formulation**
= **recipe**
A statement of ingredient requirements. A formula may also include processing instructions and ingredient sequencing directions.

### formule[nf]
= **nomenclature[nf] de formule**
= **recette[nf]**
Liste des éléments, des ingrédients d'une fabrication.
*La formule peut également comprendre des instructions de fabrication et de séquencement de production.*
**NOTE** Les formules de certains produits tels que les produits pharmaceutiques et les produits chimiques sont traitées comme des nomenclatures. Les mélanges ou les produits intermédiaires peuvent être considérés comme des niveaux d'assemblage.
◆ gestion de la production et des stocks

---

### ▼ formulation
→ **formula**

---

### ▼ 40/30/30 rule
A rule that identifies the sources of scrap, rework, and waste as 40% product design, 30% manufacturing processing, and 30% from suppliers.

### règle[nf] des 40/30/30
Règle de répartition des causes de mauvaise qualité, de rebuts et de réusinage selon laquelle 40 % des problèmes proviennent d'une conception inadéquate du produit, 30 %, de la production et 30 %, des fournisseurs.
*La nécessité d'éliminer la mauvaise qualité étant reconnue, il faut pouvoir en déterminer les causes; la règle des 40/30/30 favorise ce processus.*
**NOTE** On retrouve aussi la règle des 40/30/20/10 selon laquelle 20 % des problèmes proviennent des fournisseurs et 10 %, de mauvaises livraisons, utilisations ou d'une maintenance inadéquate.
◆ gestion de la qualité

---

### ▼ forward flow scheduling
A procedure for building process train schedules that starts with the first stage and proceeds sequentially through the process structure until the last stage is scheduled.

### jalonnement[nm] aval
Méthode de détermination des dates du début et de la fin au plus tôt des principales activités, dates obtenues par addition des différents temps de travail.
◆ gestion de la production et des stocks

---

### ▼ forward integration
Process of buying or owning elements of the production cycle and the channel of distribution forward toward the final customer.

### intégration[nf] (verticale) descendante
= **intégration[nf] aval**
Acquisition d'entreprises se situant en aval du cycle de production.
*L'objectif de l'intégration descendante est notamment de réduire les coûts par la suppression des intermédiaires entre le produit fini et le consommateur et d'assurer la sécurité des débouchés.*
◆ gestion; économie

---

### ▼ forward scheduling
A scheduling technique where the scheduler proceeds from a known start date and computes the completion date for an order, usually proceeding from the first operation to the last. Dates generated by this technique are generally the earliest start dates (ESD) for operations.
**ANT.** backward scheduling

### jalonnement[nm] aval
Technique d'ordonnancement où la planification s'effectue à partir d'une date de début connue, généralement

la date au plus tôt, et qui consiste à calculer la date de fin d'exécution de l'ordre de fabrication à partir des temps d'opérations.

*Le jalonnement aval est utilisé dans la planification des besoins en matières et en composants, notamment pour les produits fabriqués à la commande.*

**NOTE** Par opposition au **jalonnement aval,** le **jalonnement amont** s'effectue à partir de la date de fin de l'ordre de fabrication en remontant dans le temps pour définir la date de début ou la date de fin de chaque opération.

◆ gestion de la production et des stocks

## 4GL

Abbreviation for **fourth generation language.**

## Fourier series

A form of analysis useful for forecasting. The model is based upon fitting sine waves with increasing frequencies and phase angles to a time series.

### séries$^{nf}$ de Fourier

= **séries$^{nf}$ trigonométriques**

Modèle d'analyse utilisant des fonctions trigonométriques pour établir des prévisions.

*Le principe des séries de Fourier consiste à rechercher les séries chronologiques par des sinusoïdes de fréquences et de phases croissantes.*

◆ prévision

## fourth generation language
(4GL)

A general term for a series of high-level nonprocedural languages that enable users or programmers to prototype and to code new systems. Nonprocedural languages use menus, question-and-answer combinations, and a simpler, English-like wording to design and implement systems, update databases, generate reports, create graphs, and answer inquiries.

### langage$^{nm}$ de quatrième génération

Langage de programmation évolué permettant aux utilisateurs de créer et d'enrichir de nouveaux logiciels.

*Le langage de quatrième génération se rapproche de la langue courante et recourt à des menus, des suites de questions et de réponses pour mettre à jour des bases de données, créer des rapports, des graphiques et répondre à des demandes.*

◆ informatique

## four-wall inventory
→ **wall-to-wall inventory**

## FPO

Abbreviation for **firm planned order.**

## free alongside ship
(FAS)

A term of sale indicating the seller is liable for all changes and risks until the goods sold are delivered to the port on a dock that will be used by the vessel. Title passes to the buyer when the seller has secured a clean dock or ship's receipt of goods.

### franco à quai$^{loc\ adj}$
(FAQ)

= **franco le long du navire$^{loc\ adj}$**

Se dit d'une vente selon laquelle un vendeur s'engage à livrer la marchandise le long du navire désigné par l'acheteur, dans un port convenu.

◆ gestion des approvisionnements; transport

## free on board
(FOB)

The terms of sale that identify where title passes to the buyer.

### franco à bord$^{loc\ adj}$
(FAB)

Se dit d'une vente selon laquelle un vendeur s'engage à placer la marchandise à bord d'un navire, dans un port d'embarquement désigné par l'acheteur.

◆ gestion des approvisionnements; transport

## free slack

The amount of time that the completion of an activity in a project network can increase without delaying the start of the very next activity.

### marge$^{nf}$ libre

Retard que peut prendre une activité dans un projet sans compromettre le démarrage de l'activité suivante.

*La marge libre est l'intervalle de temps dans lequel on peut déplacer une tâche sans modifier la réalisation des tâches précédentes et suivantes.*

◆ gestion de la production et des stocks

## freight consolidation

The grouping of shipments to obtain reduced costs or improved utilization of the transportation function. Consolidation can occur by market area grouping, grouping according to scheduled deliveries, or using third-party pooling services such as public warehouses and freight forwarders.

### groupage$^{nm}$

Action, pour un groupeur, de réunir des marchandises

provenant de plusieurs origines en vue d'un transport commun vers une même destination, où s'opère le dégroupage vers les destinations finales.

*Le groupage permet de réduire les frais de transport par les rabais quantitatifs obtenus.*

♦ transport

## freight equalization

The practice of more distant suppliers of absorbing the additional freight charges in order to match the freight charges of a supplier geographically closer to the customer. This is done to eliminate the competitive advantage of lower freight charges that the nearest supplier has.

### égalisation$^{nf}$ des frais de transport

Prise en charge par le fournisseur des frais de transport supplémentaires causés par son éloignement par rapport à un fournisseur situé plus près de son client en vue d'améliorer sa position concurrentielle.

♦ transport

## frequency distribution

A table that indicates the frequency with which data fall into each of any number of subdivisions of the variable. The subdivisions are usually called "classes."

### distribution$^{nf}$ de fréquences

Répartition des données d'une série statistique en des classes rangées par ordre de grandeur.

**NOTE** Le nombre de cas observés dans chaque classe porte le nom de *fréquence.*

♦ statistique

## fringe benefits

Employer-granted compensations to employees that are not directly tied to salary.

### avantages$^{nm}$ sociaux

Ensemble des différents éléments qui s'ajoutent au contrat individuel de travail et à la rémunération (congés, assurances, caisse de retraite, etc.).

**NOTE** L'expression *bénéfices marginaux est un calque de l'anglais.

♦ gestion des ressources humaines

## FTZ

Abbreviation for **foreign trade zones.**

## full cost pricing

Establishing price at some markup over the full cost (absorption costing). Full costing includes direct manufacturing as well as applied overhead.

## établissement$^{nm}$ des prix au coût complet

Méthode de fixation des prix qui tient compte des frais de fabrication fixes en plus du coût des matières directes, du coût de la main-d'œuvre directe et des frais généraux variables.

♦ comptabilité

## full pegging
### = contract pegging

The ability of a system to automatically trace requirements for a given component all the way up to its ultimate end item, customer, or contract number.

### détermination$^{nf}$ des besoins

Technique permettant de retrouver automatiquement l'origine des besoins d'un composant donné en remontant jusqu'au plus haut niveau de la nomenclature, jusqu'à la commande ou au client.

♦ gestion de la production et des stocks

## functional layout
### = job shop layout
### = process layout

A facility configuration in which operations of a similar nature or function are grouped together; an organizational structure based on departmental specialty (e. g., saw, lathe, mill, heat treat, and press).

### aménagement$^{nm}$ fonctionnel
### = implantation$^{nf}$ par fonctions

Type d'aménagement d'un atelier où les moyens de production sont groupés par nature d'activité.

*L'aménagement fonctionnel est généralement adopté quand on fabrique un grand nombre de produits divers en petites quantités.*

♦ gestion de la production et des stocks

## functional requirements
### → critical characteristics

## functional systems design

The development and definition of the business functions to be accomplished by a computer system, i.e., the work of preparing a statement of the data input, data manipulation and information output of proposed computer system in common business terms that can be reviewed, understood, and approved by a user organization. This statement, after approval, provides the basis for the computer systems design.

### analyse$^{nf}$ fonctionnelle de système

Conception et développement de fonctions de gestion devant être assurées par un système informatique.

*L'analyse fonctionnelle de système revue, comprise et approuvée par les utilisateurs constitue la base de la conception du système informatique.*
 ◆ informatique

### ▼ functional test
Measure of a production component's ability to work as designed to meet a level of performance.

### essai[nm] de fonctionnement
Mesure de l'adéquation d'une pièce, d'un composant aux spécifications établies.
 ◆ gestion de la qualité

### ▼ future order
An order entered for shipment at some future date.

### commande[nf] à livrer ultérieurement
= commande[nf] à terme

Commande de client acceptée par l'entreprise et dont l'expédition se fera plus tard.
 *Les commandes à livrer ultérieurement constituent avec les commandes en retard et les commandes en cours le portefeuille des commandes.*
 ◆ gestion de la production et des stocks

### ▼ futures
Contracts for the sale and delivery of commodities at a future time, made with the intention that no commodity be delivered or received immediately.

### marchés[nm] à terme
= opérations[nf] à terme
Contrats portant sur l'achat et la vente de marchandises dans un marché établi et dont l'acheteur ne prendra possession que plus tard.
 ◆ gestion des approvisionnements; économie

## GAAP
Acronym for **generally accepted accounting principles.**

### PCGR
Abréviation de **principes comptables généralement reconnus.**
◆ comptabilité

## gain sharing
A method of incentive compensation where employees share collectively in savings from productivity improvements.

### intéressement[nm]
Participation des travailleurs aux économies obtenues grâce à l'augmentation de la productivité.
◆ gestion des ressources humaines

## Gantt chart
= **job progress chart**
The earliest and best-known type of control chart especially designed to show graphically the relationship between planned performance and actual performance, named after its originator, Henry L. Gantt. It is used for machine loading, where one horizontal line is used to represent capacity and another to represent load against that capacity, or for following job progress where one horizontal line represents the production schedule and another parallel line represents the actual progress of the job against the schedule in time.

### diagramme[nm] de Gantt
= **graphique[nm] de Gantt**
Graphique permettant de suivre des réalisations par rapport à des prévisions.
*Dans le diagramme de Gantt, les unités de temps sont représentées en colonnes, les opérations étudiées, en lignes horizontales.*
**NOTE** Les opérations viennent se ranger les unes derrière les autres en fonction du temps opératoire. Une bonne liaison entre le service de planification et l'atelier est nécessaire pour le contrôle et la mise à jour.
◆ gestion de la production et des stocks

## gapped schedule
= **gap phasing**
= **straight line schedule**
A schedule in which every piece in a lot is finished at one work center before any piece in the lot can be processed at the succeeding work center; the movement of material in complete lots, causing time gaps between the end of one operation and the beginning the next. It is a result of using a batched schedule at each operation (work center), where process batch and transfer batch are assumed to be the same or equal.
**ANT.** overlapped schedule

### ordonnancement[nm] sans chevauchement
= **jalonnement[nm] par lots complets**
Technique de jalonnement consistant à planifier et à exécuter complètement une phase de travail sur l'ensemble d'une série ou d'un lot avant que l'opération suivante ne débute.
**NOTE** Le transfert des pièces en lots complets peut créer des temps d'arrêt entre la fin d'une opération et le début de la suivante.
**ANT.** ordonnancement avec chevauchement
◆ gestion de la production et des stocks

## gap phasing
→ **gapped schedule**

## gateway work center
A starting work center.

### poste[nm] de travail initial
= **premier poste[nm] de travail**
Poste de travail où s'effectue la première opération d'un ordre de fabrication.
◆ gestion de la production et des stocks

▼
### generally accepted accounting principles
(GAAP)

Accounting practices that conform to conventions, rules, and procedures that have general acceptability by the accounting profession.

### principes<sup>nm</sup> comptables généralement reconnus
(PCGR)

Principes ou normes comptables dont l'existence a été reconnue par la profession et par des textes faisant autorité.

**NOTE** Au Canada, les normes comptables sont établies par le Comité de recherche comptable de l'Institut Canadien des Comptables Agréés.

◆ comptabilité

▼
### generally accepted manufacturing practices

A group of practices and principles, independent of any one set of techniques, that defines how a manufacturing company should be managed. Included are such elements as the need for data accuracy, frequent communications between marketing and manufacturing, top management control of the production planning process, systems capable of validly translating high level plans into detailed schedules, etc.

### pratiques<sup>nf</sup> généralement reconnues en production

Ensemble de pratiques et principes de nature non technique qui définissent la façon dont une entreprise de production doit être gérée.

*L'importance de disposer d'informations précises et pertinentes, une étroite collaboration entre le service commercial et le service de la production, le suivi du plan commercial et du programme directeur de production constituant des éléments clés des pratiques généralement reconnues en production.*

◆ gestion de la production et des stocks

▼
### general stores
→ supplies

▼
### generic processing

A means of developing routings or processes for the manufacture of products through a family relationship, usually accomplished by means of tabular data to establish interrelationships. It is especially prevalent in the manufacture of raw material such as steel, aluminum, or chemicals.

### développement<sup>nm</sup> de gammes génériques

Mise au point de gammes pour la fabrication de produits fondée sur l'utilisation des relations entre des pièces de la même famille.

*Le développement de gammes génériques est particulièrement utilisé dans la fabrication de matières premières telles que l'acier, l'aluminium ou les produits chimiques.*

**NOTE** Le développement de gammes génériques est généralement réalisé grâce à des tableaux de données qui permettent d'établir des analogies et des interrelations.

◆ gestion de la production et des stocks

▼
### global measures

That set of measurements that refer to the overall performance of the firm. Net profit, return on investment, and cash flow are examples of financial measures, and throughput, operating expense, and inventory are examples of operational measures.

### indices<sup>nm</sup> généraux

Éléments d'information permettant d'évaluer le rendement global de l'entreprise.

*Le profit net, le taux de rendement des investissements, la marge brute d'autofinancement sont des indices généraux de nature financière pour l'entreprise alors que le nombre total d'unités produites, les charges d'exploitation et le taux de rotation des stocks, des indices généraux se rapportent à la production.*

◆ gestion

▼
### goodwill

An intangible item that is only recorded on a company's books as the result of a purchase. Generally, it is inseparable from the enterprise but makes the company more valuable. For example: a good reputation.

### achalandage<sup>nm</sup>

Excédent de la valeur globale d'une entreprise à une date donnée, sur la juste valeur attribuée aux éléments de son actif net à cette date.

*Les bonnes relations de l'entreprise avec ses clients, un emplacement favorable, la compétence de ses ressources humaines, sa réputation sont des éléments de l'achalandage.*

◆ comptabilité; gestion

▼
### grades

The sublabeling of items to identify their particular make-up and separate one lot from other production lots of the same item.

### classes<sup>nf</sup>
= catégories<sup>nf</sup>

Définition de sous-catégories d'articles permettant de déterminer leur finition spécifique et de séparer un lot d'autres lots de production du même article.

◆ gestion de la production et des stocks

### grievance
A complaint by an employee concerning alleged contract violations handled formally through contractually fixed procedures. If unsettled, a grievance may lead to arbitration.

#### grief[nm]
= réclamation[nf]
Plainte déposée par un salarié, un groupe de salariés, le syndicat ou l'employeur, pour faire reconnaître l'existence d'un droit en vertu d'une convention collective et obtenir réparation en cas de violation du contrat de travail.
NOTE Dans l'ensemble de la francophonie, le terme *grief* signifie «motif de plainte»; l'emploi de ce terme est un canadianisme au sens de «plainte officiellement formulée».
◆ gestion des ressources humaines

### grievance procedures
Methods identified in a collective bargaining agreement to resolve problems that develop or determine if the contract has been violated.

#### procédure[nf] de règlement des griefs
= procédure[nf] de réclamation
Ensemble des étapes à suivre, des formalités à observer et qui sont définies dans la convention collective pour parvenir au règlement des plaintes déposées par un salarié, un groupe de salariés ou l'employeur.
*La procédure de règlement des griefs est généralement décrite dans la ou les conventions collectives de l'entreprise.*
NOTE Le terme *grief* est un canadianisme en ce sens.
◆ gestion des ressources humaines

### gross margin
Sales revenue less all manufacturing costs, both fixed and variable.

#### bénéfice[nm] brut
= marge[nf] (bénéficiaire) brute
= profit[nm] brut
Excédent du chiffre d'affaires sur le coût des marchandises vendues ou des services rendus.
◆ comptabilité

### gross requirement
The total of independent and dependent demand for a component prior to the netting of on-hand inventory and scheduled receipts.

#### besoins[nm] bruts
Quantité totale d'un composant, d'un article nécessaire à la réalisation du programme de production, avant déduction du stock disponible et des réceptions prévues.
*Les besoins bruts sont obtenus à partir du programme*

*de production par éclatement des nomenclatures.*
◆ gestion de la production et des stocks

### gross sales
The total amount charged to all customers during the accounting time period.

#### chiffre[nm] d'affaires brut
= ventes[nf] brutes
Montant total des factures établis au nom de tiers et relatives à des biens ou à des prestations de services, fournis au cours d'une période donnée.
◆ comptabilité

### group classification code
A part of material classification technique that provides for designation of characteristics by successively lower order groups of code. Classification may denote function, type of material, size, shape, etc.

#### code[nm] de définition de groupe
Code permettant la classification technique des articles selon leurs caractéristiques, à savoir la fonction, la taille, la forme, la matière, etc.
NOTE Il s'agit d'un code dont chaque élément, numérique ou alphanumérique, correspond à une caractéristique donnée.
◆ gestion de la production et des stocks

### grouping
Matching like operations together and running them together, sequentially, thereby taking advantage of common setup.

#### regroupement[nm]
Rassemblement d'opérations similaires pour assurer leur réalisation successivement et tirer ainsi avantage d'une seule mise en course.
◆ gestion de la production et des stocks

### group technology
An engineering and manufacturing philosophy that identifies the physical similarity of parts (common routing) and establishes their effective production. It provides for rapid retrieval of existing designs and facilitates a cellular layout.

#### groupement[nm] technologique
= technologie[nf] de groupe
Méthode qui consiste à rechercher les similitudes techniques des composants faisant l'objet d'une même gamme d'opérations.
*Le groupement technologique permet de retrouver rapidement les plans et devis et de favoriser la redistri-*

bution des moyens de production en aménagement cellulaire.

◆ gestion de la production et des stocks

---

▼ **guarantee**

A contractual obligation by one entity to another that a fact regarding a product is true.

**garantie**[nf]

Obligation, légale ou contractuelle, qui est imposée au vendeur et qui assure l'acheteur de la bonne exécution d'un engagement ou d'un service, de la qualité et du bon fonctionnement d'un bien ou d'une installation pendant une période donnée.

◆ droit

# H

## handling cost
The cost involved in the movement of material. In some cases, the handling cost incurred depends on the size of the inventory.

### coûtnm de manutention
Coût lié au déplacement de produits, de matières lors des activités d'approvisionnement, de fabrication, d'expédition ou de vente.
*Les coûts de manutention peuvent être fonction du volume des stocks.*
◆ gestion de la production et des stocks

## hard automation
Use of specialized machines to manufacture and assemble products. Normally each is dedicated to one function, such as milling.

### automatisationnf non flexible
Utilisation de machines spécialisées pour fabriquer et assembler des produits.
**NOTE** Habituellement chaque machine-outil est consacrée à une seule fonction.
◆ gestion de la production et des stocks

## hard copy
A printed (computer) report, message, or special listing.

### copienf papier
= **tiragenm**
Document graphique résultant du transfert sur un support permanent d'une image présentée à l'écran d'un ordinateur.
*La copie papier est une impression sans transformation ni mise en forme des données affichées.*
◆ informatique

## hardware 1.
In manufacturing, relatively standard items such as nuts, bolts, washers, clips, etc.

### quincaillerienf
Ensemble des éléments standards servant à l'assemblage des produits (écrous, boulons, rondelles, attaches, etc.).
◆ gestion de la production et des stocks

## hardware 2.
In data processing, the computer and its peripherals.

### matérielnm
Ensemble des machines ou des dispositifs de traitement électronique de l'information.
◆ informatique

## harmonic smoothing
= **seasonal harmonics**
An approach to forecasting based upon fitting some set of sine and cosine functions to the historical pattern of a time series.

### lissagenm harmonique
Méthode de prévision fondée sur l'approximation, par des fonctions sinus et cosinus, du modèle historique de séries chronologiques.
◆ prévision

## hash total
A control process used to ensure that all documents in a group are present or processed. In practice, the arithmetic sum of data not normally added together is found, the checking (audit) process adds the same data, and a comparison is made. If the sums do not agree, an error has been made. Example: the last digit of every part number in an assembly is added and the last digit of the sum becomes the last digit of the assembly. If the last digit of an assembly is not the same as the sum of the last digit of the components' sum, the assembly must be missing a part or must have the wrong combination of parts.

**total**[nm] **hétérogène**

Procédé de contrôle à l'aide du total arithmétique de données qui normalement n'auraient pas à être additionnées ensemble comme des numéros de pièces ou d'opérations.

**NOTE** Il est utilisé pour vérifier et démontrer que toutes les transactions se sont bien déroulées.

◆ gestion de la production et des stocks

---

▼ **hedge** 1.

= **option overplanning**

In master scheduling, a quantity of stock to protect against uncertainty in demand. A hedge is similar to safety stock, except that a hedge has the dimension of timing as well as amount. A volume hedge is carried at the master schedule or production plan level. The master scheduler plans excess quantities beyond some time fence such that, if the hedge is not consumed, it can be rolled over the fence before the need to commit major resources to produce the hedge. A product mix hedge enables options to be overplanned. On the planning bill, the sum of the percent mix of the options exceeds 100% by the amount of the hedge. Typically, as the parent MPS quantities and options are consumed, only the remaining MPS quantities are used to plan the remaining options required. A product mix hedge is sometimes called "option overplanning" or "two-level master scheduling."

**couverture**[nf] **(de sécurité)**

Stock de sécurité pris en considération lors de l'élaboration du programme directeur de production de façon à se protéger des fluctuations aléatoires de la demande.

*La couverture est identique à un stock de sécurité sauf qu'elle comporte une dimension temporelle aussi bien que quantitative.*

**NOTE** Ce type de couverture est souvent utilisé par l'agent de planification en excédent de la limite de planification de sorte que finalement les ordres planifiés pour les articles les plus chers arrivent dans une période active.

◆ gestion de la production et des stocks

---

▼ **hedge** 2.

= **market hedge**

In purchasing, any purchase or sale transaction having as its purpose the elimination of the negative aspects of price fluctuations.

**couverture**[nf] **(du risque de change)**

En achat, toute transaction d'achat ou de vente ayant pour but l'élimination des aspects négatifs des fluctuations de prix.

◆ gestion des approvisionnements

---

▼ **hedging**

The practice of entering into contracts on a commodity exchange so as to protect against future fluctuations in the commodity. This practice allows a company to isolate profits to the value-added process rather than to uncontrolled pricing factors.

**(opération de) couverture**[nf]

= **arbitrage**[nm]

Technique d'achat et de vente à la bourse qui minimise les risques de pertes entraînées par des variations de cours.

◆ gestion des approvisionnements

---

▼ **heel**

In the process industry, an item used in the manufacture of itself. For example, in the manufacture of plastic, the ingredients will include the parent as well as the components.

**ingrédient**[nm] **de base**

Matière, article utilisé dans sa propre fabrication.

◆ gestion de la production et des stocks

---

▼ **heuristic**

A form of problem solving in which the results or rules have been determined by experience or intuition instead of by optimization.

**heuristique**[nf]

Méthode de résolution de problèmes complexes ne garantissant pas l'obtention d'une solution optimale mais fournissant, dans un laps de temps raisonnable et à un coût acceptable, à l'aide de l'expérience ou de l'intuition une solution dont les performances sont en général assez bonnes.

◆ gestion; recherche opérationnelle

---

▼ **hierarchical database**

A method of constructing a database that requires that related record types be linked in tree-like structures, where no child record can have more than one physical parent record.

**base**[nf] **de données hiérarchique**

Base de données structurée en arbres, par famille où les entités sont réunies par des liens hiérarchiques.

◆ informatique

---

▼ **high-level language**

(HLL)

Relatively sophisticated computer language that allows users to employ a notation with which they are already familiar. For example: COBOL (business), ALGOL (mathematical and scientific), FORTRAN, and BASIC.

### langage[nm] de haut niveau
(LHN)
= langage[nm] (de programmation) évolué
Langage de programmation conçu en fonction d'applications spécifiques (usage scientifique, gestion, etc.) et qui est caractérisé par un mode d'écriture relativement aisé et indépendant du type d'ordinateur utilisé.
*Le COBOL, le FORTRAN sont des langages de haut niveau.*
◆ informatique

▼
### histogram
A graph of contiguous vertical bars representing a frequency distribution in which the groups or classes of items are marked on the x axis and the number of items in each class is indicated on the y axis.

### histogramme[nm]
Pour une variable continue dont les observations sont présentées sous forme de fréquences par classes, figure obtenue en limitant extérieurement par un trait, des rectangles jointifs dont les aires sont proportionnelles aux fréquences des classes correspondantes.
**NOTE** Les groupes ou classes d'articles figurent en abscisse et le nombre d'articles dans chaque classe en ordonnée.
◆ statistique

▼
### historical analogy
A judgmental forecasting technique based on identifying a sales history that is analogous to a present situation, such as the sales history of a similar product, and using that past pattern to predict future sales.

### prévision[nf] des ventes par analogie
Estimation du volume des ventes possibles d'un bien fondée sur l'étude des résultats passés à l'aide de techniques de corrélation, par analogie.
◆ prévision

▼
### HLL
Abbreviation for **high-level language.**

### LHN
Abréviation de **langage de haut niveau.**

▼
### hold order
= stop work order
A written order directing that certain operations or work be interrupted or terminated, pending a change in design or other disposition of the material.

### bon[nm] d'arrêt (de production)
= ordre[nm] d'arrêt
Document ordonnant la suspension temporaire ou permanente de certaines opérations en raison d'une modi-

fication des plans ou d'une réaffectation des matières.
◆ gestion de la production et des stocks

▼
### hold points
Stock points for semifinished inventory.

### points[nm] de stock
= emplacements[nm] de stock
Lieux de stockage de produits semi-finis.
◆ gestion de la production et des stocks

▼
### horizon
→ **planning horizon**

▼
### horizontal display
A method of displaying output from a material requirements planning, distribution requirements planning, or other time-phased systems in which requirements, scheduled receipts, projected balance, etc., are displayed across the document. Horizontal displays routinely summarize data into time periods or buckets.
**ANT.** vertical display

### défilement[nm] latéral
= affichage[nm] horizontal
Méthode de présentation des résultats d'un calcul de besoins dans lequel les besoins, réceptions prévues, disponible prévisionnel, etc., sont affichés horizontalement.
◆ gestion de la production et des stocks

▼
### housekeeping
The manufacturing activity of identifying and maintaining an orderly environment for preventing errors and contamination in the manufacturing process.

### entretien[nm] des lieux
= tenue[nf] de l'atelier
Ensemble des opérations qui ont trait à l'entretien et à la propreté des locaux afin de prévenir les erreurs et les problèmes susceptibles de nuire au processus de fabrication.
◆ gestion de la production et des stocks

▼
### house of quality
Conceptual product planning matrix based on a series of charts used to relate the customer voice (wants) to the methods of supplying those wants. It is often the first step in quality function deployment.

### maison[nf] de la qualité
Technique du déploiement de la fonction qualité utilisant un diagramme dont la forme rappelle celle d'une maison et dont l'objectif est de traduire les besoins du client en caractéristiques spécifiques pour ceux qui sont appelés à les satisfaire.
◆ gestion de la qualité

▼ **hypothesis testing**

Use of statistical models to test conclusions about a population or universe based upon sample information.

**vérification[nf] d'hypothèses**

Utilisation de modèles statistiques basés sur des échantillons pour vérifier des propositions sur une population.

◆ statistique

### idle time
= wait

Time when operators or resources (e.g., machines) are not producing product because of setup, maintenance, lack of material, lack of tooling, or not being scheduled.

### temps<sup>nm</sup> mort
= temps<sup>nm</sup> improductif

Ensemble des heures pendant lesquelles une production est interrompue en raison d'une mise en course, de l'entretien (maintenance), d'un manque de composants ou d'un manque d'outillage ou d'une omission de l'ordonnancement.

◆ gestion de la production et des stocks

### implode 1.

Compression of detailed data in a summary-level record or report.

### synthétiser<sup>v</sup>

Résumer des données détaillées sous la forme de tableaux, de rapports concis.

◆ généralités

### implode 2.

Tracing a usage and/or cost impact from the bottom to the top (end product) of a bill of material using where-used logic.

### inventorier<sup>v</sup> les cas d'emploi

Remonter une nomenclature à l'aide des cas d'emploi afin de retrouver l'origine d'un coût ou d'une consommation.

◆ gestion de la production et des stocks

### implosion
= where-used list

The process of determining the where-used relationship for a given component. Implosion can be single-level (showing only the parents on the next higher level) or multilevel (showing the ultimate top-level parent).

ANT. explosion

### inventaire<sup>nm</sup> des cas d'emploi
= recherche<sup>nf</sup> des cas d'emploi

Technique qui permet de retrouver les cas d'utilisation d'un composant donné en remontant les nomenclatures.

NOTE L'inventaire des cas d'emploi peut être à un seul niveau (montrant seulement les composants du niveau supérieur) ou bien multiniveaux (indiquant les composants de plus haut niveau).

◆ gestion de la production et des stocks

### import/export license

Official authorization issued by a government allowing the shipping or delivery of a product across national boundaries.

### licence<sup>nf</sup> d'importation et d'exportation
= licence<sup>nf</sup> d'import-export

Droit conféré par l'Administration d'acheter des biens ou des services d'un pays étranger ou d'expédier dans un autre pays des biens ou des services dans le cadre du commerce extérieur.

◆ généralités

### inactive inventory

Stock designated as in excess of consumption within a defined period or stocks of items that haven't been used for a defined period.

### stock<sup>nm</sup> dormant

Stock jugé excédentaire ou stock dont les mouvements sont nuls ou très faibles au cours d'une période déterminée.

◆ gestion de la production et des stocks

### inbound stockpoint

A defined location next to the place of use on a

production floor to which materials are brought as needed and from which material is taken for immediate use. Inbound stock points are used with a pull system of material control.

### aire[nf] de stockage au point d'utilisation

Emplacement situé à proximité immédiate des postes de travail qui consommeront les composants approvisionnés au fur et à mesure des besoins.

*Les aires de stockage au point d'utilisation sont principalement utilisées dans une production à flux tiré.*

◆ gestion de la production et des stocks

---

▼ **incoming business**

The number of orders or the dollar worth of orders or units that have been received on orders from customers. This is particularly important to the forecaster who must compare incoming business against the forecast rather than actual shipments when actual shipments do not reflect true customer demand. This situation may exist because of back-ordered items, bottlenecks in the shipping room, etc.

### carnet[nm] de commandes
= volume[nm] d'affaires

Volume des commandes qu'une entreprise a reçues, mais qui ne sont pas encore exécutées ou livrées.

*Le carnet de commandes quantifie le nombre de commandes en portefeuille, le nombre d'unités commandées et la valeur de ces commandes.*

**NOTE** Les prévisions doivent être comparées au carnet de commandes plutôt qu'aux livraisons réelles qui ne reflètent pas nécessairement la demande exprimée en raison des ruptures de stock, retards et autres aléas de la production.

◆ gestion de la production et des stocks

---

▼ **incremental analysis**

A method of economic analysis in which the cost of a single additional unit is compared to its revenue. When the net contribution of an additional unit is zero, total contribution is maximized.

### analyse[nf] marginale
= analyse[nf] différentielle

Méthode d'analyse économique dans laquelle on évalue le coût d'une unité additionnelle par rapport au profit qu'elle permet de réaliser.

◆ économie; comptabilité

---

▼ **incremental cost** 1.

Cost added in the process of finishing an item or assembling a group of items. If the cost of the components of a given assembly equals $5 and the additional cost of assembling the components is $1, then the incremental assembly cost is $1, while the total cost of the finished assembly is $6.

### coût[nm] marginal
= coût[nm] différentiel

Coût ajouté par l'opération de montage d'un article ou d'un groupe d'articles.

*Si le coût des composants d'un ensemble donné est égal à 5 $ et si le coût supplémentaire du montage des composants est de 1 $, le coût marginal du montage est de 1 $, tandis que le coût total de l'article monté est de 6 $.*

◆ comptabilité

---

▼ **incremental cost** 2.

Additional cost incurred as a result of a decision.

### coût[nm] marginal
= coût[nm] différentiel

Accroissement du coût total de production, de commercialisation résultant d'un choix particulier.

*La détermination du coût marginal permet au gestionnaire d'apprécier les effets d'un accroissement ou d'une baisse d'activité en comparant la variation des produits d'exploitation attendus et des charges prévisibles.*

◆ comptabilité

---

▼ **indented bill of material**

A form of multilevel bill of material. It exhibits the highest level parents closest to the left side margin and all the components going into these parents are shown indented to the right of the margin. All subsequent levels of components are indented farther to the right. If a component is used in more than one parent within a given product structure, it will appear more than once, under every subassembly in which it is used.

### nomenclature[nf] décalée

Représentation d'une nomenclature multiniveaux où chaque lien entre un composé et un composant est positionné de gauche à droite avec un décalage traduisant l'arborescence de la nomenclature.

**NOTE** Si un composant est utilisé dans plusieurs composés, il sera représenté dans chaque sous-ensemble où il est présent.

◆ gestion de la production et des stocks

---

▼ **indented tracking**

The following of all lot numbers of intermediates and ingredients consumed in the manufacture of a given batch of product down through all levels of the formula.

### suivi[nm] décalé de lots
= repérage[nm] décalé de lots

Recherche de tous les numéros de lot des sous-ensembles et des composants ou ingrédients consommés dans la fabrication d'un lot donné en descendant à tous les niveaux de la formule.

◆ gestion de la production et des stocks

---

▼ **indented where-used**

A listing of every parent item, and the respective quantities required, as well as each of their respective parent items, continuing until the ultimate end item or level-0 item is referenced. Each of these parent items is one that calls for a given component item in a bill of material file. The component item is shown closest to the left margin of the listing, with each parent indented to the right, and each of their respective parents indented even further to the right.

### cas[nm] d'emploi décalé

Pour un composant, liste de tous les composés avec leur coefficient d'emploi en remontant jusqu'au niveau 0 (produit final).

**NOTE** Le composant est présenté à gauche sur la liste et chaque composé direct est décalé vers la droite et ainsi de suite.

◆ gestion de la production et des stocks

---

▼ **independent demand**

Demand for an item that is unrelated to the demand for other items. Demand for finished goods, parts required for destructive testing, and service parts requirements are examples of independent demand.

### demande[nf] indépendante
= **consommation[nf] indépendante**

Consommation sans liaison directe avec d'autres consommations et déterminée à partir des données historiques.

*Des demandes de produits finis ou de pièces pour des tests destructifs, des besoins en pièces de rechange sont des exemples de demandes indépendantes.*

◆ gestion de la production et des stocks

---

▼ **independent demand inventory system**

The policies, methods, and procedures used to manage inventory items that have independent demand.

### système[nm] de gestion de stock à demande indépendante

Mode de gestion des matières, pièces, articles dont la consommation est aléatoire, à partir des besoins d'un niveau inférieur de la nomenclature.

◆ planification de la production; gestion de la production et des stocks

---

▼ **indicator**

An index of business activities.

### indice[nm]

Nombre indiquant de combien, en moyenne, les prix d'un ensemble de biens ont augmenté depuis une date prise comme base de référence.

*Ex. : l'indice des prix à la consommation (IPC).*

◆ gestion

---

▼ **indirect costs**

Costs that are not directly incurred by a particular job or operation. Certain utility costs, such as plant heating, are often indirect. An indirect cost is typically distributed to the product through the overhead rates.

### coût[nm] indirect

Coût non directement rattaché à un produit spécifique ou à une opération particulière.

*Les coûts d'amortissement des installations de fabrication, les coûts de chauffage de l'usine constituent des coûts indirects.*

**NOTE** Les coûts indirects doivent faire l'objet d'une répartition entre sections puis d'une imputation aux comptes de coûts de revient.

◆ comptabilité

---

▼ **indirect labor**

Work required to support production in general without being related to a specific product, e.g., floor sweeping.

### main-d'œuvre[nf] indirecte

Main-d'œuvre dont l'activité peut difficilement être affectée au coût d'un produit ou d'un service.

**NOTE** Divers calculs et répartitions sont nécessaires pour imputer le coût du travail des régleurs, balayeurs ou manutentionnaires, par exemple, aux coûts des produits.

◆ comptabilité

---

▼ **indirect materials**
= **supplies**

Items that become part of the final product or substances that are consumed in the manufacture of a product that have a negligible value relative to the value of the final product or the usage of which cannot be effectively determined. These components may or may not be included in the bill of materials.

### matières[nf] indirectes

Matières qui concourent à la fabrication, au traitement ou à l'exploitation, sans entrer dans la composition des produits fabriqués ou en quantité si faible que leur coût n'est pas imputé directement à ces produits.

◆ comptabilité

## ▼ infinite loading
Calculation of the capacity required at work centers in the time periods required regardless of the capacity available to perform this work.

### chargement<sup>nm</sup> à capacité illimitée
= affectation<sup>nf</sup> avec capacité illimitée
= chargement<sup>nm</sup> à capacité infinie

Méthode de répartition du travail à exécuter qui ne tient pas compte de la limite de capacité des postes de travail et qui laisse le choix au gestionnaire de la production des moyens pour réduire les surcharges (reports, chevauchements, heures supplémentaires, sous-traitance).
◆ gestion de la production et des stocks

## ▼ information
Data arranged or presented in such a manner that they yield an understanding not available from any single data element.

### information<sup>nf</sup>
Élément de connaissance composé de données structurées réduisant l'incertitude ou augmentant les connaissances du destinataire sur des faits passés, présents ou projetés concernant ses objectifs sociaux, économiques et culturels.
◆ généralités

## ▼ ingredient
→ component

## ▼ in-process inventory
→ work in process

## ▼ input
Work arriving at a work center or production facility.

### intrant<sup>nm</sup>
= entrée<sup>nf</sup>

Ensemble des facteurs entrant dans la production (main-d'œuvre, matières, machines).

NOTE Dans un contexte de contrôle intrants/extrants, le terme *intrant* désigne l'élément ou l'article qu'on désire transformer.
◆ gestion de la production et des stocks; économie

## ▼ input control
Management of the release of work to a work center or production facility.

### contrôle<sup>nm</sup> des intrants
= contrôle<sup>nm</sup> des entrées

Mesure des entrées de charges aux divers postes de travail.

Le contrôle des intrants permet de s'assurer que les postes amont sont bien alimentés et qu'ils peuvent produire.
◆ gestion de la production et des stocks

## ▼ input/output control
(I/O)
= production monitoring
= capacity control

A technique for capacity control where planned and actual inputs and planned and actual outputs of a work center are monitored. Planned inputs and outputs for each work center are developed by capacity requirements planning and approved by manufacturing management. Actual input is compared to planned input to identify when work center output might vary from the plan because work is not available at the work center. Actual output is also compared to planned output to identify problems within the work center.

### contrôle<sup>nm</sup> des intrants-extrants
(I/E)
= analyse<sup>nf</sup> d'intrants-extrants
= contrôle<sup>nm</sup> des entrées-sorties

Technique de mesure de la capacité d'un moyen de production, consistant à comparer les sorties réelles de charge avec les sorties planifiées durant une période déterminée et à comparer les entrées de charges réelles avec les entrées planifiées.

Le contrôle des intrants-extrants s'applique aux centres de charge pour déceler en permanence les écarts entre ce qui est planifié et ce qui est réel.
◆ gestion de la production et des stocks

## ▼ input/output devices
Modems, terminals, or various pieces of equipment whose designed purpose relates to manual, mechanical, electronic, visual, or audio entry to and from the computer mainframe unit.

### périphérique<sup>nm</sup>
Élément d'un système informatique qui permet à un ordinateur de communiquer avec le monde extérieur pour saisir, extraire ou stocker des informations.

Le clavier, l'écran tactile, le modem ou l'imprimante sont des périphériques.
◆ informatique

## ▼ inspection order
An authorization to an inspection department or group to perform an inspection operation.

### ordre<sup>nm</sup> de contrôle
Autorisation donnée à un service de procéder à une

inspection en vue de vérifier la conformité d'un produit aux normes établies.

◆ gestion de la qualité

▼ **inspection ticket**

Frequently used as a synonym for an inspection order, more properly a reporting of an inspection function performed.

### bon<sup>nm</sup> de contrôle
= ticket<sup>nm</sup> de contrôle

Étiquette attestant, après inspection, qu'un produit est conforme ou non aux normes requises.

NOTE L'expression **bon de contrôle** est employée improprement au sens de «ordre de contrôle».

◆ gestion de la qualité

▼ **instantaneous receipt**

The receipt of an entire lot-size quantity in a very short period of time.

### réception<sup>nf</sup> instantanée
= réception<sup>nf</sup> immédiate

Réception de la totalité d'un lot dans un délai très court.

◆ gestion de la production et des stocks; gestion des approvisionnements

▼ **instruction sheet**
→ routing

▼ **interactive**

A characteristic of those applications where a user communicates with a computer program via a terminal, entering data and receiving responses from the computer.

### interactif<sup>adj</sup>
= conversationnel<sup>adj</sup>

Se dit d'un mode de traitement de données permettant une conversation entre un système informatique et un utilisateur, avec échange de questions et réponses.

◆ informatique

▼ **interactive system**

A data processing system in which the response to an inquiry is developed within the system within a time period acceptable to the user and regarded as immediate.

### système<sup>nm</sup> interactif
= système<sup>nm</sup> conversationnel

Système informatique permettant des actions réciproques en mode dialogué avec des utilisateurs.

◆ informatique

▼ **intermediate**
→ component

▼ **intermediately positioned warehouse**

Warehouse located between customers and manufacturing plants to provide increased customer service and reduced distribution cost.

### entrepôt<sup>nm</sup> intermédiaire

Entrepôt situé entre les usines de l'entreprise et ses clients en vue d'améliorer la qualité du service et de réduire les coûts de distribution.

◆ gestion de la production et des stocks

▼ **intermittent production**
= job shop

A form of manufacturing organization in which the productive resources are organized according to function. The jobs pass through the functional departments in lots and each lot may have a different routing.

### production<sup>nf</sup> multigamme

Système de production à gammes variables selon lequel les ressources de production sont regroupées par fonction.

NOTE La production est exécutée par lot et chaque lot peut avoir une gamme d'opérations différente.

◆ gestion de la production et des stocks

▼ **intermodal transport** 1.

Shipments moved by different types of equipment combining the best features of each mode.

### transport<sup>nm</sup> intermodal

Expédition de produits à l'aide de plusieurs moyens de transport différents (rail, route, mer, etc.)

◆ transport

▼ **intermodal transport** 2.

Use of two or more different carrier modes in the through movement of a shipment.

### livraison<sup>nf</sup> par transport intermodal

Acheminement de produits combinant plusieurs modes de transport.

◆ transport

▼ **internal failure cost**

The cost of things that go wrong before the product reaches the customer. This usually includes rework, scrap, downgrades, reinspection, retest, and process losses.

## coût<sup>nm</sup> des défaillances internes

Coût des anomalies détectées avant qu'un produit ne quitte l'entreprise (coût des réusinages, des rejets, des rétrogradations de produits, des réparations, des vérifications, etc.)

**NOTE** Par opposition, le coût des défaillances externes se rapporte aux anomalies détectées après l'expédition du produit aux clients.

◆ gestion de la qualité

---

## ▼ internal setup time

Time associated with elements of a setup procedure performed while the process or machine is not running.

**ANT.** external setup time   .

## temps<sup>nm</sup> de mise en course interne

Durée des opérations de changement de série, exécutées lorsque la machine est arrêtée, c'est-à-dire lorsqu'elle ne produit plus.

**NOTE** Par opposition, le temps de mise en course externe correspond aux opérations exécutées pendant que la machine tourne encore (en temps masqué).

◆ gestion de la production et des stocks

---

## ▼ international logistics

All functions concerned with the movement of materials and finished goods on a global scale.

## logistique<sup>nf</sup> internationale

Ensemble des activités inhérentes au déplacement des matières, des produits à une échelle planétaire.

**NOTE** La logistique industrielle a pour objet la régulation des flux de biens depuis la source des approvisionnements jusqu'à la destination des livraisons.

◆ gestion de la production et des stocks

---

## ▼ interoperation time

The time between the completion of one operation and the start of the next.

## temps<sup>nm</sup> interopératoire

Temps qui s'écoule entre la fin d'une opération et le début de l'opération suivante sur une même commande.

**NOTE** Les principaux éléments du temps interopératoire sont le temps d'attente avant transfert au prochain poste de travail, le temps de déplacement, le temps en file d'attente à ce poste, les lancements par lot.

◆ gestion de la production et des stocks

---

## ▼ interplant demand

= **interplant transfer**

Items to be shipped to another plant or division within the corporation. Although it is not a customer order, it is usually handled by the master production scheduling system in a similar manner.

## demande<sup>nf</sup> interusines

= **commande<sup>nf</sup> interne**

Articles à livrer à une autre usine ou à une autre division de l'entreprise.

*Bien que ce ne soit pas une commande client, la demande interusines est habituellement traitée comme telle par le programme directeur de production.*

◆ gestion de la production et des stocks

---

## ▼ interplant transfer

→ **interplant demand**

---

## ▼ interpolation

The process of finding a value of a function between two known values. Interpolation may be performed numerically or graphically.

## interpolation<sup>nf</sup>

Utilisation des résultats d'une série d'observations pour calculer le résultat que pourrait donner une autre observation à l'intérieur du domaine exploré.

*L'interpolation ou définition des valeurs intermédiaires d'une fonction, situées entre deux valeurs connues de la variable.*

◆ statistique

---

## ▼ interrogate

Retrieve information from computer files by use of predefined inquiries or unstructured queries handled by a high-level retrieval language.

## interroger<sup>v</sup>

Rechercher une information dans des fichiers informatiques par le biais d'une commande donnée ou des questions prédéterminées ou non structurées qui s'appuient sur un logiciel de recherche de haut niveau.

◆ informatique

---

## ▼ interrupt

A break in the normal flow of a computer routine such that the flow can be resumed from that point at a later time. An interrupt is usually caused by a signal from an external source.

## interruption<sup>nf</sup>

Rupture dans le déroulement normal d'une opération, imposant de reprendre plus tard l'opération au point où elle s'était arrêtée.

*L'interruption est généralement provoquée par un signal d'origine externe.*

**NOTE** On distingue les interruptions externes provoquées par l'environnement de l'ordinateur (périphériques, canal, etc.) et les interruptions internes provoquées par un événement directement lié à l'ordinateur et au traitement en cours (programme prioritaire, détection d'une erreur, etc.).

◆ généralités

---

▼ **intransit inventory**
Material moving between two or more locations, usually separated geographically, for example, finished goods being shipped from a plant to a distribution center.

### marchandise[nf] en transit
Produit en déplacement entre deux ou plusieurs endroits, habituellement éloignés géographiquement.

*Par exemple, le produit fini expédié d'une usine vers un centre de distribution fait partie de la marchandise en transit.*

◆ gestion de la production et des stocks

---

▼ **intransit lead time**
The time between the date of shipment (at shipping point) and the date of receipt (at the receiver's dock). Normally orders specify the date by which goods should be at the dock. Consequently this date should be offset by intransit lead time for establishing a ship date for the supplier.

### délai[nm] d'expédition
= délai[nm] de transit
Temps qui s'écoule entre la date d'expédition d'une marchandise et sa date de réception chez le client.

**NOTE** La date de réception des marchandises est établie lors de la commande : on devra donc déduire de cette date le délai d'expédition pour déterminer la date d'expédition par le fournisseur.

◆ gestion de la production et des stocks

---

▼ **intrinsic forecast**
A forecast based on internal factors, such as an average of past sales.

**ANT.** extrinsic forecast

### prévision[nf] intrinsèque
Prévision reposant sur les données internes d'une entreprise, par exemple la moyenne des ventes passées pour un article ou un groupe d'articles.

**NOTE** Ce type de prévision utilise l'analyse des séries chronologiques et extrapole les données historiques dans le futur.

◆ prévision

---

▼ **inventory** 1.
Those stocks or items used to support production (raw materials and work-in-process items), supporting activities (maintenance, repair, and operating supplies), and customer service (finished goods and spare parts). Demand for inventory is dependent and independent. Inventory functions are anticipation, hedge, cycle (lot size), fluctuation (safety, buffer, or reserve), transportation (pipeline), and service parts.

### stock[nm]
Ensemble des matières premières, encours, produits semi-finis, produits finis, marchandises et fournitures qui sont conservés par une entreprise et que celle-ci a l'intention de vendre ou d'utiliser pour fabriquer un produit ou rendre un service.

**NOTE** Le nom *stock* s'emploie couramment au pluriel en ce sens. Le terme *inventaire* désigne en français un dénombrement et constitue un calque de *inventory* au sens de «stock».

◆ gestion de la production et des stocks

---

▼ **inventory** 2.
In theory of constraints, inventory is defined as those items purchased for resale and includes equipment, facilities, and raw materials. Inventory is always valued at purchase price and includes no value-added costs, as opposed to the traditional cost accounting practice of adding direct labor and allocating overhead as work in process progresses through the production process.

### stock[nm]
Selon la théorie des contraintes, ensemble des articles que possède une entreprise et qui sont destinés à la revente en incluant l'équipement, l'outillage, les installations et les matières premières.

*Dans le secteur manufacturier, les stocks ne comprennent pas seulement les produits finis en attente d'expédition vers les points de vente, mais aussi les matières premières, les écrous et les boulons, le papier et les crayons, ainsi que les innombrables articles essentiels ou mineurs qu'exigent la production et la distribution des produits.*

◆ gestion de la production et des stocks

---

▼ **inventory accounting**
The branch of accounting dealing with valuing inventory. Inventory may be recorded or valued using either a perpetual or a periodic system. A perpetual inventory record is updated frequently or in real time, while a periodic inventory record is counted or measured at fixed time intervals, e.g., every two weeks or monthly. Inventory valuation methods of LIFO, FIFO, or average costs are used with either recording system.

### comptabilité[nf] des stocks
Affectation d'une valeur conventionnelle aux quantités de matières, de fournitures, de produits en stock pour les nécessités de la comptabilité.

*La comptabilité des stocks a pour fin la valorisation des matières, articles en stock à l'aide de différentes conventions : prix moyen pondéré, méthode du premier entré, premier sorti ou méthode du dernier entré, premier sorti, etc.*

◆ comptabilité; gestion de la production et des stocks

---

▼ **inventory buffer**
= **fluctuation inventory**
= **safety stock**
= **inventory cushion**
Inventory used to protect the throughput of an operation or the schedule against the negative effects caused by statistical fluctuations.

**stock$^{nm}$ tampon**
Stock nécessaire pour absorber les irrégularités de la demande et du délai d'approvisionnement.

**NOTE** Ce stock est constitué d'articles dont le manque est susceptible d'entraîner de sérieuses conséquences pour l'entreprise.

◆ gestion de la production et des stocks

---

▼ **inventory control**
= **material control**
The activities and techniques of maintaining the desired levels of items, whether raw materials, work in process, or finished products.

**contrôle$^{nm}$ des stocks**
Activités de gestion visant à assurer la détermination des niveaux optimaux de stocks et des quantités à réapprovisionner en fonction des besoins de la production et de la vente ainsi que la mise à jour constante des informations sur les quantités, les emplacements des matières et produits en stock.

**NOTE** L'expression *contrôle des inventaires est fautive.

◆ gestion de la production et des stocks

---

▼ **inventory cushion**
→ **fluctuation inventory**
→ **inventory buffer**

---

▼ **inventory cycle**
The length of time between two consecutive replenishment shipments.

**durée$^{nf}$ de couverture**
Période s'écoulant entre deux réceptions successives de matières, de produits destinés à l'approvisionnement de l'entreprise.

*La durée de couverture s'exprime généralement en nombre de jours ou de mois.*

◆ gestion de la production et des stocks

---

▼ **inventory investment**
The dollars that are in all levels of inventory.

**valeur$^{nf}$ des stocks**
= **investissement$^{nm}$ en stock**
Valeur de l'ensemble des matières, fournitures, produits conservés par l'entreprise.

◆ comptabilité

---

▼ **inventory management**
The branch of business management concerned with the planning and control of inventories.

**gestion$^{nf}$ des stocks**
Activités se rapportant à la planification, à la constitution, au dénombrement, à l'entreposage des stocks et visant à assurer de façon optimale la disponibilité des matières, des composants, des articles de façon à satisfaire, dans les conditions les plus économiques, les besoins de la production et de la vente.

◆ gestion de la production et des stocks

---

▼ **inventory policy**
A statement of the company's goals and approach to the management of inventories.

**politique$^{nf}$ de stock**
Objectifs de l'entreprise en matière de gestion des stocks.

◆ gestion de la production et des stocks

---

▼ **inventory shrinkage**
Losses of inventory resulting from scrap, deterioration, pilferage, etc.

**freinte$^{nf}$ (de stock)**
Ensemble des pertes de quantité (volume, poids, etc.) subies par certaines matières ou produits au cours du processus de fabrication, pendant le transport ou toute manipulation.

*La freinte est considérée comme normale et n'est pas comptée comme avarie ni manquant si elle ne dépasse pas un certain pourcentage, fixé par les usages ou spécifié dans le contrat.*

◆ gestion de la production et des stocks

---

▼ **inventory tax**
Taxes based upon the value of inventory on hand at a particular time.

**impôt<sup>nm</sup> sur les stocks**
Taxes calculées sur la valeur des stocks à un moment donné.
♦ comptabilité

---

▼
**inventory turnover**
= **inventory turns**
= **turnover** 1.
The number of times that an inventory cycles, or "turns over," during the year. A frequently used method to compute inventory turnover is to divide the average inventory level into the annual cost of sales. For example, an average inventory of $3 million divided into an average cost of sales of $21 million means that inventory turned over seven times.

**rotation<sup>nf</sup> des stocks**
= **taux<sup>nm</sup> de rotation des stocks**
Nombre de fois que le stock se renouvelle au cours d'une période déterminée, généralement au cours d'une année, c'est-à-dire le quotient des sorties, consommations ou ventes d'un article, d'une famille d'articles ou de l'ensemble des articles, par le stock physique moyen correspondant.
*Une méthode souvent utilisée pour calculer le taux de rotation des stocks consiste à diviser le coût annuel des ventes par le niveau moyen du stock. Par exemple, si le niveau moyen du stock est de 3 millions et le coût annuel des ventes est de 21 millions, on considérera que le taux de rotation des stocks est de 7, en d'autres termes que le stock tourne 7 fois dans l'année.*
♦ gestion de la production et des stocks

---

▼
**inventory turns**
→ **inventory turnover**

---

▼
**inventory usage**
The value or the number of units of an inventory item consumed over a period of time.

**consommation<sup>nf</sup> de stock**
Valeur ou nombre d'unités en stock ayant fait l'objet d'une consommation au cours d'une période donnée.
♦ gestion de la production et des stocks

---

▼
**inventory valuation**
The value of an inventory at either its cost or its market value. Because inventory value can change with time, some recognition is taken of the age distribution of inventory. Therefore, the cost value of inventory is usually computed on a first-in-first-out (FIFO), last-in-first-out

(LIFO) basis, or a standard cost basis to establish the cost of goods sold.

**évaluation<sup>nf</sup> des stocks**
= **valorisation<sup>nf</sup> des stocks**
Détermination de la valeur à attribuer aux stocks dans le bilan de l'entreprise.
NOTE L'évaluation consiste à attribuer à chaque article du stock un prix unitaire procédant de différentes conventions : prix moyen pondéré, prix de remplacement, prix standard, prix réel d'achat des unités d'articles résiduelles après épuisement prioritaire des plus anciens, soit des plus récents.
♦ comptabilité; gestion de la production et des stocks

---

▼
**inventory write-off**
A deduction of inventory dollars from the financial statement because the inventory is of less value. This can occur because the value of the physical inventory is less than its book value or because the items in inventory are no longer usable.

**dévalorisation<sup>nf</sup> (des stocks)**
= **réduction<sup>nf</sup> de la valeur comptable des stocks**
Réduction de la valeur des stocks dans les états financiers, en raison soit de la désuétude soit d'une correction d'inventaire.
♦ comptabilité; gestion de la production et des stocks

---

▼
**I/O** 1.
Abbreviation for **input/output control.**

**I/E**
Abréviation de **contrôle d'intrant/extrant.**

---

▼
**I/O** 2.
Abbreviation for **computer input/output.**

**E/S**
Abréviation de **entrées/sorties d'un ordinateur.**

---

▼
**Ishikawa diagram**
A type of cause-and-effect diagram.

**diagramme<sup>nm</sup> d'Ishikawa**
= **diagramme<sup>nm</sup> cause-effet**
= **diagramme<sup>nm</sup> en arête de poisson**
Graphique arborescent sur lequel on fait figurer toutes les causes potentielles d'un problème donné.
♦ gestion de la qualité; gestion

▼
### islands of automation
Stand-alone pocket of automation (robots, a CAD/CAM system, numerical control machines) that are not connected into a cohesive system.

### îlot[nm] d'automatisation
Système autonome et isolé (robots, système C/FAO, machine à commande numérique) non intégré à un système informatique.

◆ gestion de la production et des stocks

▼
### isolation
The determination of the location of a failure through the use of accessory support and diagnostic equipment.

### localisation[nf] (d'un problème)
Détermination de la cause d'un problème à l'aide d'un matériel de diagnostic.

◆ généralités

▼
### issue 1.
The physical movement of items from a stocking location.

### sortie[nf] (de stock)
Mouvement d'un article quittant un emplacement de stockage.

◆ gestion de la production et des stocks

▼
### issue 2.
Often the transaction reporting of this activity.

### sortie[nf] (de stock)
Comptabilisation des mouvements de stock.

◆ gestion de la production et des stocks

▼
### issue cycle
The time required to generate a requisition for material, pull the material from an inventory location, and move it to its destination.

### délai[nm] de sortie
Intervalle de temps s'écoulant entre une demande de sortie d'un article du magasin et sa mise à disposition.

◆ gestion de la production et des stocks

▼
### item
Any unique manufactured or purchased part, material, intermediate, subassembly, or product.

### article[nm]
= référence[nf]
Tout élément distinct, acheté ou fabriqué, constituant une matière première, un composant, un sous-ensemble ou un produit fini dont les caractéristiques sont spécifiées.

NOTE L'emploi du nom *item en ce sens est un anglicisme.

◆ gestion de la production et des stocks

▼
### item master record
→ item record

▼
### item number
= part number
= product number
= stock code; stock number
A number that serves to uniquely identify an item.

### code[nm] d'article
= numéro[nm] d'article
Ensemble de caractères alphanumériques servant à désigner de façon unique un article.

◆ gestion de la production et des stocks

▼
### item record
= item master record
= part master record
= part record
The "master" record for an item. Typically it contains identifying and descriptive data and control values (lead times, lot sizes, etc.) and may contain data on inventory status, requirements, planned orders, and costs. Item records are linked together by bill of material records (or product structure records), thus defining the bill of material.

### fiche[nf] descriptive (d'un article)
= enregistrement[nm] article
= fiche[nf] d'un article
Fiche où sont énumérés les caractéristiques d'un article, ses données descriptives, ses paramètres de gestion (délai, taille de lot) et qui peut contenir des renseignements sur l'état des stocks, les besoins, les ordres prévisionnels et les coûts.

*Les fiches descriptives sont reliées entre elles par les liens de nomenclature dont ils complètent l'information.*

◆ gestion de la production et des stocks

### jidoka
The Japanese term for the practice of stopping the production line when a defect occurs.

### jidoka nm
Technique selon laquelle on arrête de produire dès qu'un défaut apparaît.

**NOTE** Ce terme est emprunté à la langue japonaise.
◆ gestion de la production et des stocks

### jigs, fixtures, gauges
Tools for holding component parts of an assembly during the manufacturing process or for holding other tools.

### outillage nm
Instruments utilisés lors du cycle de fabrication afin de soutenir des composants en cours d'assemblage.
◆ gestion de la production et des stocks

### JIT
Acronym for **Just-in-Time.**

### JAT
Abréviation de **juste-à-temps.**

### job analysis
A process of gathering (by observation, interview, or recording systems) significant task-oriented activities and requirements about work required of employees.

### analyse nf de poste
= analyse nf de fonctions
Étude de la nature exacte d'un emploi en vue d'établir sa description et de déterminer ses exigences.
◆ gestion des ressources humaines

### job costing
= job order costing
A cost accounting system in which costs are collected to specific jobs. This system can be used with either actual or standard costs in the manufacturing of distinguishable units or lots of products.

### méthode nf du coût de revient par ordre de fabrication
= coût nm de revient par lot
Méthode qui consiste à déterminer le coût de chaque ordre de fabrication en accumulant les frais qui s'y rapportent tout au long du processus de production.

**NOTE** Pour établir le coût de revient par ordre de fabrication, on utilise les coûts réels ou les coûts standards de fabrication d'unités ou de lots de produits.
◆ comptabilité

### job description
A formal statement of duties, qualifications, and responsibilities associated with a particular job.

### description nf de tâches
= description nf d'emploi
= définition nf de poste
État objectif des fonctions, des responsabilités et des relations d'autorité propres à un poste.
◆ gestion des ressources humaines

### job enlargement
An increase in the number of tasks that an employee performs. Job enlargement is associated with the design of jobs, particularly production jobs, and its purpose is to reduce employee dissatisfaction.

### élargissement nm des tâches
Extension des tâches en vue de diversifier le travail de la personne qui les exécute.

*L'élargissement des tâches est une méthode d'organisation du travail qui consiste à confier à un travailleur des responsabilités dont les éléments avaient été précédemment isolés afin de diminuer la monotonie et l'insatisfaction des travailleurs.*
◆ gestion des ressources humaines

▼ **job enrichment**

An increase in the number of tasks that an employee performs and in control over those tasks. It is associated with the design of jobs in the firm and especially the production worker's job. Job enrichment is an extension of job enlargement.

### enrichissement[nm] des tâches

Approfondissement de la nature d'un poste de travail en intégrant aux fonctions d'exécution des fonctions de planification et de contrôle.

*L'enrichissement des tâches comporte une idée d'autonomie, de contrôle par le travailleur ou par l'équipe.*

◆ gestion des ressources humaines

---

▼ **job grade**

A form of job evaluation that assigns jobs to predetermined job classifications according to the job's relative worth to the organization. Pay scales are usually set for each job grade.

### répartition[nf] par classes de postes

Méthode d'évaluation des emplois selon laquelle les tâches sont groupées dans des classes définies par l'importance de leur apport à l'entreprise.

**NOTE** À chaque classe correspond une échelle salariale.

◆ gestion des ressources humaines

---

▼ **job lot**

A specific quantity of a part or product that is produced at one time.

### lot[nm]
### = petite série[nf]

Groupement de pièces ou articles identiques qui subiront ensemble les opérations de production.

◆ gestion de la production et des stocks

---

▼ **job order**
→ **manufacturing order**

---

▼ **job order costing**
→ **job costing**

---

▼ **job progress chart**
→ **Gantt chart**

---

▼ **job rotation**

The practice of an employee periodically changing job responsibilities to provide a broader perspective and a view of the organization as a total system, to enhance motivation, and to provide cross training.

### rotation[nf] des postes

Organisation du travail visant à donner au travailleur une plus grande polyvalence, une motivation accrue, une meilleure connaissance globale de l'entreprise par l'affectation périodique à des postes différents.

*La rotation des postes vise à réduire la monotonie dans l'exécution de tâches simples.*

◆ gestion des ressources humaines

---

▼ **job shop**
= **intermittent production**

A form of manufacturing organization in which the productive ressources are organized according to function.

### atelier[nm] multigamme
### = aménagement[nm] fonctionnel

Atelier de production unitaire, souvent à gamme variable et dont la configuration est établie en fonction du regroupement de machines de même type.

◆ gestion de la production et des stocks

---

▼ **job shop layout**
→ **functional layout**

---

▼ **job shop scheduling**

The production planning and control techniques used to sequence and prioritize production quantities across operations in a job shop layout.

### ordonnancement[nm] multigamme

Technique de planification et de contrôle de la production d'un atelier multigamme où le cheminement des produits est non linéaire, où l'on fabrique de petites séries.

◆ gestion de la production et des stocks

---

▼ **job status**

A periodic report showing the plan for completing a job (usually the requirements and completion date) and the progress of the job against that plan.

### état[nm] d'avancement (d'un ordre de fabrication)
### = état[nm] d'avancement d'une commande

Rapport périodique mettant en comparaison le programme directeur de production (lots à produire et date d'achèvement) et les lots produits et à produire.

◆ gestion de la production et des stocks

### job ticket
→ time ticket

### joint order
An order on which several items are combined for the purpose of obtaining volume or transportation discounts.

### commande$^{nf}$ groupée
Regroupement sur une même commande d'articles en vue d'obtenir des remises sur quantités ou des réductions des frais de transport.
◆ gestion des approvisionnements

### joint replenishment
Coordinating the lot sizing and order release decision for related items and treating them as a family of items. The objective is to achieve lower costs due to ordering, setup, shipping, and quantity discount economies. This term applies equally to joint ordering (family contracts) and to composite part (group technology) fabrication scheduling.

### réapprovisionnement$^{nm}$ groupé
Méthode de programmation des approvisionnements qui vise le regroupement d'articles similaires afin d'optimiser la taille des lots à commander et de réduire les coûts.
**NOTE** Cette méthode s'applique également aux commandes groupées et à la planification de la production de composants (technologie de groupe).
◆ gestion des approvisionnements

### judgment items
Those inventory items that cannot be effectively controlled by algorithms because of age (new or obsolete product) or management decision (promotional product).

### articles$^{nm}$ en gestion non automatisée
= articles$^{nm}$ en gestion manuelle
Articles en stock qui ne peuvent pas être gérés efficacement par les systèmes courants parce que ce sont de nouveaux produits ou des produits désuets ou en raison d'une décision de la direction (produits en promotion).
◆ gestion de la production et des stocks

### Just-in-Time
(JIT)
= **short-cycle manufacturing**
= **stockless production**
= **zero inventories**
A philosophy of manufacturing based on planned elimination of all waste and continuous improvement of productivity. It encompasses the successful execution of all manufacturing activities required to produce a final product, from design engineering to delivery and including all stages of conversion from raw material onward. The primary elements of zero inventories are to have only the required inventory when needed; to improve quality to zero defects; to reduce lead times by reducing setup times, queue lengths, and lot sizes; to incrementally revise the operations themselves; and to accomplish these things at minimum cost. In the broad sense it applies to all forms of manufacturing, job shop and process as well as repetitive.

### juste-à-temps$^{nm}$
(JAT)
Méthode de production à flux tiré visant la suppression de tout gaspillage et consistant à acheter ou à produire strictement la quantité nécessaire au moment où on en a besoin.
*La philosophie du juste-à-temps remet en cause les habitudes de constitution de stocks de sécurité et exige une très bonne qualité des produits, une fiabilité élevée des équipements industriels, une réduction des délais de mise en course et une diminution de la taille des lots en vue d'accroître la faculté d'adaptation de l'entreprise aux besoins du marché.*
**NOTE** • Dans un sens large, le juste-à-temps englobe l'ensemble des activités de la gestion de la fabrication visant l'amélioration continue avec la participation de l'ensemble des employés.
• Cette méthode de production est parfois dénommée **zéro stock.**
◆ gestion de la production et des stocks

# K

### kaizen
→ **continuous process improvement**

### kanban
A method of Just-in-Time production that uses standard containers or lot sizes with a single card attached to each. It is a pull system in which work centers signal with a card that they wish to withdraw parts from feeding operations or suppliers. Kanban, in Japanese, loosely translated means "card," "billboard," or "sign." The term is often used synonymously for the specific scheduling system developed and used by the Toyota Corporation in Japan.

### kanban$^{nm}$
= **système$^{nm}$ kanban**
Dans un système juste-à-temps, mode de gestion décentralisée selon lequel le déclenchement des opérations est confié aux divers postes de travail qui

signalent à l'aide de petites cartes ou d'étiquettes qu'ils souhaitent retirer des composants des postes en amont.

*Le kanban sert de bon de commande, d'ordre de fabrication et de bon de transfert. Ce système s'emploie surtout pour la grande série ou pour les petites séries répétitives.*

**NOTE** Le terme *kanban* est emprunté au japonais et signifie «carte», «panneau d'affichage» ou «enseigne».

◆ gestion de la production et des stocks

▼
### key point backflush
→ count point backflush

▼
### kit
= **kitted material**
= **staged material**

The components of a parent item that have been pulled from stock and readied for movement to a production area.

### jeu<sup>nm</sup> de pièces
= **jeu<sup>nm</sup> de composants**

Pièces ou composants prélevés du stock et rassemblés pour être dirigés vers une zone de production.

**NOTE** L'expression *liste de matériel est erronée.

◆ gestion de la production et des stocks

▼
### kitted material
→ **kit**

▼
### kitting
The process of constructing and staging kits.

### constitution<sup>nf</sup> de jeux de pièces
Rassemblement de pièces ou de sous-ensembles qui serviront à la production.

◆ gestion de la production et des stocks

▼
### knowledge-based system
A computer program that employs knowledge of the structure of relations and reasoning rules to solve problems by generating new knowledge from the relationships about the subject.

### système<sup>nm</sup> expert
Ensemble de logiciels destinés à simuler le raisonnement humain et qui sont élaborés à partir de connaissances et d'expertises relatives à un domaine particulier.

◆ informatique

▼
### knowledge worker
A worker whose job is the accumulation, transfer, validation, analysis, and creation of information.

### travailleur<sup>nm</sup> du secteur quaternaire
Salarié dont les activités portent sur la conservation, la communication, la vérification, l'analyse ou la conception d'informations.

◆ gestion des ressources humaines

**laboratory order**
→ **experimental order**

**labor chit**
→ **time ticket**

**labor claim**
= **labor ticket**
= **labor voucher**

A factory worker's report listing the jobs he or she has worked on, the number of pieces, number of hours, etc., and often the amount of money to which he or she is entitled. A labor claim is usually made on a labor chit or time ticket.

**fiche<sup>nf</sup> de travail**

Document relevant les heures de travail consacrées par un salarié à une commande, à un produit, à une série de produits, le nombre de composants ou d'articles fabriqués.

◆ gestion de la production et des stocks

**labor cost**

The dollar amount of added value due to labor performed during manufacturing.

**coût<sup>nm</sup> de la main-d'œuvre**

Partie du coût de la fabrication d'un produit correspondant à la rémunération versée aux salariés d'une entreprise.

*Le coût de la main-d'œuvre représente la valeur ajoutée par le travail effectué pendant la fabrication.*

◆ comptabilité

**labor grade**

A class of workers whose capability makes them unique in their skill level or craft.

**classe<sup>nf</sup> de main-d'œuvre**

Catégorie de travailleurs ayant en commun une compétence donnée.

◆ gestion des ressources humaines

**labor productivity**

The rate of output of a worker or group of workers, per unit of time, compared to an established standard or rate of output. Labor productivity can be expressed as output per unit of time or output per labor hour.

**productivité<sup>nf</sup> de la main-d'œuvre**

Rendement d'un travailleur, d'un groupe de travailleurs au cours d'une période par rapport à une norme définie.

*La productivité de la main-d'œuvre peut être mesurée à l'aide d'un taux de production par période ou par heure de travail.*

◆ gestion de la production et des stocks

**labor ticket**
→ **labor claim**

**labor voucher**
→ **labor claim**

**LAN**

Acronym for **local area network.**

**RL**

Abréviation de **réseau local.**

**lap phasing**
→ **overlapped schedule**

**last in, first out**
(LIFO)

Method of inventory valuation for accounting purposes. The assumption is made that the most recently received (last in) is the first to be used or sold (first out), but there is no necessary relationship with the actual physical movement of specific items.

### dernier entré, premier sorti
(DEPS)
= **méthode**nf **de l'épuisement à rebours**
= **méthode**nf **du dernier entré, premier sorti**
Méthode d'évaluation des sorties de stock selon laquelle les articles nouvellement acquis sont les premiers à sortir et qui est donc fondée sur l'inverse de la chronologie d'entrée des différents lots.

*La méthode du dernier entré, premier sorti valorise les stocks en magasin aux coûts les plus anciens alors que les sorties de stock suivent l'évolution des coûts.*

**NOTE** L'avantage de cette méthode est que, dans le calcul des coûts de revient, la valeur des articles utilisés est récente; l'inconvénient est que la valeur du stock est éloignée de sa valeur de renouvellement.
◆ comptabilité

---

▼ **late order**
→ **delinquent order**
→ **past due order**

---

▼ **latest start date**
The latest date at which an operation order can be started in order to meet the due date of the order.

### date nf de début au plus tard
Date ultime à laquelle doit démarrer une opération ou une commande, pour que soit respectée la date de fin programmée de cet ordre de fabrication.
◆ gestion de la production et des stocks

---

▼ **layout**
Physical arrangement of resources or centers of economic activity (machines, groups of people, workstations, storage areas, etc.) within a facility.

### aménagement nm
= **implantation**nf
Disposition des installations, des machines-outils, des postes de travail d'une unité de production en vue d'en tirer le meilleur rendement possible.
◆ gestion de la production et des stocks

---

▼ **LBO**
Abbreviation for **leveraged buyout.**

---

▼ **LCL**
Abbreviation for **less than carload** (lot shipment).

---

▼ **leader pricing**
The selection of a price based on the prices of the dominant seller in a market with unequal competitors. Smaller competitors tend to follow the lead of the dominant seller.

### tarification nf du chef de file
Détermination de prix en fonction des prix fixés par l'entreprise qui domine un marché.
◆ marketing

---

▼ **leading indicator**
A specific business activity index that indicates future trends. For example, housing starts is a leading indicator for the industry that supplies builders' hardware.

### indicateur nm de tendance
= **indicateur**nm **précurseur**
Indice économique évoluant de la même manière que l'ensemble de l'économie, mais en avance sur celle-ci et qui est utilisé pour prévoir les tendances.

*À titre d'exemple, le nombre de mises en chantier par les constructeurs de maisons constitue un indicateur de tendance pour leurs fournisseurs.*
◆ prévision; économie

---

▼ **lead time** 1.
A span of time required to perform a process (or series of operations).

### délai nm
= **cycle**nm
Laps de temps nécessaire pour accomplir une opération.

*Un délai d'approvisionnement, un délai de production, un délai de livraison.*
◆ gestion de la production et des stocks

---

▼ **lead time** 2.
= **total lead time**
In a logistics context, the time between recognition of the need for an order and the receipt of goods. Individual components of lead time can include order preparation time, queue time, move or transportation time, and receiving and inspection time.

### délai nm d'approvisionnement
Période écoulée entre le moment où l'on décide d'approvisionner et celui où les matières ou articles entrent en stock.

*Le délai d'approvisionnement comprend la période nécessaire au service des achats pour passer une commande, après avoir consulté les fournisseurs, obtenu des propositions de prix, vérifié les dates de livraison; le délai propre au fournisseur; les délais de transport; le délai du service contrôle-qualité, pour va-lider la réception de la marchandise.*

◆ gestion des approvisionnements; gestion de la production et des stocks

---

### ▼ lead-time inventory

Inventory that is carried to cover demand during the lead time.

#### stock<sup>nm</sup> de couverture

Stock constitué pour satisfaire la demande pendant le délai d'approvisionnement.

◆ gestion de la production et des stocks

---

### ▼ lead-time offset
= offsetting

A technique used in MRP where a planned order receipt in one time period will require the release of that order in an earlier time period based on the lead time for the item.

#### décalage<sup>nm</sup>

Technique de planification des besoins matières selon laquelle la réception d'un ordre de fabrication à une date donnée supposera le lancement de cet ordre à une période antérieure, décalée du délai de production (ou d'approvisionnement) de cet article.

◆ gestion de la production et des stocks

---

### ▼ learning curve
= experience curve

A planning technique particularly useful in project-oriented industries where new products are phased in rather frequently. The basis for the learning curve calculation is the fact that workers will be able to produce the product more quickly after they get used to making it.

#### courbe<sup>nf</sup> d'apprentissage

Courbe exprimant la décroissance des temps unitaires de main-d'œuvre directe en fonction du doublement de volume de production d'un article.

*La courbe d'apprentissage traduit l'effet de réduction de consommation de temps résultant d'une meilleure adaptation du travailleur à un poste donné quand la série s'allonge.*

NOTE • La technique de planification qui tient compte de la courbe d'apprentissage est particulièrement adaptée dans les entreprises où de nouveaux produits sont mis en production fréquemment.

• Ne pas confondre avec la **courbe d'expérience** qui correspond à la diminution des coûts de production, de distribution à mesure que la production s'accumule.

◆ gestion des ressources humaines; gestion de la production et des stocks

---

### ▼ least squares method

A method of curve fitting that selects a line of best fit through a plot of data to minimize the sum of squares of the deviations of the given points from the line.

#### méthode<sup>nf</sup> des moindres carrés

Méthode d'ajustement de courbe qui, dans un nuage de points, choisit la ligne droite qui minimisera la somme des carrés des écarts de ces points par rapport à la droite.

◆ statistique

---

### ▼ least total cost

A dynamic lot-sizing technique that calculates the order quantity by comparing the setup (or ordering) costs and the carrying cost for various lot sizes and selects the lot where these costs are most nearly equal.

#### méthode<sup>nf</sup> du moindre coût global
= méthode<sup>nf</sup> des coûts équilibrés

Technique dynamique de détermination de la quantité d'articles à commander en vue de minimiser la somme des coûts globaux de passation de commande et de possession des stocks.

◆ gestion des approvisionnements

---

### ▼ least unit cost

A dynamic lot-sizing technique that adds ordering cost and inventory carrying cost for each trial lot size and divides by the number of units in the lot size, picking the lot size with the lowest unit cost.

#### méthode<sup>nf</sup> du moindre coût unitaire

Technique dynamique de détermination de la quantité d'articles à commander selon laquelle les coûts de passation de commande et de possession sont totalisés pour différentes tailles de lot et divisés par la quantité d'articles afin de définir la taille de lot donnant le coût unitaire le plus bas.

◆ gestion des approvisionnements

---

### ▼ less than truckload
(LTL)

Either a small shipment that does not fill the truck or a shipment of not enough weight to qualify for a truck-load (TL) quantity (usually set at about 10,000 lbs.) rate discount, offered to a general commodity trucker.

#### chargement<sup>nm</sup> partiel
= expédition<sup>nf</sup> de détail

Lot de marchandises insuffisant quant à son poids ou à son volume pour l'application d'un tarif d'envoi par camion complet.

◆ transport

## ▼ letter of credit

An assurance by a bank that payment will be made as long as the sales terms agreed to by the buyer and seller are met. This method of payment for sales contracts provides a high degree of protection for the seller.

### lettre[nf] de crédit

Document bancaire permettant à un exportateur d'obtenir le crédit qui lui a été consenti sur l'ordre du banquier de l'importateur pour permettre à celui-ci de régler le prix des produits reçus.

◆ généralités

## ▼ level

Every part or assembly in a product structure is assigned a level code signifying the relative level in which that part or assembly is used within the product structure. Normally the end items are assigned level 0 with the components/subassemblies going into it assigned to level 1 and so on. The MRP explosion process starts from level 0 and proceeds downward one level at a time.

### niveau[nm]

Position codifiée des composants, dans la structure d'un produit.

*Dans la nomenclature, chaque pièce, sous-ensemble ou ensemble reçoit un code qui en précise le niveau.*

NOTE En général, les produits finis sont de niveau zéro; les composés qui entrent dans le produit fini de niveau 1, les sous-ensembles de niveau 2, et ainsi de suite jusqu'à la matière première qui porte le numéro le plus élevé dans la nomenclature.

◆ gestion de la production et des stocks

## ▼ level loading

→ level schedule 2.
→ load leveling

## ▼ level of service

= measure of service
= service level

A measure of the demand that is routinely satisfied by inventory, e.g., the percentage of orders filled from stock or the percentage of dollar demand filled from stock.

### niveau[nm] de service

Mesure de la demande satisfaite à partir des stocks, sans retard de livraison.

NOTE Un niveau de service de 100 % correspond à la situation où toutes les commandes sont satisfaites, sans rupture de stock.

◆ gestion de la production et des stocks

## ▼ level schedule 1.

A schedule that has distributions of material requirements and labor requirements that are as even as possible.

### programme[nm] (de production) nivelé
= programme[nm] équilibré

Programme de production selon lequel l'utilisation des ressources humaines et matérielles est répartie de la façon la plus uniforme possible d'une période à l'autre.

◆ gestion de la production et des stocks

## ▼ level schedule 2.
= level loading

In JIT, a level schedule ideally means scheduling a day's worth of demand on production each day.

### programme[nm] quotidien nivelé

En juste-à-temps, programme selon lequel la production quotidienne est répartie sur un certain horizon, ce qui conduit à un rythme de production linéaire.

◆ gestion de la production et des stocks

## ▼ leveraged buyout
(LBO)

An acquisition of a company using borrowed funds. Generally, the funds are borrowed and the assets of the firm to be acquired are used as collateral. The funds are to be paid with cash flows of the acquired firm. A leveraged buyout is more risky than an acquisition through stock issuance, and the acquisition price is usually higher that the stock price value.

### rachat[nm] d'entreprise financé par l'endettement

Rachat d'une société avec des capitaux d'emprunt garantis par l'actif de la société.

*Un rachat d'entreprise financé par l'endettement présente un plus grand risque qu'une acquisition effectuée à l'aide d'un appel public à l'épargne; en raison du caractère plus spéculatif de ce financement, les acheteurs paient généralement un prix plus élevé.*

◆ gestion

## ▼ life cycle analysis

A quantitative forecasting technique based on applying past patterns of demand data covering introduction, growth, maturity, saturation, and decline of similar products to a new product family.

### analyse[nf] du cycle de vie
= analyse[nf] de la vie économique
(d'un produit, d'un service)

Technique de prévision reposant sur l'étude de l'évolution des ventes d'un produit au cours des phases d'introduction, de croissance, de maturité, de saturation du marché et de déclin.

**NOTE** Le cycle de vie d'un produit couvre la période pendant laquelle il existe un marché pour un produit donné; cette période comprend cinq phases entre le lancement et la disparition de ce produit.

◆ marketing

## ▼ life cycle costing
The identification, evaluation, tracking, and accumulation of actual costs for each product from its initial research and development through final customer servicing and support in the marketplace.

### évaluationnf du coût du cycle de vie
Détermination du coût de revient d'un produit pour l'ensemble des phases de son cycle de vie depuis l'introduction jusqu'à son retrait.

◆ comptabilité

## ▼ life testing
The simulation of a product's life under controlled real-world conditions to see if it holds up and performs as required.

### misenf à l'essai
Vérification par simulation des caractéristiques d'un produit, du fonctionnement d'un appareil dans des conditions qui s'apparentent à celles d'un usage normal.

◆ gestion de la qualité

## ▼ LIFO
Acronym for **last in, first out.**

### DEPS
Abréviation de **dernier entré, premier sorti.**

## ▼ LIMIT
Acronym for **lot-size inventory management interpolation technique.**

## ▼ limiting operation
The operation with the least capacity in a series of operations with no alternative routings. The capacity of the total system can be no greater that the limiting operation, and as long as this limiting condition exists, the total system can be effectively scheduled by scheduling the limiting operation.

### opérationnf goulot
= **opérationnf critique**
Opération, secteur de l'entreprise qui a la capacité la plus faible.

**NOTE** Sans gamme de remplacement, la capacité de système de production ne peut pas être supérieure à celle du goulot d'étranglement.

◆ gestion de la production et des stocks

## ▼ line
A specific physical space for manufacture of a product that in a flow plant layout is represented by a straight line. This may be in actuality a series of pieces of equipment connected by piping or conveyor systems.

### chaînenf
Système de production caractérisé par une implantation linéaire des postes de travail.
*Cette chaîne peut être constituée par une série de machines-outils reliées entre elles par des canalisations ou des convoyeurs.*

◆ gestion de la production et des stocks

## ▼ linear decision rules
A modeling technique using simultaneous equations, e.g., the establishment of aggregate work force levels, based upon minimizing the total cost of hiring, firing, holding inventory, backorders, payroll, overtime, and undertime.

### règlesnf de décision linéaires
Modèle quantitatif qui permet de déterminer le niveau global de main-d'œuvre et le taux de production qui minimisent la valeur espérée des coûts totaux pour un horizon de planification donné.

**NOTE** Le calcul du niveau global de main-d'œuvre est basé sur la minimisation du total des coûts d'engagement, de licenciement du personnel, de possession des stocks, de commandes en retard, etc.

◆ gestion de la production et des stocks; recherche opérationnelle

## ▼ linearity 1.
Production at a constant quantity.

### linéariténf
Production à quantités fixes.

◆ gestion de la production et des stocks

## ▼ linearity 2.
Use of resources at a level rate, typically measured daily or more frequently.

### linéariténf
Utilisation des ressources à un taux constant et mesuré quotidiennement.

◆ gestion de la production et des stocks

## ▼ linear layout
A layout of various machines in one straight line. This type of layout makes it difficult to reallocate operations among workers.

### aménagement<sup>nm</sup> linéaire
= implantation<sup>nf</sup> en ligne
Aménagement d'un atelier où les postes de travail sont placés à la suite les uns des autres, selon la séquence des opérations de la gamme de fabrication en une seule ligne droite.

**NOTE** Les machines sont implantées de telle sorte que la matière passe toujours dans le même ordre, sans retour en arrière.

◆ gestion de la production et des stocks

## ▼ linear production
Actual production to a level schedule, so that a plotting of actual output versus planned output forms a straight line, even when plotted for a short segment of time.

### production<sup>nf</sup> linéaire
Processus de fabrication dont les étapes de transformation sont identiques pour toutes les familles de produits, où la production réelle est égale à la production programmée.

**NOTE** Dans la production linéaire, le flux de production peut être plus ou moins interrompu, avec addition en cours de processus de matières et composants, et le produit, plus ou moins individualisé.

◆ gestion de la production et des stocks

## ▼ linear programming
Mathematical models for solving linear optimization problems through minimization or maximization of a linear function subject to linear constraints. For example, in blending gasoline and other petroleum products, many intermediate distillates may be available. Prices and octane ratings as well as upper limits on capacities of input materials that can be used to produce various grades of fuel are given. The problem is to blend the various inputs in such a way that: (1) cost will be minimized (profit will be maximized), (2) specified optimum octane ratings will be met, and (3) the need for additional storage capacity will be avoided.

### programmation<sup>nf</sup> linéaire
Technique mathématique permettant de trouver les valeurs à affecter à un ensemble de variables qui satisfassent des contraintes linéaires (équations ou inéquations) pour optimiser une fonction linéaire de ces mêmes variables.

*La programmation linéaire est notamment utilisée pour la résolution de problèmes de la production : établissement de programmes de production utilisant la capacité disponible et minimisant les coûts de production par exemple.*

◆ recherche opérationnelle

## ▼ line balancing 1.
The balancing of the assignment of the elemental tasks of an assembly line to workstations to minimize the number of workstations and to minimize the total amount of idle time at all stations for a given output level. In balancing these tasks, the specified time requirement per unit of product for each task and its sequential relationship with the other tasks must be considered.

### équilibrage<sup>nm</sup> des chaînes
Opération qui consiste à agencer les activités des différents postes de travail de façon à ce que la cadence de production soit approximativement la même tout au long de la chaîne de fabrication.

◆ gestion de la production et des stocks

## ▼ line balancing 2.
A technique for determining the product mix that can be run down an assembly line to provide a fairly consistent flow of work through that assembly line at the planned line rate.

### lissage<sup>nm</sup> de charge
Technique de détermination des ordres de fabrication à lancer afin d'assurer un flux aussi régulier que possible sur une chaîne.

◆ gestion de la production et des stocks

## ▼ line efficiency
A measure of actual work content versus cycle time of the limiting operation in a production line. Line efficiency (percentage) is equal to the sum of all station task times divided by the longest task time multiplied by the number of stations. In an assembly line layout the line efficiency is 100% minus the balance of delay percentage.

### efficience<sup>nf</sup> de la chaîne
Rapport entre la durée effective du travail et la somme des temps opératoires nécessaires à la réalisation de chacune des phases de la production.

◆ gestion de la production et des stocks

## ▼ line item
One item on an order, regardless of quantity.

### élément<sup>nm</sup> d'un ordre de fabrication
Article d'une commande client indépendamment de la quantité.

**NOTE** En ce sens, l'emploi du nom *item est un anglicisme.

◆ gestion de la production et des stocks

### line loading
The loading of a production line by multiplying the total pieces by the rate per piece for each item to come up with a finished schedule for the line.

### chargement[nm] d'une chaîne
Affectation des ordres de fabrication aux divers postes de travail d'une chaîne de montage.

*Le chargement d'une chaîne de montage est calculé à l'aide des cycles d'opération qui sont obtenus en multipliant, pour chaque article à produire, la cadence prévue par la quantité programmée.*

◆ gestion de la production et des stocks

### line of balance planning
A project planning technique using a lead-time offset chart and a chart of required final assembly completions to graph a third bar chart showing the number of each component that should be completed to date. This bar chart forms a descending line and aggregate component completions are then plotted against this "line of balance." This is a crude form of material planning.

### planification[nf] d'enchaînement des tâches
Technique de planification de projet selon laquelle un graphique est conçu par superposition du graphique des décalages des ensembles et composants au graphique des prévisions de sortie d'un produit afin d'établir la quantité et la date de production de chaque composant.

*La planification d'enchaînement des tâches est une forme sommaire de calcul des besoins.*

◆ gestion de la production et des stocks

### live load
→ **available work**

### load
The amount of planned work scheduled and actual work released for a facility, work center, or operation for a specific span of time. Usually expressed in terms of standard hours of work or, when items consume similar resources at the same rate, units of production.

### charge[nf] (de travail)
Quantité de travail planifiée et réalisée par un poste de production, un atelier pendant une durée déterminée.

*La charge de travail s'exprime en unités d'œuvre ou en heures standards de travail lorsque les ressources sont utilisées à un taux constant.*

**NOTE** La charge de travail comprend les temps de mise en course ainsi que les temps de production des quantités définies par les ordres de fabrication.

◆ gestion de la production et des stocks

### load center
→ **work center**

### load leveling
= **capacity smoothing**
= **level loading**
Spreading orders out in time or rescheduling operations so that the amount of work to be done in sequential time periods tends to be distributed evenly and is achievable.

### lissage[nm] de charge
= **nivellement[nm] des charges**
Réordonnancement des ordres de fabrication de manière à équilibrer dans le temps la charge des divers postes de travail, des équipes.

**NOTE** Cette technique doit être utilisée avec prudence afin de ne pas compromettre la réalisation du programme directeur.

◆ gestion de la production et des stocks

### load profile
→ **capacity requirements plan**

### load projection
→ **capacity requirements plan**

### local area network
(LAN)
A high-speed data communication system for linking computer terminals, programs, storage, and graphic devices at multiple workstations distributed over a relatively small geographic area such as a building or campus.

### réseau[nm] local
(RL)
Système de télécommunications permettant d'interconnecter des ordinateurs dans un secteur géographique limité pour les besoins de l'informatique interne et pour la messagerie.

◆ informatique

### local measures
That set of measurements that relate to a resource, operation, process, or part and usually have low correl-

ation to global organization measures. Examples are errors per printed page, departmental efficiency, and volume discounts.

### indices<sup>nm</sup> spécifiques

Éléments d'information relatifs à une opération déterminée, à un procédé, à une ressource définie et ayant généralement un faible taux de corrélation avec les indices généraux de l'entreprise.

*Le nombre de coquilles par page de texte, le rendement d'une unité administrative, le pourcentage des remises quantitatives constituent des indices spécifiques.*

◆ généralités

---

### location audit

A methodical verification of the location records for an item or group of items in inventory to ensure that when the record shows an item's location, it is, in fact, in that location.

### vérification<sup>nf</sup> de localisation (du stock)

Examen méthodique des fiches de stock d'un article ou d'un groupe d'articles afin de s'assurer de leur exactitude en ce qui a trait au lieu de stockage des matières et articles de l'entreprise.

◆ gestion de la production et des stocks

---

### locator file
= locator system

A file used in a stockroom or anywhere each item does not have a specific fixed location. The locator file records where the items have been selected to be stored.

### fichier<sup>nm</sup> de localisation

Fichier donnant les indications nécessaires au repérage d'articles pour un magasin.

*Le fichier de localisation enregistre les emplacements des divers articles.*

◆ gestion de la production et des stocks

---

### locator system
= locator file

A system for maintaining a record of the storage location(s) of items in inventory.

### système<sup>nm</sup> de localisation

Système qui répertorie et met à jour les emplacements des matières, des articles dans un magasin.

◆ gestion de la production et des stocks

---

### logistics

In an industrial context, this art and science of obtaining, producing, and distributing material and product in the proper place and in proper quantities. In a military sense (where it has greater usage), its meaning can also include the movement of personnel.

### logistique<sup>nf</sup>

Gestion systématique du processus d'acheminement, de production, de distribution des matières et produits nécessaires à l'exploitation d'une entreprise.

**NOTE** Ce terme provient du vocabulaire militaire.

◆ gestion de la production et des stocks

---

### logistics system

The planning and coordination of the physical movement aspects of a firm's operations such that a flow of raw materials, parts, and finished goods is achieved in such a way that total costs are minimized for the levels of service desired.

### fonction<sup>nf</sup> logistique

Ensemble des méthodes et des techniques qui concourent à la planification et à la régulation des flux des matières premières, composants, en cours de fabrication, produits finis aussi bien dans le temps que dans l'espace et dans le respect des contraintes de coûts établies en fonction des niveaux de service planifiés.

◆ gestion de la production et des stocks

---

### log normal distribution

A continuous probability distribution where the logarithms of the variable are normally distributed.

### distribution<sup>nf</sup> log-normale

Distribution de probabilités dans laquelle le logarithme de la variable est distribué suivant une loi normale.

◆ statistique

---

### long-range resource planning
→ resource planning

---

### long-term planning
→ resource planning

---

### loss leader pricing

Pricing some products at below costs to attract customers into the store, in the expectation that they will buy some other items as well.

### fixation<sup>nf</sup> de prix d'appel

Action d'abaisser le prix de certains biens ou services, généralement choisis pour la notoriété de leur marque, afin d'attirer la clientèle.

◆ marketing

## lost time factor

The complement of productivity, that is, one minus the productivity factor. It can also be calculated as the planned hours minus standard hours earned, divided by the planned hours.

### coefficient[nm] de perte de temps

Ratio des heures standards réelles aux heures programmées.

*Le coefficient de perte de temps est égal aux heures prévues soustraites des heures réelles et divisées par les heures prévues.*

♦ gestion de la production et des stocks

## lot

A quantity produced together and sharing the same production costs and resultant specifications.

### lot[nm]

Groupement de pièces, composants, ensembles qui subiront ensemble les opérations de leur usinage, conditionnement ou traitement.

*Les éléments d'un lot ont des coûts de production identiques.*

♦ gestion de la production et des stocks

## lot-for-lot
### = discrete order quantity

A lot-sizing technique that generates planned orders in quantities equal to the net requirements in each period.

### lot-pour-lot[nm]

Technique de détermination de la taille des lots selon laquelle l'ordre de fabrication planifié pour une période sera égal au besoin net de cette même période.

♦ gestion de la production et des stocks

## lot number control

Assignment of unique numbers to each instance of receipt and carrying forth that number into subsequent manufacturing processes so that, in review of an end item, each lot consumed from raw materials through end item can be identified as having been used for the manufacture of this specific end item lot.

### contrôle[nm] par numéro de lot

Attribution d'un numéro unique à chaque lot qui permettra tout au long du processus de pouvoir retrouver chacun des composants et des ensembles d'un lot de produits finis.

♦ gestion des approvisionnements

## lot number traceability

Tracking parts by lot numbers to a group of items. This tracking can assist in the tracing of quality problems to their source. A lot number identifies a designated group of related items manufactured in a single run or received from a vendor in a single shipment.

### repérage[nm] d'un lot
### = traçabilité[nf]

Faculté de retrouver des composants à l'aide d'un numéro de série.

*Le repérage des lots permet de remonter à l'origine d'un problème de qualité.*

♦ gestion de la production et des stocks

## lot operation cycle time

Length of time required from the start of setup to the end of cleanup for a production lot at a given operation, including setup, production, and cleanup.

### temps[nm] de cycle d'une opération sur un lot

Temps nécessaire pour produire un lot à une opération spécifique depuis la mise en course jusqu'à la fin du nettoyage.

*Le temps de cycle d'une opération sur un lot comprend la mise en course, l'exécution, le nettoyage.*

♦ gestion de la production et des stocks

## lot size
### = order quantity

The amount of a particular item that is ordered from the plant or a supplier.

### taille[nf] de lot

Quantité d'un article à fabriquer ou à approvisionner.

♦ gestion de la production et des stocks

## lot-size code
### = order policy code

A code that indicates the lot-sizing technique selected for a given item.

### code[nm] de détermination de la taille des lots
### = code[nm] de lotissement

Code indiquant la technique de détermination de la taille des lots choisie pour un article donné.

♦ gestion de la production et des stocks

## lot-size inventory

Inventory that results whenever quantity price discounts, shipping costs, setup costs, or similar considerations make it more economical to purchase or produce in larger lots than are needed for immediate purposes.

### stock[nm] de lot
= stock[nm] économique

Stock supérieur aux besoins à court terme en raison de critères économiques (remises quantitatives, coûts de préparation des commandes, coûts de possession du stock).

◆ gestion de la production et des stocks

---

### lot-size inventory management interpolation technique
(LIMIT)

A technique for looking at the lot sizes for groups of products to determine what effect economic lot sizes will have on the total inventory and total setup costs.

### méthode[nf] LIMIT

Technique permettant d'évaluer l'impact des diverses tailles de lot de familles de produits sur les coûts de possession du stock et de réglage.

◆ gestion de la production et des stocks

---

### lot sizing
= order policy

The process of, or techniques used in, determining lot size.

### détermination[nf] de la taille des lots
= lotissement[nm]

Ensemble des techniques utilisées pour calculer la quantité d'unités constituant un lot.

◆ gestion de la production et des stocks

---

### lot splitting
= operation splitting

Dividing a lot into two or more sublots and simultaneously processing each sublot on identical (or very similar) facilities as separate lots, usually in order to compress lead time or expedite a small quantity.

### fractionnement[nm] de lot
= division[nf] d'un lot

Technique d'ordonnancement consistant à diviser un lot en plusieurs parties qui seront exécutées simultanément ou non sur plusieurs postes de travail afin de réduire le délai de fabrication ou d'expédier une petite quantité.

◆ gestion de la production et des stocks

---

### lot traceability

The ability to identify the lot or batch numbers of consumption and/or composition for manufactured, purchased, and shipped items. This is a federal (US) requirement in certain regulated industries.

### repérage[nm] de lot
= traçabilité[nf] de lot

Possibilité de retrouver le lot ou le numéro de lot pour la consommation et/ou la composition des articles fabriqués, achetés et livrés.

*Le repérage ou la traçabilité des lots constitue une exigence gouvernementale pour certains produits alimentaires ou pharmaceutiques, notamment en cas de rappel des produits.*

◆ gestion de la production et des stocks

---

### low-level code
= explosion level

A number that identifies the lowest level in any bill of material at which a particular component may appear. Net requirements for a given component are not calculated until all the gross requirements have been calculated down to that level. Low-level codes are normally calculated and maintained automatically by the computer software.

### code[nm] de plus bas niveau

Dans une nomenclature, code qui indique le plus bas niveau auquel peut être monté un composant.

NOTE Dans un système de planification des besoins matières, lorsqu'un composant est commun à plusieurs produits et utilisé à des niveaux différents, c'est au plus bas niveau d'utilisation que seront connus tous les besoins bruts.

◆ gestion de la production et des stocks

---

### LTL
Abbreviation for **less than truckload.**

---

### lumpy demand
→ discontinuous demand

# M

## machine center

A production facility consisting of one or more machines (and, if appropriate for capacity planning, the necessary support personnel) that can be considered as one unit for purposes of capacity requirements planning and detailed scheduling.

### poste$^{nm}$ de travail
### = centre$^{nm}$ de charge

Centre d'activités comprenant les machines, les outillages nécessaires à l'exécution du travail et qu'on peut considérer comme une unité de fabrication pour la planification des besoins de capacité et pour l'ordonnancement.

◆ gestion de la production et des stocks

## machine hours

The amount of time, in hours, that a machine is actually running. Machine hours, rather than labor hours, may be used for planning capacity and scheduling and for allocating costs.

### heure$^{nf}$(-)machine

Unité de mesure correspondant au fonctionnement d'une machine pendant une heure.

*L'heure-machine peut comprendre toute combinaison des facteurs temps et machine (1 machine pendant 1 heure, 2 machines pendant 30 minutes, etc.). Cette unité de mesure est utilisée lors de la planification des capacités, de l'ordonnancement et de l'affectation des coûts.*

NOTE Au pluriel, les deux éléments varient puisqu'il s'agit d'un produit (heure x machine) et non d'un quotient, comme dans le cas de kilomètre par heure où heure est invariable : des heures-machines.

◆ gestion de la production et des stocks

## machine loading

The accumulation by workstation(s), machine, or machine group of the hours generated from the sched-

uling of operations for released orders by time period. Machine loading differs from capacity requirements planning in that it does not use the planned orders from MRP but operates solely from scheduled receipts (released orders). As such, it may be of very little value due to its limited visibility of resources.

### chargement$^{nm}$ des machines

Distribution de la charge de travail aux divers postes de travail par période.

*Le calcul du chargement des machines est un cumul des charges correspondant strictement aux ordres lancés.*

NOTE La planification des besoins de capacité tient compte de l'ensemble des ordres prévisionnels.

◆ gestion de la production et des stocks

## machine utilization

A measure of how intensively a machine is being used. Machine utilization measures the actual machine time (setup and run time) to available time.

### taux$^{nm}$ d'utilisation des machines

Rapport entre le temps productif d'une machine (temps de mise en course et temps d'exécution) et le temps disponible.

*Pour le calcul du taux d'utilisation des machines, on divise les heures consacrées à produire (mise en course et exécution) par le total des heures affectées à l'activité au cours de la même période.*

NOTE Le taux d'utilisation des machines est une mesure du degré d'emploi d'une ressource.

◆ gestion de la production et des stocks

## machining center

A machine capable of performing a variety of metal removal operations on a part, usually under numerical control.

### centre$^{nm}$ d'usinage

Machine, le plus souvent à commande numérique, capable de réaliser une grande variété d'opérations sur une pièce.

- ◆ gestion de la production et des stocks

## ▼ MAD
Acronym for **mean absolute deviation.**

### ÉMA
Abréviation de **écart moyen absolu.**

## ▼ maintainability
The characteristic of equipment design and/or installation that provides the ability for the equipment to be repaired easily and efficiently.

### maintenabilité[nf]
= **facilité[nf] d'entretien**
Aptitude d'un système technique à être maintenu ou rétabli dans la fonction prévue, dans des conditions données.

◆ gestion de la production et des stocks

## ▼ maintenance, repair, and operating supplies
(MRO)
Items used in support of general operations and maintenance such as maintenance supplies, spare parts, and consumables used in the manufacturing process and supporting operations.

### fournitures[nf] de fabrication et d'entretien
Ensemble des articles, pièces et matières consommables servant à la production en général ainsi qu'à la réparation ou à la maintenance de l'équipement.

◆ gestion de la production et des stocks

## ▼ major setup
The equipment setup and related activities required to manufacture a group of items in sequence, exclusive of the setup required for each item in the group.

### mise[nf] en course majeure
= **changement[nm] de série majeur**
Ensemble des opérations de préparation exigées pour la production en série d'une famille d'articles, à l'exclusion des réglages qui doivent être faits pour chaque article de la même famille.

◆ gestion de la production et des stocks

## ▼ make-or-buy decision
The act of deciding whether to produce an item in house or buy it from an outside supplier.

### décision[nf] achat-fabrication
Choix de produire un article ou de l'acheter d'un fournisseur.

◆ gestion des approvisionnements; gestion de la production et des stocks

## ▼ make-to-order product
A product that is finished after receipt of a customer's order. The final product is usually a combination of standard items and items custom designed to meet the special needs of the customer. Frequently long lead-time components are planned prior to the order arriving in order to reduce the delivery time to the customer. Where options or other subassemblies are stocked prior to customer orders arriving, the term "assemble-to-order" is frequently used.

### produit[nm] fabriqué sur commande
Produit dont la fabrication n'est terminée que lorsque la commande correspondante a été reçue.

*Le produit fabriqué sur commande comporte généralement des composants standards auxquels sont ajoutés des composants spécifiquement conçus pour répondre aux besoins particuliers du client.*

**NOTE** Les composants dont les délais d'approvisionnement sont longs sont souvent commandés avant la réception des commandes afin de réduire les délais de livraison.

◆ gestion de la production et des stocks

## ▼ make-to-stock product
A product that is shipped from finished goods, "off the shelf," and therefore is finished prior to a customer order arriving. The master scheduling and final assembly scheduling are conducted at the finished goods level.

### produit[nm] fabriqué pour les stocks
= **produit[nm] pour le stock**
Produit fini destiné à la constitution des stocks à partir duquel les demandes clients sont satisfaites (produit de grande diffusion à court délai de livraison).

◆ gestion de la production et des stocks

## ▼ management by objectives
(MBO)
A participative goal-setting process that enables the supervisor to construct and communicate the goals of the department to each subordinate. At the same time, the subordinate is able to formulate his or her own goals and influence the department's goals.

### gestion[nf] par objectifs
Méthode de gestion participative qui consiste à fixer, en collaboration avec les gestionnaires et les travail-

leurs, des objectifs quantitatifs et qualitatifs qui sont co-
hérents avec le programme global de l'entreprise.

◆ gestion

## management estimation

A judgmental forecasting technique whereby responsible executives predict the demand for new products or alter a quantitative forecast for existing products
largely based on experience and intuition. Other judgmental forecasting techniques may be used in combination with management estimation to improve the
accuracy of the estimate.

### prévision[nf] empirique

Estimation des ventes de nouveaux produits ou de produits existants fondée sur l'expérience et l'intuition des
gestionnaires.

◆ prévision

## management information system

(MIS)

A manual or computerized system that anticipates the
wide use of data for management planning and control
purposes. Accordingly, the data are organized in a database and are readily available to a variety of management functions.

### système[nm] d'information de gestion

(SIG)

= système[nm] intégré de gestion

Système intégré dont le fonctionnement repose autant
sur l'apport humain que technique et ayant pour but de
fournir les informations nécessaires à l'exploitation et à
la gestion d'une entreprise ainsi qu'à la prise de décision.

◆ gestion

## management science

→ operations research 2.

## manual rescheduling

The most common method of rescheduling open orders (scheduled receipts). Under this method the MRP
system provides information on the part numbers and
order numbers that need to be rescheduled. Due dates
and/or order quantity changes required are then ana-
lyzed and changed by material planners or other authorized persons.

ANT. automatic rescheduling

### réordonnancement[nm] manuel

= reprogrammation[nf] manuelle

Opération consistant à modifier les dates de fin de production d'un ordre de fabrication afin de respecter le
délai de livraison prévu.

Le réordonnancement manuel est la méthode la
plus couramment utilisée et c'est la planification des besoins matières qui fournit les données sur les numéros
de pièces et d'ordres de fabrication qui doivent être ré-
ordonnancés.

◆ gestion de la production et des stocks

## manufacturability

A measure of the design of a product or process in terms
of its ability to be produced easily, consistently, and with
high quality.

### fabricabilité[nf]

Aptitude d'un produit à être réalisé, facilement, de façon
constante et avec une excellente qualité.

◆ gestion de la production et des stocks

## manufacturing authorization

→ manufacturing order

## manufacturing automation protocol

(MAP)

An application-specific protocol based on the International Standards Organization's open systems interconnection (OSI) standards. It is designed to allow
communication between a company's computers and
computers from different vendors in the manufacturing
shop floor environment.

### protocole[nm] d'automatisation industrielle

Protocole de l'Organisation internationale de normalisation (ISO) qui utilise les standards définis par la norme
OSI (interconnexion de systèmes ouverts) et dont l'objectif est de mettre en harmonie la communication entre
les systèmes.

Le protocole d'automatisation industrielle permet
des liaisons informatiques entre une entreprise et ses
différents fournisseurs.

◆ informatique

## manufacturing calendar

= M-day calendar

= planning calendar

= shop calendar

A calendar used in inventory and production planning
functions that consecutively numbers only the working
days so that the component and work order scheduling
may be done based on the actual number of work days
available.

### calendrier[nm] de production

= calendrier[nm] de fabrication

Calendrier ne dénombrant de manière consécutive que
les jours ouvrables afin de faciliter la planification et de

permettre l'ordonnancement des ordres de fabrication en fonction des jours de travail disponibles.

◆ gestion de la production et des stocks

---

## manufacturing cycle
= **manufacturing lead time**
= **production cycle**
= **production lead time**

The length of time between the release of an order to the shop and the shipment to the final customer or receipt into finished stores.

### cycle[nm] de fabrication
= **délai[nm] de fabrication**

Temps habituel nécessité pour l'accomplissement des opérations de production depuis le lancement d'un ordre de fabrication jusqu'à la livraison du produit fini.

*Le cycle de fabrication comprend les temps de mise en course, le temps opératoire, le temps de contrôle de la qualité et le temps de mise à disposition.*

◆ gestion de la production et des stocks

---

## manufacturing data sheet
→ routing

---

## manufacturing environment

The framework in which manufacturing strategy is developed and implemented. Elements of the manufacturing environment include external environmental forces, corporate strategy, business unit strategy, other functional strategies (marketing, engineering, finance, etc.), product selection, product/process design, product/process technology, and management competencies.

### environnement[nm] de l'entreprise manufacturière

Ensemble des facteurs économiques, sociologiques, techniques qui influent sur la vie de l'entreprise et en fonction desquels la stratégie de production est établie.

◆ gestion; gestion de la production et des stocks

---

## manufacturing instruction
(MI)

A set of detailed instructions for carrying out a manufacturing process. The MI is usually referenced by the routing and thus can simplify the content of the routing.

### instructions[nf] de fabrication

Consignes détaillées définissant la façon d'exécuter un travail, un procédé de fabrication.

**NOTE** Les instructions de fabrication sont généralement énumérées dans la gamme d'opérations.

◆ gestion de la production et des stocks

---

## manufacturing layout strategies

An element of manufacturing strategy. It is the analysis of physical capacity, geography, functional needs, corporate philosophy, and product-market/process focus to systematically respond to required facility changes driven by organizational, strategic, and/or environmental considerations.

### stratégie[nf] d'aménagement

Élément de la stratégie de production se rapportant au choix de l'implantation des postes de travail en fonction des capacités, du choix des produits et des procédés les plus aptes à répondre aux besoins évolutifs du marché.

◆ gestion de la production et des stocks

---

## manufacturing lead time
= **manufacturing cycle**

The total time required to manufacture an item, exclusive of lower level purchasing lead time. Included here are order preparation time, queue time, setup time, run time, move time, inspection time, and put-away time.

### délai[nm] de fabrication
= **cycle[nm] de fabrication**

Temps total nécessité pour l'accomplissement des opérations de production et comprenant le temps de préparation de l'ordre de fabrication, la file d'attente, le temps de mise en course, le temps opératoire, le temps de manutention, le contrôle de la qualité et le temps de mise à disposition.

◆ gestion de la production et des stocks

---

## manufacturing order
= **job order**
= **production order**
= **production release; run order; shop order**

A document, group of documents, or schedule conveying authority for the manufacture of specified parts or products in specified quantities.

### ordre[nm] de fabrication
(OF)

Document donnant instruction à la fabrication de produire une quantité donnée de composants ou de produits.

*Les ordres de fabrication sont exprimés en nombres d'articles et l'exécution d'un ordre est généralement matérialisée par une entrée en stock.*

**NOTE** C'est l'ordre de fabrication (OF) qui déclenche la mise en fabrication et précise l'article à fabriquer, la quantité, ainsi que le délai de fin de fabrication souhaité.

◆ gestion de la production et des stocks

## manufacturing order reporting
→ production reporting and status control

## manufacturing philosophy
The set of guiding principles, driving forces, and ingrained attitudes that help communicate goals, plans, and policies to all employees and that are reinforced through conscious and subconscious behavior within the manufacturing organization.

### philosophie[nf] de production
Expression de la finalité et des principes d'une entreprise, des grandes orientations qui en découlent et mise en commun des objectifs poursuivis par l'ensemble des employés.

*La philosophie de production prolonge les orientations de l'entreprise en matière de politique générale et doit contribuer à la définition des avantages distinctifs recherchés.*

◆ gestion de la production et des stocks

## manufacturing process
The series of operations performed upon material to convert it from the raw material or semifinished state to a state of further completion and a greater value. Manufacturing processes can be arranged in a process layout, product layout, or cellular manufacturing layout. Manufacturing processes can be planned to support make-to-stock, make-to-order, assemble-to-order, etc., based on the strategic placement of inventories.

### procédé[nm] de fabrication
Ensemble des opérations qui, à partir des matières premières, aboutissent à la réalisation du produit fini.

*Le procédé de fabrication peut être en continu, en discontinu, en cellules, sur commande, pour le stock, etc., selon les décisions stratégiques de l'entreprise.*

◆ gestion de la production et des stocks

## manufacturing release
The issuance of a manufacturing order into the factory.

### ordre[nm] de lancement
= lancement[nm] en fabrication
Document déclenchant le processus de réalisation du produit à l'atelier.

◆ gestion de la production et des stocks

## manufacturing resource planning
(MRP II)
A method for the effective planning of all resources of a manufacturing company. Ideally, it addresses operational planning in units, financial planning in dollars, and has a simulation capability to answer "what if" questions.

It is made up of a variety of functions, each linked together: business planning, sales and operations (production planning), master production scheduling, material requirements planning, capacity requirements planning, and the execution support systems for capacity and material. Output from these systems is integrated with financial reports such as the business plan, purchase commitment report, shipping budget, inventory projections in dollars, etc. Manufacturing resource planning is a direct outgrowth and extension of closed-loop MRP.

### planification[nf] des ressources de production
(PRP)
Méthode de planification et de gestion intégrée de l'ensemble des besoins matières et des besoins de capacité d'une entreprise industrielle.

*La planification des ressources de production se fait à partir du plan stratégique, du plan de production, du programme directeur de production, de la planification des besoins matières, de la planification de la capacité à l'aide d'analyse de simulation.*

NOTE • La planification des ressources de production permet le suivi des écarts entre les prévisions et les réalisations et l'établissement du budget de fabrication, des coûts standards, des prévisions de besoins de trésorerie, des taux de rentabilité par famille de produits.

• L'abréviation MRP II est couramment utilisée en français.

◆ gestion de la production et des stocks

## manufacturing strategy
A collective pattern of decisions that act upon the formulation and deployment of manufacturing resources. To be most effective, the manufacturing strategy should act in support of the overall strategic direction of the business and provide for competitive advantages.

### stratégie[nf] de production
Ensemble de décisions visant la mise en œuvre optimale des ressources de production d'une entreprise.

*Pour être vraiment efficace, la stratégie de production doit découler directement de la stratégie directrice de l'entreprise.*

◆ gestion de la production et des stocks

## manufacturing volume strategies
An element of manufacturing strategy that includes a series of assumptions and predictions about long-term market, technology, and competitive behavior in the following areas: (1) the predicted growth and variability of demand, (2) the costs of building and operating different sized plants, (3) the rate and direction of technological improvement, (4) the likely behavior of com-

petitors, and (5) the anticipated impact of international competitor, markets, and sources of supply. It is the sequence of specific volume decisions over time which determines an organization's long-term manufacturing volume strategy.

### stratégie[nf] d'échelle

Élément de la stratégie de production qui est fondé sur les prévisions de demande à long terme, sur l'orientation des changements technologiques, sur les tendances générales du marché et sur l'étude des coûts en fonction des dimensions potentielles de l'entreprise.

*Ce sont les différentes décisions de niveau de production qui définissent la stratégie d'échelle à long terme.*

◆ gestion de la production et des stocks

---

### MAP

Abbreviation for **manufacturing automation protocol.**

---

### marginal cost

The additional out-of-pocket costs incurred when the level of output of some operation is increased by one unit.

### coût[nm] marginal

Coût de la dernière unité produite.

◆ économie

---

### marginal pricing

Pricing products at a markup over the marginal cost of producing the next item. Marginal costs generally include the variable cost of producing and selling an additional item.

### méthode[nf] de tarification selon les coûts marginaux

= **méthode[nf] de tarification selon les coûts différentiels**

Méthode qui consiste à fixer un prix en ne tenant compte que des frais marginaux afférents à la dernière unité produite, au dernier service rendu.

◆ marketing

---

### marginal revenue

The additional income received when the level of output of some operation is increased by one unit.

### revenu[nm] marginal

= **produit[nm] (d'exploitation) marginal**

Accroissement des produits d'exploitation provenant de la production de la dernière unité.

◆ comptabilité

---

### market demand

The total need for a product or product line.

### demande[nf]

Expression des intentions d'achat d'un bien, à un prix donné, pendant une durée déterminée, des différents agents économiques.

◆ économie

---

### market hedge
→ **hedge** 2.

---

### market penetration

The degree to which a product has been sold to a target market.

### taux[nm] de pénétration du marché

Rapport entre les ventes d'un produit ou d'un service et le potentiel du marché correspondant.

◆ marketing

---

### market positioned warehouse

Warehouse positioned to replenish customer inventory assortments and to afford maximum inbound transport consolidation economics from inventory origin points with relatively short-haul local delivery.

### implantation[nf] d'entrepôt en fonction du marché cible

Emplacement d'un lieu de stockage à faible distance de la clientèle en vue de minimiser les frais de livraison.

◆ gestion de la production et des stocks

---

### market segmentation

A marketing strategy in which the total market is disaggregated into submarkets or segments sharing some measurable characteristic based on demographics, psychographics, life style, geographics, benefits, etc.

### segmentation[nf] de marché

Technique qui consiste à fractionner le marché en sous-groupes (segments) d'acheteurs à l'aide d'un certain nombre de critères (variables) économiques, socio-démographiques, géographiques, etc.

*La segmentation de marché comporte quatre étapes:*
*– le choix des critères de segmentation,*
*– l'étude de chaque segment,*
*– le ciblage d'un ou plusieurs segments,*
*– la définition de la stratégie marketing pour chaque segment retenu.*

◆ marketing

▼ **market share**
The actual portion of current market demand that a company and/or product achieves.

**part$^{nf}$ de marché**
Pour un produit ou un service donné, rapport entre les quantités vendues par une entreprise et l'ensemble des ventes des entreprises concurrentes sur le marché au cours d'une même période, généralement l'année.
◆ marketing

▼ **mass production**
→ **continuous production**

▼ **master budget**
= **static budget**
The document that consolidates all other budgets of an organization into an overall plan, including the projection of a cash flow statement and an operating statement for the budget period as well as a balance sheet for the end of the budget period.

**budget$^{nm}$ général**
= **budget$^{nm}$ directeur**
État prévisionnel global des dépenses et des recettes à réaliser au cours d'une période donnée par une entreprise, une administration et réunissant le budget de ventes, le budget des approvisionnements, le budget de production, le budget de trésorerie, le budget des investissements.
**NOTE** Le budget général a son aboutissement dans l'établissement d'états financiers prévisionnels : le bilan prévisionnel et l'état des résultats d'exploitation prévisionnel.
◆ comptabilité

▼ **master file**
A main reference file of information such as the item master file and work center file.
**ANT.** detail file

**fichier$^{nm}$ principal**
Fichier de base comportant des données de référence relativement permanentes pour une fonction déterminée.
*Le fichier principal d'un article, le fichier principal d'un poste de travail.*
◆ gestion de la production et des stocks

▼ **master planning**
A classification scheme that includes the following activities: forecasting and order servicing (which together constitute demand management); production and resource planning; and master scheduling (which includes the final assembly schedule, the master schedule, and the rough cut capacity plan).

**planification$^{nf}$ générale de la production**
Détermination des objectifs de production de l'entreprise et des moyens à mettre en œuvre pour l'atteinte de ces objectifs dans les délais prévus.
*La planification générale de la production comprend les activités suivantes : la prévision des ventes, la planification des ressources, la planification de la production et l'établissement du programme directeur de production.*
◆ gestion de la production et des stocks

▼ **master production schedule**
(MPS)
= **master schedule**
The anticipated build schedule for those items assigned to the master scheduler. The master scheduler maintains this schedule and, in turn, it becomes a set of planning numbers that drives material requirements planning. It represents what the company plans to produce expressed in specific configurations, quantities, and dates. The master production schedule is not a sales forecast that represents a statement of demand. The master production schedule must take into account the forecast, the production plan, and other important considerations such as backlog, availability of material, availability of capacity, management policies and goals, etc. The result of the master scheduling process. The master schedule is a presentation of demand, forecast, backlog, the MPS, the projected on-hand inventory, and the available-to-promise quantity.

**programme$^{nm}$ directeur de production**
(PDP)
= **plan$^{nm}$ directeur de production**
Programme de fabrication exprimant les décisions de production à moyen terme découlant de la demande commerciale et de la capacité de l'entreprise.
*Le programme directeur de production est exprimé en articles, quantités et délais et il fournit les données utiles à la planification des besoins matières, à l'élaboration du budget de fabrication, à la planification globale des capacités et des charges.*
**NOTE** • Le programme directeur de production tient compte des prévisions, du plan de production ainsi que du portefeuille de commandes, des disponibilités des matières et des ressources.
• Les expressions *plan maître et *cédule maîtresse sont fautives.
◆ gestion de la production et des stocks

▼ **master route sheet**
The authoritative route process sheet from which all other format variations and copies are derived.

## gamme[nf] directrice (de fabrication)
= gamme[nf] de base
= gamme[nf] mère

Gamme à partir de laquelle sont dérivées toutes les gammes d'opérations, variantes et copies.

◆ gestion de la production et des stocks

---

## master schedule
→ master production schedule

---

## master schedule item

A part number selected to be planned by the master scheduler. The item is deemed critical in terms of its impact on lower level components and/or resources such as skilled labor, key machines, dollars, etc. Therefore, the master scheduler, not the computer, maintains the plan for these items. A master schedule item may be an end item, a component, a pseudo number, or a planning bill of material.

### article[nm] du programme directeur

Produit choisi pour apparaître au programme directeur de production en fonction de son impact sur les composants ou sur les ressources.

*Un article du programme directeur de production peut être un produit fini, un composant, un numéro fictif ou une nomenclature de planification.*

◆ gestion de la production et des stocks

---

## master schedule process

A time-phased planning activity using firm and planned quantities of demand, supply, and inventory balances for each item. Its primary use is to help in developing the master production schedule, and it contains lines for forecast and customer order demands, the MPS supply, and the available-to-promise and projected available inventory balances. Most computer systems use logic to assist the master scheduler in establishing MPS quantities and due dates that meet lead time, safety stock, and lot-size policies established for the item.

### établissement[nm] du programme directeur de production

Ensemble des étapes successives du processus général de planification de la production par échéancement en vue de l'élaboration du programme directeur de production.

*L'établissement du programme directeur de production vise l'utilisation optimale des ressources, la minimisation des coûts de production et le respect des délais de livraison des produits en fonction de la demande prévisionnelle.*

◆ gestion de la production et des stocks

---

## material analyst

Person assigned responsibility for and identification of the planning requirements for specific items and responsibility for each order.

### analyste[nm et nf] matières

Spécialiste chargé de la planification des besoins matières en fonction du programme directeur de production.

◆ gestion de la production et des stocks

---

## material control
→ inventory control

---

## material-dominated scheduling
(MDS)

A technique that schedules materials before processors (equipment/capacity). This facilitates the efficient use of materials. MDS can be used to schedule each stage in a process flow scheduling system. MRP systems use material-dominated scheduling logic.

### ordonnancement[nm] axé sur les besoins matières

Technique de planification et de contrôle de la production qui définit les besoins et les mouvements de matières avant de programmer l'utilisation de la capacité ou de l'équipement.

◆ gestion de la production et des stocks

---

## material list
→ picking list

---

## material order
→ production materials requisition

---

## material planner 1.

The person normally responsible for managing the inventory levels, schedules, and availability of selected items, either manufactured or purchased.

### agent[nm] de planification des besoins matières
### agente[nf] de planification des besoins matières

Personne chargée de la planification, de la coordination et du contrôle des flux de matières depuis les acquisitions jusqu'à la distribution du produit fini.

◆ gestion de la production et des stocks

---

## material planner 2.
= parts planner
= planner

In an MRP system, the person responsible for reviewing and acting upon order release, action, and exception messages from the system.

### agent[nm] de suivi des besoins matières
### agente[nf] de suivi des besoins matières

Personne chargée de mettre à jour les données de besoins matières en fonction des ordres lancés et des messages d'intervention du système de planification des besoins matières.

◆ gestion de la production et des stocks

---

▼
### material requirements plan

The result from the process of material requirements planning.

### programme[nm] des besoins matières

Plan détaillé résultant de la programmation des besoins matières nécessaires à la réalisation du programme directeur.

◆ gestion de la production et des stocks

---

▼
### material requirements planning
(MRP)

A set of techniques that uses bills of material, inventory data, and the master production schedule to calculate requirements for materials. It makes recommendations to release replenishment orders for material. Further, since it is time phased, it makes recommendations to reschedule open orders when due dates and need dates are not in phase. Time-phased MRP begins with the items listed on the MPS and determines (1) the quantity of all components and materials required to fabricate those items and (2) the date that the components and material are required. Time-phased MRP is accomplished by exploding the bill of materials, adjusting for inventory quantities on hand or on order, and offsetting the net requirements by the appropriate lead times.

### planification[nf] des besoins matières
(PBM)
### = calcul[nm] des besoins nets

Méthode de planification et de gestion de l'ensemble des besoins de composants nécessaires à la réalisation du programme directeur de production à partir des nomenclatures et des états de stock de fabrication.

*La planification des besoins matières lance les ordres de réapprovisionnement de composants et précionise des réordonnancements lorsque les dates d'exigibilité ne coïncident pas avec les dates de besoin.*

**NOTE** L'abréviation MRP est couramment utilisée en français.

◆ gestion de la production et des stocks

---

▼
### material review board
(MRB)

An organization within a company, often a standing committee, that has the job of determining disposition of items which have questionable quality or other attributes.

### comité[nm] d'examen des produits

Groupe de personnes chargées de donner leur avis sur le rejet ou la conservation d'articles dont la qualité est douteuse ou présentant d'autres inconvénients.

◆ gestion de la qualité; gestion de la production et des stocks

---

▼
### materials efficiency

A concept that addresses the efficiency with which materials are obtained, converted, and shipped in the overall purchasing, production, and distribution process. It can be considered as a companion concept to labor efficiency, and it is potentially more significant as the materials portion of cost of goods sold continues to grow.

### efficience[nf] matières

Rapport entre la production finale et les matières utilisées dans l'ensemble du processus, depuis l'approvisionnement jusqu'à la distribution.

*L'efficience matières est un nouveau concept qui s'apparente à celui de l'efficience de la main-d'œuvre.*

**NOTE** Dans la mesure où les matières représentent une part croissante du coût des produits finis, l'efficience matières doit faire l'objet d'un examen de plus en plus attentif.

◆ gestion de la production et des stocks

---

▼
### materials management

The grouping of management functions supporting the complete cycle of material flow, from the purchase and internal control of production materials to the planning and control of work in process to the warehousing, shipping, and distribution of the finished product.

### gestion[nf] des matières

Ensemble des activités de planification, de coordination et de contrôle relatives au flux des matières depuis les acquisitions jusqu'à l'entreposage et la distribution du produit fini.

**NOTE** Ne pas confondre le nom *matière* avec le nom *matériel* qui désigne l'ensemble des appareils, des fournitures nécessaires à la bonne marche de l'entreprise.

◆ gestion de la production et des stocks

---

▼
### materials requisition
→ production materials requisition

---

▼
### material usage variance

The difference between the planned or standard requirements for materials to produce a given item and the actual quantity used for this particular instance of manu-facture.

### écart[nm] sur consommation matières

Différence entre la quantité réelle de matières utilisées pour la fabrication d'un article défini et les besoins pré-visionnels ou standards.

◆ gestion de la production et des stocks

---

### ▼ material yield

The ratio of usable material from a given quantity of the same.

### rendement[nm] matières
### = taux[nm] de transformation matières

Rapport entre la quantité utilisable de matières et la quantité totale de matières.

◆ gestion de la production et des stocks

---

### ▼ materiel

A term, used more frequently in nonmanufacturing or-ganizations, to refer to the equipment, apparatus, and supplies used by an organization.

### matériel[nm]

Ensemble des appareils, des fournitures nécessaires à la bonne marche d'une entreprise de type non manufac-turier.

NOTE Ne pas confondre avec l'expression *ma-tières premières* qui désigne des composants de base.

◆ généralités

---

### ▼ matrix

A mathematical array having height, width, and some-times depth, into which collections of data may be stored and processed.

### matrice[nf]
### = tableau[nm] matriciel

Tableau comportant un certain nombre de lignes et de colonnes où l'on peut enregistrer et traiter des données.

*La matrice, qui peut être à deux ou à trois dimen-sions, permet de mettre en évidence des combinaisons possibles ou impossibles, de classer, de hiérarchiser des combinaisons par référence à des critères définis.*

◆ généralités

---

### ▼ matrix bill of material

A chart made up from the bills of material for a number of products in the same or similar families. It is arranged in a matrix with components in columns and parents in rows (or vice versa) so that requirements for common components can be summarized conveniently.

### nomenclature[nf] matricielle

Tableau conçu à partir des nomenclatures de fabrica-tion d'un certain nombre de produits afin de permettre la totalisation des besoins de composants communs.

*Dans la nomenclature matricielle, les produits sont disposés horizontalement et les composants, verticale-ment ou inversement; cette représentation facilite le re-groupement des composants communs à plusieurs pro-duits.*

◆ gestion de la production et des stocks

---

### ▼ maximum allowable cost

In service organizations, the limit of reimbursement allowed by an agency for the cost of a supply item.

### coût[nm] maximal admissible

Remboursement maximal autorisé par une entreprise de service pour un article donné.

◆ marketing

---

### ▼ maximum inventory

The planned maximum allowable inventory for an inde-pendent demand item, e.g., the sum of the economic lot size plus two times the reserve stock.

### stock[nm] maximal
### = stock[nm] maximum

Pour un article soumis à une demande indépendante, niveau supérieur maximal que peut atteindre le stock d'un article dans le cours de ses renouvellements suc-cessifs.

*À titre d'exemple, le stock maximal d'un article pour-rait représenter le total de la quantité économique et le stock de sécurité multiplié par deux.*

◆ gestion de la production et des stocks

---

### ▼ maximum order quantity

An order quantity modifier, applied after the lot size has been calculated, that limits the order quantity to a pre-established maximum.

### quantité[nf] maximale de commande

Paramètre établi à la suite de la détermination de la taille des lots en vue de limiter le nombre d'articles à com-mander à un maximum prédéfini.

◆ gestion des approvisionnements; gestion de la production et des stocks

---

### ▼ MBO

Abbreviation for **management by objectives**.

---

### ▼ M-day calendar
### → manufacturing calendar

## MDS
Abbreviation for **material-dominated scheduling.**

## mean
= **arithmetic mean**
The arithmetic average of a group of values.

### moyenne<sup>nf</sup>
= **moyenne**<sup>nf</sup> **arithmétique**
Quotient de la somme des observations par leur nombre.
◆ statistique

## mean absolute deviation
(MAD)
The average of the absolute values of the deviations of observed values from some expected value. MAD can be calculated based on observations and the arithmetic mean of those observations. An alternative is to calculate absolute deviations of actual sales data minus forecast data. These data can be averaged in the usual arithmetic way or with exponential smoothing.

### écart<sup>nm</sup> moyen absolu
(ÉMA)
= **écart**<sup>nm</sup> **arithmétique**
= **écart**<sup>nm</sup> **à la moyenne arithmétique**
Moyenne arithmétique de la valeur absolue des écarts de chacune des données d'une série d'observations par rapport aux prévisions.
◆ prévision

## measure of service
→ **level of service**

## median
The middle value in a set of measured values when the items are arranged in order of magnitude. If there is no single middle value, the median is the mean of the two middle values.

### médiane<sup>nf</sup>
Dans une suite de données classées par ordre de grandeur, valeur centrale située à un point où le nombre d'observations inférieures à cette valeur est égal au nombre d'observations supérieures à cette valeur.
*La médiane est une mesure de tendance centrale d'une série qui partage en deux effectifs égaux la population statistique.*
◆ statistique

## mediation
The introduction of a neutral third party who attempts to provide alternatives to issues causing conflict that have not been put forth by either party or to change the way the parties perceive the situation. It is often used in collective bargaining to reach an argument.

### médiation<sup>nf</sup>
Moyen de règlement d'un conflit de travail faisant appel à un tiers pour rapprocher les parties opposées et préconiser une solution éventuelle.
*La médiation est souvent employée au cours d'une négociation collective.*
◆ gestion des ressources humaines

## menu
A list of computer programs or functions displayed on a CRT. The user selects from the menu.

### menu<sup>nm</sup>
Liste des options affichées qui peuvent être choisies par l'utilisateur.
*Le choix d'une fonction peut entraîner l'affichage d'un autre menu plus détaillé.*
◆ informatique

## metered issues
Issues of parts or materials from stores in quantities that correspond to the rate at which materials are used.

### sorties<sup>nf</sup> cadencées
= **sorties**<sup>nf</sup> **matières comptées**
Quantités des matières ou pièces prélevées des stocks qui correspondent aux cadences auxquelles elles sont utilisées.
◆ gestion de la production et des stocks

## methods-time measurement
(MTM)
A system of predetermined motion-time standards, a procedure that analyzes and classifies the movements of any operation into certain human motions and assigns to each motion a predetermined time standard determined by the nature of the motion and the conditions under which it was made.

### méthode<sup>nf</sup> des temps mesurés
(MTM)
Méthode d'analyse de tous les mouvements de base que comporte une opération manuelle et qui assigne à chacun d'eux un temps normal prédéterminé, en fonction de la nature du mouvement et des conditions d'exécution.
◆ gestion de la production et des stocks

## MI
Abbreviation for **manufacturing instruction.**

## military standards
Product standards and specifications for products for the U.S. military or defense contractors, units, suppliers, etc.

### standards nm militaires
Normes et spécifications des produits destinés aux forces armées.
◆ gestion de la qualité

## milk run
A regular route for pickup of mixed loads from several suppliers. For example, instead of each of five suppliers sending a truckload per week to meet weekly needs of the customer, one truck visits each of the suppliers on a daily basis before delivering to the customer's plant. Five truckloads per week are still shipped, but each truckload contains the daily requirement from each supplier.

### tournée nf de ramassage
= tournée nf de laitier
Enlèvement de matières, pièces, produits auprès de fournisseurs différents en vue d'en assurer une livraison efficace et économique.

*La tournée de ramassage permet une réduction des coûts de transport et assure un approvisionnement fréquent de l'entreprise par ses divers fournisseurs.*

NOTE L'expression *tournée de laitier* est de niveau familier.
◆ gestion des approvisionnements; transport

## MIL SPEC
Acronym for **military inspection standard.**

## minimum cost order quantity
→ economic order quantity

## minimum inventory
The planned minimum allowable inventory for an independent demand item.

### stock nm minimal
= stock nm minimum
Niveau de stock à partir duquel on doit déclencher une commande d'approvisionnement.
◆ gestion de la production et des stocks

## minimum order quantity
An order quantity modifier, applied after the lot size has been calculated, that increases the order quantity to a pre-established minimum.

### quantité nf minimale de commande
Paramètre établi à la suite de la détermination de la taille des lots en vue d'augmenter le nombre d'articles à commander jusqu'à un minimum prédéfini.
◆ gestion des approvisionnements

## min-max system
A type of order point replenishment system where the "min" is the order point, and the "max" is the "order-up-to" inventory level. The order quantity is variable and is the result of the max minus available and on-order inventory. An order is recommended when the available and on-order inventory is at or below the min.

### système nm mini-maxi
= méthode nf mini-maxi
Méthode d'approvisionnement à point de commande selon laquelle le stock mini correspond au point de commande et où le stock maxi, moins le stock disponible, détermine la quantité à commander.
◆ gestion de la production et des stocks

## minor setup
The incremental setup activities required when changing from one item to another within a group of items.

### mise nf en course mineure
= changement nm mineur
Ensemble des activités préparatoires nécessitées par le traitement d'un nouvel article à l'intérieur d'une famille de produits.
◆ gestion de la production et des stocks

## MIS
Abbreviation for **management information system.**

## mistake-proofing
→ poka-yoke

## mix control
The control of the individual items going through the plant.

### gestion nf de la gamme des produits
= gestion nf de l'assortiment des produits
Ensemble des activités d'ordonnancement des divers articles à produire.
◆ gestion de la production et des stocks

## mixed flow scheduling
A procedure used in some process industries for building process train schedules that start at an initial stage

and work toward the terminal process stages. This procedure is effective for scheduling where several bottleneck stages may exist. Detailed scheduling is done at each bottleneck stage.

### ordonnancement[nm] de flux multiples
Méthode de planification utilisée dans les entreprises à flux continu qui détermine le démarrage de la production et en fixe la fin.

*L'ordonnancement de flux multiples est conçu de façon à minimiser les goulots d'étranglement ou à prévoir des solutions de rechange afin de ne pas retarder l'exécution du travail planifié.*

◆ gestion de la production et des stocks

---

▼ **mixed-model master schedule**
The technique of setting and maintaining the master production schedule to support mixed-model production.

### programme[nm] directeur mixte
Programme traduisant le plan de production de plusieurs types de pièces ou d'articles au cours d'une courte période donnée en fonction des besoins commerciaux exprimés et des disponibilités de ressources et de matières.

◆ gestion de la production et des stocks

---

▼ **mixed-model production**
Making several different parts or products in varying lot sizes so that a factory is making close to the same mix of products that will be sold that day. The mixed-model schedule governs the making and the delivery of component parts, including those provided by outside suppliers. The goal is to build every model, every day, according to daily demand.

### production[nf] mixte
Mode de production permettant de produire au jour le jour différents articles dans des quantités variables, de sorte que l'usine fabrique la variété et la quantité de produits les plus proches possible de ce qui a été effectivement vendu un jour donné.

*L'objectif de la production mixte est de fabriquer chaque article quotidiennement en fonction de la demande.*

◆ gestion de la production et des stocks

---

▼ **mix forecast**
Forecast of the proportion of products that will be sold within a given product family, or the proportion of options offered within a product line. Product and option mix must be forecasted as well as aggregate product families. Even though the appropriate level of

units is forecasted for a given product line, an inaccurate mix forecast can create material shortages and inventory problems.

### prévision[nf] d'assortiment (des produits)
Estimation de la proportion et du volume des ventes des divers produits de l'entreprise.

*La prévision d'assortiment des produits prévient les ruptures de stock pour des articles spécifiques particulièrement en demande.*

◆ marketing; prévision

---

▼ **mix ticket**
= **assembly parts list**
= **batch card**
= **blend formula**
A listing of all the raw materials, ingredients, components, etc., that are required to perform a mixing, blending, or similar operation. This listing is often printed on a paper ticket, which also may be used as a turnaround document to report component quantities actually used, final quantity actually produced, etc. This term is often used in batch process or chemical industries.

### carte[nf] mélange
= **carte[nf] de composition**
= **formule[nf] de mélange**
Liste détaillée des matières, des ingrédients, des composants nécessaires à la préparation d'un produit.

**NOTE** Dans certains secteurs d'activité, on parle aussi de **carte de cuvée**.

◆ gestion de la production et des stocks

---

▼ **mode**
The most common or frequent value in a group of values.

### mode[nm]
Valeur dominante, c'est-à-dire se présentant avec la fréquence la plus élevée dans une série statistique.

◆ statistique

---

▼ **model**
A representation of a process or system that attempts to relate the most important variables in the system in such a way that analysis of the model leads to insights into the system. Frequently the model is used to anticipate the result of some particular strategy in the real system.

### modèle[nm]
Représentation physique, graphique ou mathématique des variables d'un système ou des relations qui existent ou semblent exister entre les différents éléments d'un

système en vue d'analyses ou d'études propres à faciliter la compréhension de certains mécanismes.

◆ généralités

---

### modular bill (of material)

A type of planning bill that is arranged in product modules or options. It is often used in companies where the product has many optional features, e.g., assemble-to-order companies such as automobile manufacturers.

### nomenclature[nf] modulaire

Type de nomenclature organisée en modules ou en options.

*Les nomenclatures modulaires sont couramment utilisées dans les secteurs d'activité où les produits comportent plusieurs options, tel le secteur automobile.*

◆ gestion de la production et des stocks

---

### modular system

A system-design methodology that recognizes that different levels of experience exist in organizations and thereby develops the system in such a way as to provide for segments or modules to be installed at a rate compatible with the users' ability to implement a system.

### système[nm] modulaire

Système dont la conception tient compte des différents niveaux de compétence des utilisateurs et qui permet d'ajouter des modules en fonction de la capacité d'adaptation des utilisateurs.

◆ généralités

---

### Monte Carlo simulation

A subset of digital simulation models based on random or stochastic processes.

### méthode[nf] de Monte Carlo

Méthode expérimentale de simulation basée sur les techniques d'échantillonnage et les raisonnements probabilistes.

◆ recherche opérationnelle

---

### mortgaged material
→ reserved material

---

### move

The physical movement of inventory from one location to another within a facility. Movements are usually made under the direction and control of the inventory system.

### déplacement[nm]
= transfert[nm]

Transport de matières premières, de pièces, de produits d'un endroit à un autre.

◆ gestion de la production et des stocks

---

### move card
= move signal

In a Just-in-Time context, a card or other signal indicating that a specific number of units of a particular item are to be taken from a source (usually outbound stockpoint) and taken to a point of use (usually inbound stockpoint). It authorizes the movement of one part number between a single pair of work centers. The card circulates between the outbound stockpoint of the supplying work center and the inbound stockpoint of the using work center.

### carte[nf] de transfert
= bon[nm] de transfert

Dans un système juste-à-temps, document, carte ou signal autorisant l'acheminement d'un produit, d'un composant d'un point à un autre, généralement du point de stockage aval du poste précédent au point de stockage amont du poste suivant.

NOTE On utilise parfois le terme japonais *kanban* signifiant «carte» ou «panneau d'affichage».

◆ gestion de la production et des stocks

---

### movement inventory

A type of in-process inventory that arises because of the time required to move goods from one place to another.

### stock[nm] de transfert

Type de stock d'encours résultant de la nécessité de déplacer les articles d'un endroit à l'autre.

◆ gestion de la production et des stocks

---

### move order

The authorization to move a particular item from one location to another.

### ordre[nm] de déplacement
= ordre[nm] de transfert

Autorisation de déplacer un article d'un endroit à un autre.

◆ gestion de la production et des stocks

---

### move signal
→ move card

---

### move ticket

A document used in dispatching to authorize and/or record movement of a job from one work center to another. It may also be used to report other information such as the actual quantity or the material storage location.

## fiche<sup>nf</sup> suiveuse

### = fiche<sup>nf</sup> de déplacement

Fiche reproduisant la gamme opératoire et accompagnant les pièces en atelier depuis le magasin matières jusqu'à la livraison du produit fini.

NOTE La fiche suiveuse se trouve généralement annexée à un ordre de fabrication.

◆ gestion de la production et des stocks

▼
## move time

The actual time that a job spends in transit from one operation to another in the plant.

### temps<sup>nm</sup> de déplacement

### = temps<sup>nm</sup> de transfert

Temps demandé pour le transport des composants d'un poste de travail à un autre.

◆ gestion de la production et des stocks

▼
## moving average

An arithmetic average of a certain number (n) of the most recent observations. As each new observation is added, the oldest observation is dropped. The value of n (the number of periods to use for the average) reflects responsiveness versus stability in the same way that the choice of smoothing constant does in exponential smoothing.

### moyenne<sup>nf</sup> mobile

Moyenne arithmétique calculée pour les n dernières observations (par exemple douze mois) qui se décale d'une observation pour le calcul de chacune des moyennes successives.

*La méthode de la moyenne mobile réduit le poids de périodes reculées de l'époque d'observation.*

NOTE Ces décalages successifs, par exemple de mois en mois, permettent de découvrir les tendances dans une série chronologique.

◆ prévision

▼
## MPS

Abbreviation for **master production schedule.**

### PDP

Abréviation de **programme directeur de production.**

▼
## MRB

Abbreviation for **material review board.**

▼
## MRO

Abbreviation for **maintenance, repair and operating supplies.**

▼
## MRP

Abbreviation for **material requirements planning.**

### PBM

Abréviation de **planification des besoins matières.**

NOTE L'abréviation MRP est couramment utilisée en français.

▼
## MRP II

Abbreviation for **manufacturing resource planning.**

### PRP

Abréviation de **planification des ressources de production.**

NOTE L'abréviation MRP II est couramment utilisée en français.

▼
## MTM

Abbreviation for **methods-time measurement.**

### MTM

Abréviation de **méthode des temps mesurés.**

▼
## multilevel bill of material

A display of all the components directly or indirectly used in a parent, together with the quantity required of each component. If a component is a subassembly, blend, intermediate, etc., all of its components will also be exhibited and all of their components, down to purchased parts and materials.

### nomenclature<sup>nf</sup> multiniveaux

### = nomenclature<sup>nf</sup> arborescente de produit

Liste structurée de tous les articles constitutifs de l'article (ou du produit) sur laquelle apparaissent tous les niveaux successifs des composants depuis la matière première jusqu'au produit fini.

*La nomenclature multiniveaux représente le réseau complet de constitution de l'article.*

◆ gestion de la production et des stocks

▼
## multilevel master production schedule

A master scheduling technique that allows any level in an end item's bill of material to be master scheduled. To accomplish this, MPS items must receive requirements from independent and dependent demand sources.

### programme<sup>nm</sup> directeur de production multiniveaux

Programme directeur de production détaillé établissant les quantités à fabriquer au cours d'une période définie pour tout niveau de nomenclature.

◆ gestion de la production et des stocks

▼ **multilevel where-used**

A display for a component listing all the parents in which that component is directly used and the next higher level parents into which each of those parents is used, until ultimately all top-level (level 0) parents are listed.

### cas[nm] d'emploi multiniveaux

Tableau répertoriant l'ensemble des composés utilisant directement ou indirectement un même composant.

◆ gestion de la production et des stocks

---

▼ **multiple item lot-sizing models**

Processes or systems used to determine the total replenishment order quantity for a group of related items.

### modèles[nm] de détermination des lots par famille de produits
= modèles[nm] de lotissement de famille de produits

Modèles utilisés afin d'établir la quantité totale de réapprovisionnement d'une famille d'articles.

◆ gestion de la production et des stocks

▼ **multiple regression models**

A form of regression analysis where the model involves more than one independent variable, such as developing a forecast of dishwasher sales based upon housing starts, gross national product, and disposable income.

### modèles[nm] de régression multiple

Technique d'analyse multivariée de données visant à expliquer une variable quantitative par une combinaison linéaire d'un ensemble d'autres variables.

*Les modèles de régression multiple trouvent leur application dans les études prévisionnelles.*

◆ prévision; statistique

---

▼ **multi-sourcing**

Procurement of a good or service from more than one independent supplier.

### diversification[nf] des fournisseurs

Fait pour une entreprise de recourir à plusieurs sources d'approvisionnement pour obtenir les matières et les produits nécessaires à son fonctionnement.

◆ gestion de la production et des stocks

## need date

The date when an item is required for its intended use. In an MRP system, this date is calculated by a bill of material explosion of a schedule and the netting of available inventory against that requirement.

### date nf du besoin
### = date nf de mise à disposition

Date à laquelle un article doit être disponible pour satisfaire un besoin.

*Lors de la planification des besoins matières, la date du besoin est établie à partir de l'éclatement des nomenclatures et de la couverture des articles par les stocks.*

◆ gestion de la production et des stocks

## negotiation

The process by which a buyer and a vendor agree upon the conditions surrouding the purchase of an item.

### négociation nf

Ensemble de discussions entre un acheteur et un fournisseur en vue d'aboutir à un accord sur les conditions d'achat d'un produit, d'une matière, d'un service.

◆ gestion des approvisionnements

## nervousness

The characteristic in a MRP system when minor changes in higher level (e.g., level 0 or 1) records or the master production schedule cause significant timing and/or quantity changes in lower level (e.g., 5 or 6) schedules and orders.

### sensibilité nf

Caractéristique d'un programme de besoins matières dans lequel un changement mineur à un niveau supérieur entraîne des modifications importantes à un niveau inférieur (horaires et ordres de fabrication).

◆ gestion de la production et des stocks

## net change MRP

An approach in which the material requirements plan is continually retained in the computer. Whenever a change is needed in requirements, open order inventory status, or bill of material, a partial explosion and netting is made for only those parts affected by the change.

**ANT.** regeneration MRP

### PBM nf par variations nettes
### = calcul nm des besoins par variations nettes

Méthode de planification des besoins matières qui consiste à ne mettre à jour les besoins que pour les articles touchés par des modifications significatives du programme directeur par éclatement partiel des nomenclatures.

*La planification des besoins matières par variations nettes s'oppose à la planification en mode régénératif selon laquelle le programme directeur est entièrement rééclaté à travers toutes les nomenclatures.*

◆ gestion de la production et des stocks

## net inventory
➔ **available inventory**

## net requirements

In MRP, the net requirements for a part or an assembly are derived as a result of applying gross requirements and allocations against inventory on hand, scheduled receipts, and safety stock. Net requirements, lot sized and offset for lead time, become planned orders.

### besoins nm nets

Total de la quantité nécessaire d'une matière, d'un composant, d'un sous-ensemble, après déduction du stock disponible et des réceptions prévues.

*Le calcul des besoins nets, la détermination du lot économique et l'établissement du délai d'approvisionnement permettront de définir les ordres prévisionnels.*

◆ gestion de la production et des stocks

## net sales

Sales dollars the company receives; gross sales minus returns and allowances.

### chiffre[nm] d'affaires net
= ventes[nf] nettes

Chiffre des ventes d'un exercice diminué des rendus, rabais et escomptes de caisse consentis par l'entreprise à ses clients.

◆ comptabilité

---

### netting
The process of calculating net requirements.

### calcul[nm] des besoins nets
Détermination des quantités nécessaires de matières et de composants nécessaires à la réalisation du programme directeur de production, après déduction du stock disponible et des quantités déjà lancées.

NOTE On détermine les quantités réelles à approvisionner ou à fabriquer, compte tenu des stocks et des encours.

◆ gestion de la production et des stocks

---

### net weight
The weight of an article exclusive of the weights of all packing materials and containers.

### poids[nm] net
Poids d'un article tout emballage déduit.

◆ transport

---

### network
The interconnection of computers, terminals, and communications channels to facilitate file and peripheral device sharing as well as effective data communication.

### réseau[nm]
= réseau[nm] informatique

Ensemble d'appareils informatiques interconnectés par des télécommunications et permettant la communication efficace des données.

◆ informatique

---

### network planning
A generic term for techniques that are used to plan complex projects. Two of the best known network planning techniques are the critical path method and PERT.

### planification[nf] par réseaux
Méthode de planification faisant appel à la constitution de réseaux logiques pour la réalisation de projets complexes.

*La méthode du chemin critique et la méthode de programmation optimale PERT constituent des méthodes de planification par réseaux.*

◆ gestion; recherche opérationnelle

---

### noise
The unpredictable or random difference between the observed data and the "true process."

### bruit[nm]
= interférence[nf]
= perturbation[nf]

Ensemble de perturbations indésirables qui se superposent aux données utiles dans un système de traitement de l'information.

◆ prévision

---

### nominal capacity
→ rated capacity 1.

---

### nomogram
A computational aid consisting of two or more scales drawn and arranged so that the results of calculations may be found by the linear connection of points on them. Historically, it was used for calculating economic lot sizes or samples sizes for work measurement observations. Also called "alignment chart."

### nomogramme[nm]
Tableau composé de deux ou plusieurs échelles graduées et disposées de telle sorte qu'on puisse obtenir directement le résultat d'un calcul à l'aide de la courbe qui relie des points entre eux, par simple lecture.

*Le nomogramme est employé notamment pour la détermination de lots économiques ou de tailles d'échantillon.*

◆ généralités

---

### nonexempt positions
Employees not meeting the test of executive, supervisory, or administrative personnel who are paid overtime, as defined by the Fair Labor Standards Act.

### postes[nm] du personnel d'exécution
Postes dont les titulaires peuvent être rémunérés en heures supplémentaires, contrairement aux postes de cadres qui ne donnent pas droit à une majoration du salaire pour les heures supplémentaires effectuées.

NOTE Aux États-Unis, ces postes sont définis par la Fair Labor Standards Act.

◆ gestion des ressources humaines

---

### nonlinear programming
Programming similar to linear programming but incorporating a nonlinear objective function and linear constraints or a linear objective function and nonlinear constraints or both a nonlinear objective function and nonlinear constraints.

### programmation[nf] non linéaire

Technique mathématique visant à définir un ensemble de valeurs à affecter à des variables soumises à des contraintes de façon à optimiser une fonction mathématique de ces mêmes variables.

◆ recherche opérationnelle

---

### nonscheduled hours

Hours when a machine is not scheduled for operation, e.g., nights, weekends, holidays, lunch breaks, major repair, and rebuilding.

### heures[nf] non planifiées

Temps improductif pendant lequel une machine est arrêtée : nuits, congés, réglages importants, réparations ou remises en état.

◆ gestion de la production et des stocks

---

### nonsignificant part numbers

Part numbers that are assigned to each part but do not convey any information about the part. They are identifiers, not descriptors.

ANT. significant part number

### code[nm] non significatif

Code d'article ne comportant aucune information sur l'article.

*Le code non significatif sert exclusivement au repérage des articles et n'est pas descriptif.*

◆ gestion de la production et des stocks

---

### normal distribution

A particular statistical distribution where most of the observations fall fairly close to one mean, and a devia-

tion from the mean is as likely to be plus as it is likely to be minus. When graphed, the normal distribution takes the form of a bell-shaped curve.

### distribution[nf] normale

Distribution de fréquences dont les valeurs se répartissent autour de la moyenne sans qu'il y ait déviation plus grande d'un côté de cette mesure que de l'autre.

*Dans un graphique, la distribution normale est représentée par une courbe en forme de cloche.*

◆ statistique

---

### no touch exchange of dies
(NTED)

The exchange of dies without human intervention.

### changement[nm] automatique de série
= mise[nf] en course automatique

Mise au point d'une machine en vue d'une nouvelle production.

◆ gestion de la production et des stocks

---

### NTED

Abbreviation for **no touch exchange of dies.**

---

### numerical control
(NC)

A means of operating a machine tool automatically by the use of coded numerical instructions.

### commande[nf] numérique
(CN)

Procédé d'automatisation permettant de conduire une machine-outil à l'aide d'informations numériques.

◆ gestion de la production et des stocks

### objective function

The goal or function that is to be optimized in a model. Most often it is a cost function that should be minimized subject to some restrictions or a profit function that should be maximized subject to some restrictions.

#### fonction[nf] objectif

Fonction qui doit être optimisée dans un modèle.
*Généralement la fonction objectif est la fonction «coût» que l'on tend à minimiser ou la fonction «profit» que l'on tend à maximiser.*
◆ recherche opérationnelle

### obligated material
→ **reserved material**

### obsolescence

Loss of product value resulting from a model or style change or technological development.

#### désuétude[nf]

= **obsolescence**[nf]
Dépréciation des matériels, outillages, équipements dont la cause n'est pas l'usure physique, mais l'innovation ou l'inadaptation aux besoins nouveaux.
◆ gestion de la production et des stocks

### OCR
Abbreviation for **optical character recognition.**

#### RCO
Abréviation de **reconnaissance de caractères optiques.**

### OD
Abbreviation for **organizational development.**

### OEM
Abbreviation for **original equipment manufacturer.**

### off-grade

A product whose physical or chemical properties fall outside the acceptable range(s).

#### hors norme[loc adj]
= **non conforme**[loc adj]
Se dit d'un produit qui ne satisfait pas aux critères de qualité.
◆ gestion de la qualité

### offset quantity
→ **overlap quantity**

### offsetting
→ **lead-time offset**

### OJT
Abbreviation for **on-the-job training.**

### one less at a time

A process of gradually reducing the lot size of the number of items in the manufacturing pipeline to expose, prioritize, and eliminate waste.

#### réduction[nf] graduelle du lot
= **un de moins à la fois**
Méthode d'élimination du gaspillage par la diminution continuelle de la taille des lots de fabrication en vue de mettre en évidence les problèmes, de les classer par ordre d'importance, de réduire les contraintes et d'augmenter la flexibilité du processus de production.
◆ gestion de la production et des stocks

### one touch exchange of dies
(OTED)

#### mise en course[nf] instantanée
Outil dont le réglage peut s'effectuer en moins d'une minute.
◆ gestion de la production et des stocks

▼
## on-hand balance
The quantity shown in the inventory records as being physically in stock.

### stock[nm] existant
Quantité en stock d'après l'inventaire.
◆ gestion de la production et des stocks

▼
## on order stock
The total of all outstanding replenishment orders. The on order balance increases when a new order is released and it decreases when material is received against an order, or when an order is canceled.

### stock[nm] en commande
Ensemble des commandes de réapprovisionnement non encore reçues.

*Le stock en commande subit une réduction lorsque les marchandises sont livrées, une augmentation lorsqu'une nouvelle commande est passée.*
◆ gestion de la production et des stocks

▼
## on-the-job training
(OJT)
Learning the skills and necessary related knowledge useful for the job at the place of work or possibly while at work.

### formation[nf] au travail
= formation[nf] sur le tas
Formation pratique fondée sur l'acquisition de l'expérience en milieu de travail.

NOTE L'expression *formation sur le tas* est de niveau familier.
◆ gestion des ressources humaines

▼
## open order 1.
= released order
= scheduled receipt
A released manufacturing order or purchase order.

### ordre[nm] lancé
Ordre d'approvisionnement ou de fabrication transmis au fournisseur ou à l'atelier.

NOTE Dans le cas d'une commande client, il s'agit d'une commande reçue mais non satisfaite. Dans le cas d'une commande de fabrication ou d'achat, il s'agit d'une commande non encore livrée.
◆ gestion de la production et des stocks

▼
## open order 2.
An unfilled customer order.

### commande[nf] en cours
Commande client non encore satisfaite.
◆ gestion de la production et des stocks

▼
## open period
Accounting time period for which the books will still accept adjusting entries and postings.
ANT. closed period

### période[nf] ouverte
Période comptable pour laquelle les écritures comptables restent provisoires dans les registres, par opposition à la **période close.**
◆ comptabilité

▼
## open systems interconnection
(OSI)
A communication system where a user can communicate with another user without being constrained by a particular manufacturer's equipment.

### interconnexion[nf] de systèmes ouverts
Réseau mettant en harmonie la communication entre les systèmes sans égard au matériel utilisé.
◆ informatique

▼
## open to buy
A control technique used in aggregate inventory management in which authorizations to purchase are made without being committed to specific suppliers. These authorizations are often reviewed by management using such measures as commodity in dollars and by time period.

### appel[nm] d'offres
Procédure d'appel à la concurrence entre plusieurs fournisseurs selon lequel des demandes d'achat sont approuvées et les sources d'approvisionnement, choisies en fonction des conditions du moment.
◆ gestion des approvisionnements

▼
## open to receive
Authorization to receive goods, such as a blanket release, firm purchase order item, or supplier schedule. Open-to-receive represents near-term impact on inventory, and is often monitored as a control technique in aggregate inventory management. The total of open-to-receive, other, longer term purchase commitments, and open-to-buy represents the material and services cash exposure of the company.

### appel[nm] de livraison
Autorisation de livrer une certaine quantité de matières, de produits déjà commandés lors de la passation d'un marché de fournitures.
◆ gestion des approvisionnements

▼
### operating efficiency
A ratio (represented as a percentage) of the actual output of a piece of equipment, department, or plant as compared to the planned or standard output.

### efficience[nf] de production
Rapport, exprimé en pourcentage, entre les quantités réellement produites par une machine, un atelier ou une usine et les quantités planifiées ou standard.
◆ gestion de la production et des stocks

▼
### operating expense
In theory of constraints, the quantity of money spent by the firm to convert inventory into sales in a specific time period.

### frais[nm pl] d'exploitation
En théorie des contraintes, sommes engagées par l'entreprise pour transformer des stocks en ventes au cours d'une période donnée.
◆ comptabilité; gestion de la production et des stocks

▼
### operating system
A conglomeration of software that controls a computer's environment – hardware and the application programs that perform the logical processing of the system. It is a system of programs that controls the execution of computer programs and may provide scheduling, accounting, debugging, and input/output control.

### système[nm] d'exploitation
Ensemble des programmes nécessaires au fonctionnement d'un ordinateur et assurant notamment la gestion des travaux, les opérations d'entrée/sortie sur les périphériques, l'affectation des ressources aux différents processus ainsi que la comptabilité des travaux.
◆ informatique

▼
### operation chart
→ routing

▼
### operation costing
A method of costing used in batch manufacturing environments when products produced have common, as well as distinguishing, characteristics, for example, suits. The products are identified and costed by batches or by production runs, based on the variations.

### fixation[nf] du coût à la série
Détermination du coût établie par lot de fabrication lorsque les produits ont des caractéristiques communes ou distinctives.
◆ comptabilité

▼
### operation description
The details or description of an activity or operation to be performed. This is normally contained in the routing document and could include setup instructions, operating instructions (feeds, speeds, heats, pressure, etc.) and required products specifications and/or tolerances.

### description[nf] d'opération
Définition des activités d'une opération.
*La description d'opération fait partie de la gamme opératoire et contient généralement des instructions de préparation, d'exécution ainsi que les caractéristiques techniques du produit à réaliser.*
◆ gestion de la production et des stocks

▼
### operation duration
The total time that elapses between the start of the setup of an operation and the completion of the operation.

### temps[nm] global (d'une opération)
= durée[nf] d'une opération
Période s'écoulant entre le début de la mise en course du poste de travail pour une opération et la fin de celle-ci.
◆ gestion de la production et des stocks

▼
### operation list
→ routing

▼
### operation number
A sequential number, usually two, three, or four digits long, such as 010, 020, 030, etc., that indicates the sequence in which operations are to be performed within an item's routing.

### numéro[nm] d'opération
Numéro définissant la séquence d'exécution d'une opération dans une gamme.
◆ gestion de la production et des stocks

▼
### operation overlapping
→ overlapped schedule

▼
### operation priority
The scheduled due date and/or start date of a specific operation for a specific job, usually as determined by the back scheduling process.

### priorité[nf] d'une opération
Date programmée de fin (ou de début) d'une opération spécifique et qui est généralement définie par le jalonnement amont.
◆ gestion de la production et des stocks

▼
## operation/process yield
The ratio of usable output from a process, process stage, or operation to the input quantity, usually expressed as a percentage.

### rendement[nm] opératoire
= taux[nm] de transformation
Rapport entre la quantité d'extrants d'une opération de production et les quantités d'intrants.
*Le rendement opératoire est généralement exprimé en pourcentage.*
◆ gestion de la production et des stocks

▼
## operation reporting
The recording and reporting of every manufacturing (shop order) operation occurrence on an operation-to-operation basis.

### suivi[nm] de production
= état[nm] d'avancement par opération
Opération de contrôle des flux de production dans les ateliers et de collecte de l'information sur les encours de fabrication.
◆ gestion de la production et des stocks

▼
## operation sheet
→ routing

▼
## operation splitting
→ lot splitting

▼
## operations research 1.
The development and application of quantitative techniques to the solution of problems. More specifically, theory and methodology in mathematics, statistics, and computing are adapted and applied to the identification, formulation, solution, validation, implementation, and control of decision-making problems.

### recherche[nf] opérationnelle
Ensemble des méthodes, le plus souvent mathématiques, statistiques et informatiques visant l'optimisation des décisions.
◆ recherche opérationnelle

▼
## operations research 2.
= management science
An academic field of study concerned with the development and application of quantitative analysis to the solution of problems faced by management in public and private organizations.

### recherche[nf] opérationnelle
Discipline qui a pour objet l'analyse mathématique et statistique orientée vers la détermination rationnelle des solutions optimales pour une prise de décision.
◆ recherche opérationnelle

▼
## operations scheduling
= detailed scheduling
= order scheduling
= shop scheduling
The actual assignment of starting and/or completion dates to operations or groups of operations to show when these operations must be done if the manufacturing order is to be completed on time. These dates are used in the dispatching function.

### ordonnancement[nm]
Détermination des dates de début et de fin des opérations afin de respecter les délais de fabrication et de minimiser les coûts.
◆ gestion de la production et des stocks

▼
## operations sequence
The sequential steps for an item to follow in its flow through the plant. For instance, operation 1: cut bar stock; operation 2: grind bar stock; operation 3: shape; operation 4: polish; operation 5: inspect and send to stock. This information is normally maintained in the routing file.

### suite[nf] opératoire
Étapes successives de fabrication d'un composant, d'un article.
◆ gestion de la production et des stocks

▼
## operations sequencing
A technique for short-term planning of actual jobs to be run in each work center based upon capacity (e.g., existing work force and machine availability) and priorities. The result is a set of projected completion times for the operations and simulated queue levels for facilities.

### jalonnement[nm]
Mode de détermination des dates d'exécution prévisionnelles des tâches en cours qui rendent optimale l'utilisation des capacités (moyens, stocks, etc.)
*Le jalonnement permet de gérer un ensemble de commandes en respectant les délais de livraison, la contrainte du moindre coût dans des conditions de production données.*
◆ gestion de la production et des stocks

▼
## operation start date
The date when an operation should be started in order for its order due date to be met. It can be calculated

based on scheduled quantities and lead times (queue, setup, run, move) or on the work remaining and the time remaining to complete the job.

### date<sup>nf</sup> de début d'une opération

Date à laquelle doit démarrer une opération.

*La date de début d'une opération est établie en fonction des quantités à produire, des divers délais d'attente, de préparation, de fabrication et de déplacement.*

◆ gestion de la production et des stocks

### opportunity cost

The return on capital that could have resulted had the capital been used for some purpose other than its present use.

### coût<sup>nm</sup> d'opportunité
= coût<sup>nm</sup> d'option

Manque à gagner attribuable au fait de ne pas exploiter une autre possibilité, la meilleure après le choix déjà fait.

◆ comptabilité

### optical character

A printed character frequently used in utilities billing and credit applications that can be read by a machine without the aid of magnetic ink.

### caractère<sup>nm</sup> optique

Caractère imprimé qui peut être reconnu et codé par représentation binaire sans le recours à une encre magnétique.

◆ informatique

### optical character recognition
(OCR)

A mechanized method of collecting data involving the reading of hand printed or special character fonts. If handwritten, the information must adhere to predefined rules of size, format, and locations on the form.

### reconnaissance<sup>nf</sup> optique de caractères
(ROC)

Lecture d'une information inscrite sur un support à l'aide de procédés optiques.

◆ informatique

### optical scanning

A technique for machine recognition of characters by their images.

### lecture<sup>nf</sup> optique
= photolecture<sup>nf</sup>

Reconnaissance de forme à l'aide d'un procédé opto-électrique automatique.

◆ informatique

### optimization

Achieving the best possible solution to a problem in terms of a specified objective function.

### optimisation<sup>nf</sup>

Détermination parmi toutes les solutions d'un problème de celle qui, compte tenu des contraintes, donne le meilleur résultat.

◆ recherche opérationnelle

### option

A choice or feature offered to customers for customizing the end product. In many companies, the term "option" means a mandatory choice—the customer must select from one of the available choices. For example, in ordering a new car, the customer must specify an engine (option), but need not necessarily select an air conditioner (accessory).

### variante<sup>nf</sup>
= option<sup>nf</sup>

Ensemble de possibilités proposées aux clients en vue d'adapter le produit fini à leurs besoins.

**NOTE** Dans le vocabulaire commercial, le terme *option* constitue un euphémisme destiné à atténuer le caractère déplaisant du «supplément» imposé à l'acheteur suivant son choix.

◆ gestion de la production et des stocks

### option overplanning
→ hedge 1.

### order

A general term that may refer to such diverse items as a purchase order, shop order, customer order, planned order, or schedule.

### ordre<sup>nm</sup>
= commande<sup>nf</sup>

Décision d'acheter, de faire fabriquer ou de fabriquer un composant, un article.

*L'ordre est matérialisé par un document et peut être planifié, lancé en fabrication et réalisé.*

**NOTE** Terme d'usage général qui, selon le contexte, peut désigner une commande de client, un ordre de fabrication, une commande de fabrication ou une commande planifiée.

◆ gestion de la production et des stocks

### order backlog
→ backlog

▼ **order control**

Control of manufacturing activities by individual manufacturing, job, or shop orders, released by planning personnel and authorizing production personnel to complete a given batch or lot size of a particular manufactured item. Information needed to complete the order (components required, work centers and operations required, tooling required, etc.) is often printed on paper or tickets, often called shop orders or work orders, which are distributed to production personnel. This use of order control sometimes implies an environment where all the components for a given order are picked and issued from a stocking location, all at one time, and then moved as a kit to manufacturing before any activity begins. It's most frequently seen in job shop manufacturing.

**suivi**nm **des ordres de fabrication**
= **gestion**nf **des ordres de fabrication**
= **suivi**nm **de fabrication**

Activité qui consiste à superviser l'exécution des commandes de fabrication à travers les étapes successives du cycle de production.

**NOTE** Les informations utiles au suivi de fabrication sont consignées sur les bons de travail qui sont acheminés au personnel de production.

◆ gestion de la production et des stocks

▼ **order dating**
→ **order promising**

▼ **order entry**

The process of accepting and translating what a customer wants into terms used by the manufacturer or distributor. This can be as simple as creating shipping documents for a finished goods product line, or it might be a more complicated series of activities, including engineering effort for make-to-order products.

**entrée**nf **de commande**
= **inscription**nf **de commande**

Opération qui consiste à accepter une commande d'un client et à traduire cette demande pour les services de fabrication ou d'expédition de l'entreprise.

*L'inscription de commande peut résulter en l'établissement d'un simple bordereau d'expédition jusqu'à la conception d'un produit fait expressément pour un client.*

◆ gestion de la production et des stocks

▼ **order-fill ratio**
= **fill rate**

The percentage of the lines on an order or a group of orders that can be filled (i.e., picked and shipped). For some businesses, particularly those that sell relatively undifferentiated products, the fill rate is a key customer service indicator.

**taux**nm **de couverture**
= **niveau**nm **de service**

Pourcentage des articles d'une commande ou d'un groupe de commandes qui sont en magasin et qui sont expédiés au client sur réception de la commande.

*Un taux de couverture de 100 % correspond à la situation où toutes les demandes sont satisfaites sans rupture de stock.*

◆ gestion de la production et des stocks

▼ **ordering cost**
= **acquisition cost**

Used in calculating order quantities, the costs that increase as the number of orders placed increases. It includes costs related to the clerical work of preparing, releasing, following, and receiving orders, the physical handling of goods, inspections, and setup costs, as applicable.

**coût**nm **de passation de commande**
= **frais**nm pl **de passation de commande**

Coût lié au réapprovisionnement comprenant le lancement de la commande, son suivi, la réception et le contrôle à la livraison.

◆ gestion de la production et des stocks

▼ **order interval**

The time period between the placement of orders.

**intervalle**nm **de commande**
= **période**nf **de commande**

Laps de temps qui s'écoule entre deux passations de commande.

◆ gestion de la production et des stocks

▼ **order multiples**

An order quantity modifier applied after the lot size has been calculated that increases the order quantity to a predetermined multiple.

**multiple**nm **(de commande)**

Quantité de commande définie en fonction de la taille des lots prescrite.

*Ex. : ces produits sont commandés par 12 ou par multiples de 12.*

◆ gestion de la production et des stocks

▼ **order placement**

The activity from the time that the customer develops the order until the order is received by the seller.

### passation nf de commande

Ensemble des activités liées à l'établissement d'une commande jusqu'à sa réception chez le fournisseur.

◆ gestion des approvisionnements

---

### ▼ order point
= reorder point
= statistical order point
= trigger level

A set inventory level where, if the total stock on hand plus on order falls to or below that point, action is taken to replenish the stock. The order point is normally calculated as forecasted usage during the replenishment lead time plus safety stock.

### point nm de commande
= seuil nm de commande

Niveau de stock disponible et à recevoir qui, lorsqu'il est atteint, déclenche le processus de réapprovisionnement par le lancement d'une commande ou d'un ordre de fabrication.

◆ gestion de la production et des stocks

---

### ▼ order point system
= statistical order point system

Inventory method that places an order for a lot whenever the quantity on hand is reduced to a predetermined level known as the order point.

### système nm à point de commande

Méthode d'approvisionnement suivant laquelle les commandes sont produites lorsque le seuil de commande défini est atteint.

◆ gestion de la production et des stocks

---

### ▼ order policy
→ lot sizing

---

### ▼ order policy code
→ lot-size code

---

### ▼ order preparation

All activities relating to the administration, picking, and packaging of individual customer or work orders.

### traitement nm des commandes

Ensemble des activités se rapportant à la gestion des commandes, à la sélection des produits commandés et à leur emballage.

◆ gestion de la production et des stocks

---

### ▼ order preparation lead time

The time required to analyze requirements and open order status and to create the paperwork necessary to release a purchase order or a production order.

### délai nm de passation d'un ordre
= délai nm administratif de passation de commande
= délai nm de préparation

Temps nécessaire à l'analyse des besoins et au traitement des documents relatifs à la production d'un bon de commande ou d'un ordre de fabrication.

◆ gestion de la production et des stocks

---

### ▼ order priority

The scheduled due date to complete all of the operations required for a specific order.

### priorité nf d'un ordre

Date d'exigibilité planifiée d'un ordre de fabrication déterminé.

◆ gestion de la production et des stocks

---

### ▼ order processing

The activity required to administratively process a customer's order and make it ready for shipment or production.

### exécution nf de commande

Ensemble des activités administratives déclenchées par la réception d'une commande pour transmettre à la production les ordres de fabrication qui en découlent ou pour expédier les produits commandés.

◆ gestion de la production et des stocks

---

### ▼ order promising
= customer order promising
= order dating

The process of making a delivery commitment, i.e., answering the question, "When can you ship?" For make-to-order products, this usually involves a check of uncommitted material and availability of capacity.

### promesse nf de livraison

Acte par lequel l'entreprise s'engage envers un client à lui livrer un produit pour une date précise.

NOTE Dans un contexte de fabrication sur commande, la promesse de livraison s'appuie sur une vérification de la disponibilité des matières et des capacités nécessaires.

◆ gestion de la production et des stocks

---

### ▼ order qualifiers

Those competitive characteristics that a firm must exhibit to be a viable competitor in the marketplace. For example, a firm may seek to compete on characteristics other than price, but in order to "qualify" to compete, its costs and the related price must be within a certain range to be considered by its customers.

### facteurs<sup>nm</sup> clés de qualification

Caractéristiques de l'offre d'une entreprise qui la rendent aptes à soutenir la concurrence du marché.

*Le délai de livraison très court d'une entreprise peut constituer un de ses facteurs clés de qualification.*

◆ gestion

---

▼
### order quantity
→ lot size

---

▼
### order quantity modifiers

Adjustments made to a calculated order quantity. Order quantities are calculated based upon a given lot-sizing rule, but it may be necessary to adjust the calculated lot size due to some special considerations (scrap, testing).

### paramètres<sup>nm</sup> de commande
= modificateurs<sup>nm</sup> de lot économique

Éléments qui font varier les quantités d'un ordre lors du calcul de la taille des lots, de façon à tenir compte de considérations particulières (taux de rebut, essais).

◆ gestion de la production et des stocks

---

▼
### order reporting

Recording and reporting the start and completion of the manufacturing order (shop order) in its entirety.

### suivi<sup>nm</sup> d'ordre de fabrication

Action de consigner le début et la fin de l'exécution d'un ordre de fabrication.

◆ gestion de la production et des stocks

---

▼
### order scheduling
→ operations scheduling

---

▼
### order selection

Selecting or "picking" the required quantity of specific products for movement to a packaging area (usually in response to one or more shipping orders) and documenting that the material was moved from one location to shipping.

### sélection<sup>nf</sup> des articles d'une commande

Action de grouper les produits qui font l'objet d'une commande selon les quantités déterminées par le client et de les acheminer vers le service de l'emballage et de l'expédition.

◆ gestion de la production et des stocks

---

▼
### order service

The function that encompasses receiving, entering, and promising orders from customers, distribution centers, and interplant operations. Order service is also typically responsible for responding to customer inquiries and interacting with the master scheduler on availability of products. In some companies, distribution and interplant requirements are handled separately.

### suivi<sup>nm</sup> des commandes

Opérations administratives par lesquelles le fournisseur s'assure de la saisie des commandes et du bon déroulement de l'exécution des commandes reçues.

◆ gestion de la production et des stocks

---

▼
### order shipment

Activity that extends from the time the order is placed upon the vehicle for movement until the order is received, verified, and unloaded at the buyer's destination.

### livraison<sup>nf</sup> (d'une commande)

Acheminement d'une commande à son destinataire.

*La livraison comprend le transport, la vérification et le déchargement de la commande.*

◆ gestion de la production et des stocks

---

▼
### order up to level
→ target inventory level

---

▼
### order winners

Those competitive characteristics that cause a firm's customers to choose that firm's products and services over those of its competitors. Order winners can be considered to be competitive advantages for the firm. Order winners usually focus on one (rarely more than two) of the following strategic initiatives: price/cost, quality, delivery speed, delivery reliability, product design, flexibility, after-market service, and image.

### facteurs<sup>nm</sup> clés de succès

Caractéristiques (prix, qualité, délai de livraison, fiabilité, design, service après-vente, image, etc.) qui permettent à une entreprise de l'emporter sur la concurrence.

◆ gestion

---

▼
### organizational development
(OD)

Process of improving the way in which an organization functions and is managed, particularly in response to change. It operates through planned interventions by a change agent in the organization's processes, and is managed by upper management in association with the organization's overall goals.

## développementnm organisationnel
(DO)

Démarche globale d'amélioration du climat et des modes de fonctionnement d'une entreprise grâce à l'application des sciences du comportement dans le but de lui permettre d'atteindre les objectifs qu'elle s'est fixés.

♦ gestion

## original equipment manufacturer
(OEM)

A manufacturer that buys and incorporates another supplier's products into its own products. Also, products supplied to the original equipment manufacturer or sold as part of an assembly. For example, an engine may be sold to an OEM for use as that company's power source for its generator units.

### entreprisenf OEM

Entreprise qui achète et intègre dans ses produits des composants fabriqués par un fournisseur.

♦ généralités

## OS&D

Abbreviation for **over, short, and damaged report.**

## OSI

Abbreviation for **open systems interconnection.**

## OTED

Abbreviation for **one touch exchange of dies.**

## outbound stockpoint

Designated locations near the point of use on a plant floor to which material produced is taken until it is pulled to the next operation.

### lieunm de stockage au point de production
= pointnm de stockage sortie
= stocksnm aval

Emplacement situé en atelier où sont déposés les composants produits par le centre de travail amont.

♦ gestion de la production et des stocks

## outlier

A data point that differs significantly from other data for a similar phenomenon. For example, if the average sales for some product were 10 units per month, and one month had sales of 500 units, this sales point might be considered an outlier.

## observationnf aberrante
= aberrancenf
= pointnm aberrant

Dans un ensemble d'observations, donnée qui s'écarte nettement de l'ensemble des observations.

♦ prévision

## out-of-pocket costs

Costs which involve direct payments such as labor, freight, insurance, etc., as opposed to depreciation which does not.

### sortiesnf de fonds

Coûts entraînant des paiements directs (main-d'œuvre, transport, assurances, etc.) par opposition aux frais imputés ou théoriques.

♦ comptabilité

## output
= unload

The physical product being completed by a process or facility.

### sortienf

Produit issu d'un processus de fabrication.

♦ gestion de la production et des stocks

## output control

A technique for controlling output where actual output is compared to planned output to identify problems at the work center.

### suivinm intrant-extrant
= contrôlenm des entrées-sorties
= suivinm de fabrication

Ensemble des activités de contrôle visant à comparer le nombre d'articles effectivement produits à la quantité planifiée afin d'apporter les correctifs nécessaires, s'il y a lieu.

♦ gestion de la production et des stocks

## output standard

The expected number of units from a process against which actual output will be measured.

### normenf de production
= normenf de réalisation

Référence de production à laquelle est comparée la réalisation effective.

♦ gestion de la production et des stocks

## outside shop

Suppliers. This term is used to convey the idea that suppliers are an extension of the inside shop or the firm's production facilities.

### atelier nm externe

Ensemble des fournisseurs qui mettent à la disposition de l'entreprise les composants nécessaires à sa production.

**NOTE** Ce terme traduit l'idée que les fournisseurs constituent une entité semblable aux équipes de l'entreprise.

♦ gestion des approvisionnements

---

### overhead

Costs incurred in the operation of a business that cannot be directly related to the individual products or services produced. These costs, such as light, heat, supervision, and maintenance are grouped in several pools (department overhead, factory overhead, general overhead) and distributed to units of product or service by some standard allocation method such as direct labor hours, direct labor dollars, or direct materials dollars.

### frais nm pl généraux

Frais engagés pour la fabrication de biens ou la prestation de services qui ne seront pas imputés directement aux produits fabriqués, aux services assurés.

**NOTE** Les frais généraux tels que les frais d'éclairage, de chauffage, d'entretien seront imputés à l'aide de coefficients de répartition (main-d'œuvre directe, matières directes, etc.).

♦ comptabilité

---

### overhead allocation

In accounting, the process of applying overhead to a product on the basis of a predetermined rate.

### imputation nf des frais généraux

Mode de répartition des frais généraux à un produit selon un coefficient déterminé.

♦ comptabilité

---

### overhead base

The denominator used to calculate the predetermined overhead rate used in applying overhead, e.g., estimated direct labor hours or estimated direct labor dollars.

### coefficient nm d'imputation des frais généraux

Clé de répartition utilisée par l'entreprise pour imputer les frais généraux à ses différents produits et services.

♦ comptabilité

---

### overhead pool

The collection of overhead costs that are to be allocated over a specified group of products.

---

### frais nm pl généraux imputables

Ensemble des frais généraux qui seront inclus dans les coûts des différents produits de l'entreprise.

♦ comptabilité

---

### overissue
→ **excess issue**

---

### overlapped schedule
= **lap phasing**
= **telescoping**
= **operation overlapping**

A manufacturing schedule that "overlaps" successive operations. Overlapping occurs when the completed portion of an order at one work center is processed at one or more succeeding work centers before the pieces left behind are finished at the preceding work center(s).

**ANT.** gapped schedule

### ordonnancement nm avec chevauchement

Programme de production d'un lot en cours de fabrication selon lequel on fait passer les premières pièces traitées à l'opération suivante sans attendre la fin du traitement en cours.

*L'ordonnancement avec chevauchement permet de réduire la durée du cycle total de fabrication et le nombre des encours.*

**ANT.** ordonnancement sans chevauchement

♦ gestion de la production et des stocks

---

### overlap quantity
= **offset quantity**

The amount of product that needs to be run and sent ahead to the following operation before the following "overlap" operation can begin.

### quantité nf de chevauchement

Quantité de produits qui est nécessaire à une mise en fabrication et qui doit être envoyée à l'opération suivante avant que celle-ci puisse commencer.

♦ gestion de la production et des stocks

---

### overload

A condition when the total hours of work outstanding at a work center exceeds that work center's capacity.

### surcharge nf

Situation selon laquelle le nombre total d'heures prévues pour un poste de travail est supérieur à sa capacité.

♦ gestion de la production et des stocks

---

### overrun

The quantity received from manufacturing or a supplier that is in excess of the quantity ordered.

### excédent[nm]

Quantité reçue ou produite qui excède la quantité demandée.

◆ gestion de la production et des stocks

---

### over, short, and damaged report
(OS&D)

A report submitted by a freight agent showing discrepancies in billing received and actual merchandise received.

### rapport[nm] d'avaries

Rapport soumis par un transporteur indiquant les écarts entre les quantités facturées et les quantités effectivement livrées.

◆ transport

---

### overtime

Work beyond normal established working hours that usually requires that a premium be paid to the workers.

### heures[nf] supplémentaires

Heures de travail exécutées en surplus de l'horaire normal et généralement à salaire majoré.

**NOTE** L'expression *temps supplémentaire est un calque de l'anglais.

◆ gestion de la production et des stocks

## PAC
Abbreviation for **production activity control.**

## packing and marking
Packing for safe shipping and unitizing one or more items of an order, placing into an appropriate container, and marking and labeling the container with customer shipping destination data, as well as other information that may be required.

### emballage nm et étiquetage nm
Action de placer un ou plusieurs articles dans un contenant (sac, boîte, caisse, etc.) et d'indiquer les coordonnées de destination ainsi que tous les renseignements utiles afin de permettre l'acheminement du produit le plus efficacement possible.
◆ généralités

## packing slip
A document that itemizes in detail the contents of a particular package, carton, pallet, or container for shipment to a customer. The detail includes a description of the items, the shipper's and/or customer's part number, the quantity in shipment, and the stockkeeping unit (SKU) of items shipped.

### bon nm de livraison
= **bordereau nm d'expédition**
Document d'accompagnement d'une marchandise énumérant le contenu et le détail exact de ce qui est livré.
◆ transport; gestion de la production et des stocks

## pack-out department
→ **final assembly** 2.

## pallet ticket
A label to track pallet-size quantities of end items produced in order to identify the specific sublot with specifications determined by periodic sampling and analysis during production.

## code nm palette
= **étiquette nf palette**
Étiquette facilitant le repérage d'une palette de produits finis qui ont fait l'objet de techniques d'échantillonnage et d'analyses en cours de fabrication.
*Dans le cas d'un poste manuel, la reconnaissance se fait visuellement par l'opérateur au passage de la pièce, ou si cela s'avère délicat et pouvant occasionner des erreurs, le code palette sera transcrit en clair sur un écran.*
◆ gestion de la production et des stocks

## panel consensus
A judgmental forecasting technique by which a committee, sales force, or group of experts arrives at a sales estimate.

### prévision nf par consensus
Estimation du volume des ventes possibles d'un bien ou d'un service à l'aide d'un échantillon représentatif de spécialistes qui formulent un avis.
◆ prévision

## paperless purchasing
A purchasing operation that does not employ purchase requisitions or hard-copy purchase orders. In actual practice, a small amount of paperwork usually remains, normally in the form of the supplier schedule.

### achat nm sans document
= **achat nm sans papier**
Ordre d'approvisionnement qui ne requiert pas de demande d'achat ou de commande écrite.
◆ gestion des approvisionnements

## parallel conversion
A method of system implementation in which the operation of the new system overlaps with the operation of the system being replaced. The old system is disconti-

nued only when the new system is shown to be working properly, thus minimizing the risk consequences of a poor system.

### démarrage nm en parallèle
Méthode qui permet le lancement d'un nouveau système pendant que l'ancien système continue à fonctionner.

*Le démarrage en parallèle minimise les risques liés à l'implantation d'un nouveau système.*
 ◆ gestion

### parallel engineering
→ **participative design/engineering**

### parallel schedule
Use of two or more machines or job centers to perform identical operations on a lot of material. Duplicate tooling and setup are required.

### ordonnancement nm parallèle
= **opérations nf en parallèle**
Technique d'ordonnancement permettant d'accélérer le traitement d'un lot par l'exécution d'opérations similaires, en parallèle, sur des postes de travail dotés des mêmes fonctions.
 ◆ gestion de la production et des stocks

### parameter
A coefficient appearing in a mathematical expression, each value of which determines the specific form of the expression. Parameters define or determine the characteristics of behavior of something, as when the "mean" and "standard deviation" are used to describe a set of data.

### paramètre nm
Élément constant ou coefficient constant attribué à certaines variables dans un modèle mathématique.
 ◆ recherche opérationnelle

### Pareto analysis
→ **Pareto's law**

### Pareto's law
= **Pareto analysis**
A concept developed by Vilfredo Pareto, an Italian economist, that states that a small percentage of a group accounts for the largest fraction of the impact, value, etc. For example, 20% of the inventory items may constitute 80% of the inventory value.

### loi nf de Pareto
Loi mise en évidence par l'économiste italien Pareto

selon laquelle un faible pourcentage d'une population représente la plus grande partie de la valeur (ou du volume, du chiffre d'affaires, etc.) de cette population.

*Ex. : selon la loi de Pareto, 20 % des articles en stock peuvent représenter plus de 80 % de la valeur totale des stocks.*
 ◆ gestion de la production et des stocks

### par level
In service operations, the maximum supply volume based on established quotas from previous use for a particular supply item, in a particular department, for a specified time period.

### niveau nm objectif de service
Limite maximale d'approvisionnement établie d'après l'historique des consommations, pour un article déterminé, au cours d'une période donnée.
 ◆ gestion des approvisionnements

### part
Generally, a material item that is used as a component and is not an assembly, subassembly blend, intermediate, etc.

### pièce nf
= **élément nm**
Chacun des éléments dont l'agencement, l'assemblage forme un tout organisé.
 ◆ gestion de la production et des stocks

### part coding and classification
A method used in group technology to identify the physical similarity of parts.

### codage nm et classement nm des pièces
Méthode d'analyse servant à déterminer les similitudes entre les pièces.
 ◆ gestion de la production et des stocks

### part family
A collection of parts grouped for some managerial purpose.

### classe nf de pièces
= **famille nf de pièces**
Ensemble de pièces groupées à des fins de gestion.
 ◆ gestion de la production et des stocks

### partial order
Any shipment received or shipped that is less than the amount ordered.

## commande<sup>nf</sup> partielle
= commande<sup>nf</sup> incomplète

Quantité de marchandises, reçue ou expédiée, ne comportant pas la totalité des marchandises commandées.

◆ gestion de la production et des stocks

## participative design/engineering
= co-design
= concurrent design
= concurrent engineering; parallel engineering; simultaneous design/engineering; simultaneous engineering; team design/engineering

A concept that refers to the participation of all the functional areas of the firm in the product design activity. Suppliers and customers are often also included. The intent is to enhance the design with the inputs of all the key stakeholders. Such a process should ensure that the final design meets all the needs of the stakeholders and should ensure a product that can be quickly brought to the marketplace while maximizing quality and minimizing costs.

## conception<sup>nf</sup> participative
= ingénierie<sup>nf</sup> et conception <sup>nf</sup> simultanées

Philosophie de gestion qui favorise la participation de tous les secteurs de l'entreprise à la définition et à la création des produits.

*La conception participative résulte en une liaison plus étroite et harmonieuse entre les concepteurs et les services de production, relation indispensable pour une définition optimale des produits.*

NOTE Les fournisseurs, qui sont situés en amont, ainsi que les utilisateurs situés en aval (consommateurs) peuvent également être invités à participer au processus de conception en vue de transmettre toutes les données utiles à la satisfaction des besoins du marché.

◆ gestion de la production et des stocks

## part master record
→ item record

## part number
→ item number

## part period balancing
(PPB)

A dynamic lot-sizing technique that uses the same logic as the least total cost method, but adds a routine called "look ahead/look back." When the look ahead/look back feature is used, a lot quantity is calculated and

before it is firmed up, the next or the previous periods' demands are evaluated to determine whether it would be economical to include them in the current lot.

## lotissement<sup>nm</sup> de pièces par période
= lotissement<sup>nm</sup> à couverture glissante

Technique de détermination de la taille des lots procédant de la même logique que la technique du moindre coût et permettant de déterminer s'il est plus économique d'inclure les besoins de la période suivante ou encore de retrancher les besoins de la période précédente au lot actuel calculés par la méthode du moindre coût.

NOTE Cette technique utilise le nombre de pièces par période comme indicateur du niveau optimal de lotissement.

◆ gestion de la production et des stocks

## part record
→ item record

## parts bank 1.

In the narrow sense, an accumulation of inventory between operations that serves to keep a subsequent operation running although there are interruptions in the preceding operations.

## stock<sup>nm</sup> tampon

Quantité de matières premières, de pièces, de composants situés à proximité immédiate des postes de travail et permettant d'alimenter les opérations de production.

◆ gestion de la production et des stocks

## parts bank 2.

In the larger sense, a stockroom or warehouse. The implication is that the contents of these areas should be controlled like the contents of a bank.

## magasin<sup>nm</sup> (de stockage)

Local servant à l'entreposage des stocks de matières premières, pièces, produits.

*La gestion du magasin doit être aussi rigoureuse que celle d'une banque.*

◆ gestion de la production et des stocks

## parts planner
→ material planner

## parts requisition
= requisition

An authorization that identifies the item and quantity required to be withdrawn from an inventory.

### bon<sup>nm</sup> de sortie

= bon<sup>nm</sup> de sortie magasin

= bon<sup>nm</sup> matières

Document permettant de retirer du magasin les matières, les composants, les produits afin de les mettre à la disposition des postes de travail.

*Le bon de sortie est utilisé pour constater les sorties de stocks et doit être rempli avec toutes les précisions utiles par les services demandeurs.*

◆ gestion de la production et des stocks

---

### part standardization

A program for planned elimination of superficial, accidental, and deliberate differences between similar parts in the interest of reducing part and supplier proliferation.

### standardisation<sup>nf</sup> des pièces

Programme d'uniformisation des pièces, des composants d'un produit en vue de réduire leur nombre et leurs sources d'approvisionnement.

◆ gestion de la production et des stocks

---

### part type

A code for a component within a bill of material, e.g., regular, phantom, reference.

### code<sup>nm</sup> par type de composant

= type<sup>nm</sup> de pièce

Codification des composants d'une nomenclature selon leur statut (courant, transitoire, de référence) dans la nomenclature de fabrication.

◆ gestion de la production et des stocks

---

### passwords

Computer terms for the set of characters that identify a user in order to log onto and use the system.

### mot<sup>nm</sup> de passe

Mot qui permet l'accès à certaines données, à certains fichiers et à l'exécution de certains travaux dans un système informatique.

◆ informatique

---

### past due order

= delinquent order

= late order

An order that has not been completed on or before the date scheduled.

### ordre<sup>nm</sup> en retard

Ordre de fabrication non terminé à la date d'exigibilité planifiée.

◆ gestion de la production et des stocks

---

### payback

A method of evaluating an investment opportunity that provides a measure of the time required to recover the initial amount invested in a project.

### délai<sup>nm</sup> de récupération

= période<sup>nf</sup> de récupération

= période<sup>nf</sup> de remboursement

Période qui s'écoule avant que les rentrées nettes de fonds provenant d'un projet d'investissement n'équilibrent les coûts de ce dernier.

◆ gestion de la production et des stocks

---

### pay for knowledge

A pay restructuring scheme by which competent employees are rewarded for the knowledge they acquire before or while working for an organization, regardless of whether such knowledge is actually being used at any given time.

### rémunération<sup>nf</sup> basée sur les connaissances

Grille salariale qui tient compte de la formation et des connaissances des salariés, même si leurs fonctions ne requièrent pas ces connaissances ou cette formation.

◆ gestion des ressources humaines

---

### pay point

→ count point

---

### PDCA

Abbreviation for **plan-do-check-action.**

---

### PDS

Abbreviation for **processor-dominated scheduling.**

---

### pegged requirement

A requirement that shows the next level parent item (or customer order) as the source of the demand.

### détermination<sup>nf</sup> des besoins niveau par niveau

= besoin<sup>nm</sup> chaîné

Détermination des besoins du niveau d'assemblage immédiatement supérieur, avec la possibilité de retrouver l'origine du besoin à tous les niveaux de la nomenclature (sous-ensembles, ensembles et produits finis).

◆ gestion de la production et des stocks

---

### pegging

In MRP, the capability to identify for a given item the

sources of its gross requirements and/or allocations. Pegging can be thought of as "live where-used" information.

### détermination[nf] de l'origine des besoins
Décomposition des besoins bruts selon les différentes sources de demande et répartition de ces besoins à tous les niveaux de la nomenclature (sous-ensembles, ensembles, produits finis).
◆ gestion de la production et des stocks

---

### percent of fill
= **customer service ratio**
A measure of the effectiveness with which the inventory management system responds to actual demand. The percentage of customer orders filled off the shelf can be measured in either units or dollars.
**ANT.** stockout percentage

### taux[nm] de service
= **taux[nm] de service stock**
Proportion de la demande qui pourra être satisfaite sans rupture de stock.
*Le taux de service peut être mesuré en quantité ou en valeur.*
◆ gestion de la production et des stocks

---

### performance efficiency
A ratio, usually expressed as a percentage, of the actual processing time for a part divided by its standard processing time. Setups are excluded from this calculation to prevent distortion. A traditional definition includes setup time as part of operation time, but significant distortions can occur as a result of dependent setups.

### taux[nm] d'efficience de la production
Rapport entre le temps d'exécution d'une opération et le temps standard défini à l'exclusion des temps de mise en course.
*Le taux d'efficience de la production est généralement exprimé en pourcentage.*
◆ gestion de la production et des stocks

---

### performance standard
A criterion or benchmark against which actual performance is compared.

### norme[nf] de rendement
= **norme[nf] de réalisation**
Donnée de référence permettant la comparaison avec le rendement réel.
◆ gestion de la production et des stocks

---

### period capacity
The number of standard hours of work that can be performed at a facility or work center in a given time period.

### capacité[nf] par période
Nombre d'heures standards de travail qui peuvent être effectuées à un poste de charge au cours d'une période donnée.
◆ gestion de la production et des stocks

---

### period cost(s)
All costs related to a period of time rather than a unit of product, e.g., marketing costs, property taxes.

### coûts[nm] de période
Ensemble des coûts liés à une période par opposition à une quantité de produits.
**NOTE** Les coûts de marketing, les impôts fonciers sont établis par période.
◆ comptabilité

---

### periodic inventory
A physical inventory taken at some recurring interval, e.g., monthly, quarterly, or annual physical inventory.

### inventaire[nm] périodique
= **inventaire[nm] intermittent**
Système de comptabilité des stocks qui consiste à déterminer par comptage la quantité et la valeur des articles stockés à la fin d'une période donnée (généralement l'exercice).
*L'inventaire périodique peut être mensuel, trimestriel ou annuel notamment.*
◆ gestion de la production et des stocks

---

### periodic order system
→ **fixed interval reorder system**
→ **fixed order quantity system**

---

### periodic replenishment
A method of aggregating requirements to place deliveries of varying quantities at evenly spaced time intervals, rather than variably spaced deliveries of equal quantities.

### (méthode de) réapprovisionnement[nm] périodique
= **programme[nm] d'approvisionnement périodique**
Méthode de réapprovisionnement qui consiste à compléter les stocks en quantités variables à intervalles réguliers (la semaine, le mois...) plutôt qu'en quantités fixes à des intervalles irréguliers.
◆ gestion de la production et des stocks

---

### periodic review system
→ **fixed order quantity system**

▼
## period order quantity
= fixed period ordering
A lot-sizing technique under which the lot size is equal to the net requirements for a given number of periods, e.g., weeks into the future.

### périodenf économique de commande
(PEC)
Technique de détermination de la taille des lots où la quantité varie en fonction des besoins nets prévus pour un certain nombre de périodes données.
◆ gestion de la production et des stocks

▼
## perpetual inventory
An inventory recordkeeping system where each transaction in and out is recorded and a new balance is computed.

### inventairenm permanent
Méthode de tenue de la comptabilité des stocks qui consiste à enregistrer les mouvements d'entrée et de sortie au fur et à mesure qu'ils se présentent et à arrêter chaque fois le nouveau solde afin d'avoir un inventaire comptable constamment à jour.
◆ gestion de la production et des stocks; comptabilité

▼
## perpetual inventory record
A computer record or manual document on which each inventory transaction is posted so that a current record of the inventory is maintained.

### fichiernm d'inventaire permanent
= étatnm d'inventaire permanent
État (document ou dossier informatique) sur lequel sont consignées toutes les transactions affectant l'inventaire de façon à maintenir à jour l'ensemble des données sur les stocks.
◆ gestion de la production et des stocks; comptabilité

▼
## personal computer
(PC)
A microcomputer usually consisting of a CPU, primary storage, and input/output circuitry on one or more boards, plus a variety of secondary storage devices.

### ordinateurnm personnel
= ordinateurnm individuel
Micro-ordinateur monoposte construit autour d'un microprocesseur, d'un clavier et d'un écran.
◆ informatique

▼
## PERT
Acronym for **program evaluation and review technique.**

▼
## PFS
Abbreviation for **process flow scheduling.**

▼
## phantom bill of material
= blow-through
= pseudo bill of material
= transient bill of material
A bill of material coding and structuring technique used primarily for transient (nonstocked) subassemblies. For the transient item, lead time is set to zero and the order quantity to lot-for-lot. This permits MRP logic to drive requirements straight through the phantom item to its components, but the MRP system usually retains its ability to net against any occasional inventories of the item. This technique also facilitates the use of common bills of material for engineering and manufacturing.

### nomenclaturenf transitoire
= nomenclaturenf fantôme
Nomenclature pour des sous-ensembles qui dès leur assemblage entrent directement dans la fabrication d'un produit.
NOTE La nomenclature transitoire permet d'appliquer la logique PBM à des assemblages définis par l'ingénierie, mais généralement non stockés par la production.
◆ gestion de la production et des stocks

▼
## physical distribution
= distribution
The activities associated with the movement of material, usually finished products or service parts, from the manufacturer to the customer. These activities encompass the functions of transportation, warehousing, inventory control, material handling, order administration, site/location analysis, industrial packaging, data processing, and the communications network necessary for effective management. In many cases, this movement is made through one or more levels of field warehouses.

### distributionnf physique
= distributionnf matérielle
Ensemble des activités liées à l'expédition des produits du fabricant au client.
*La distribution physique prend en charge le produit fini et assure la mise à disposition des acheteurs – qu'ils soient transformateurs ou consommateurs – des biens ou des services.*

**NOTE** La distribution physique comprend le transport, l'entreposage, la gestion des stocks, la manutention, le suivi des commandes, le conditionnement des produits, le traitement informatique de l'ensemble des activités qui succèdent à la gestion des matières.

◆ marketing

▼
### physical inventory 1.
The actual inventory itself.

### stock[nm] physique
Ensemble des matières, pièces, encours, articles effectivement entreposés dans les divers lieux de stockage d'une entreprise.

**NOTE** Le terme *inventaire* ne désigne en français qu'un dénombrement.

◆ gestion de la production et des stocks

▼
### physical inventory 2.
### = annual inventory count
The determination of inventory quantity by actual count. Physical inventories can be taken on a continuous, periodic, or annual basis.

### inventaire[nm] physique
### = inventaire[nm] matériel
### = récolement[nm]
Méthode de tenue des stocks qui consiste à compter la totalité des matières, pièces, articles en stock à une date déterminée en vue de déterminer la quantité exacte de chacun d'eux.

**NOTE** Le terme *inventaire est un anglicisme au sens de «stock».

◆ gestion de la production et des stocks

▼
### pick date
The start date of picking components for a production order. On or before this date, the system produces a list of orders due to be picked, pick lists, tags, and turn-around cards.

### date[nf] de prélèvement
Date à laquelle les divers composants d'un ordre de fabrication doivent être sortis du magasin pour les mettre à la disposition de l'atelier.

◆ gestion de la production et des stocks

▼
### picking
The process of withdrawing from stock the components to make the products or the finished goods to be shipped to a customer.

### prélèvement[nm] (de stock)
Action de sortir des matières premières, pièces, pro-

duits de leur lieu de stockage afin de répondre à une demande de fabrication ou de procéder à l'expédition vers la clientèle.

◆ gestion de la production et des stocks

▼
### picking list
### = batch sheet
### = disbursement list
### = stores issue order; stores requisition
A document that lists the material to be picked for manufacturing or shipping orders.

### bon[nm] de sortie
### = bordereau[nm] de prélèvement de stock
### = liste[nf] de prélèvement
Document permettant de faire sortir du magasin les matières, les composants, les encours, les articles pour les mettre à la disposition de la fabrication ou de l'expédition à l'extérieur.

**NOTE** Généralement un bordereau regroupe plusieurs demandes d'approvisionnement en fonction de critères fournis par la direction, tels que la priorité des ordres de fabrication, le nombre maximal de prélèvements par bordereau, le lancement d'ordres multiples pour un même article, l'emplacement en magasin, etc.

◆ gestion de la production et des stocks

▼
### piece parts
### = elemental parts
Individual items in inventory at the simplest level in manufacturing, e.g., bolts and washers.

### pièces[nf] élémentaires
Articles de base conservés en stock.

*Les boulons, écrous, rondelles, joints sont des pièces élémentaires.*

◆ gestion de la production et des stocks

▼
### piece rate
The amount of money paid for a unit of production. It serves as the basis for determining the total pay for an employee working in a piece work system.

### salaire[nm] aux pièces
### = salaire[nm] à la pièce
Rémunération payée pour chaque unité produite ou opération effectuée.

*Le salaire aux pièces sert à établir le salaire total d'un travailleur.*

◆ gestion des ressources humaines

▼
### piece work
Work done on a piece rate.

### travail[nm] à la pièce
Travail rémunéré en fonction des quantités produites ou des opérations effectuées.
◆ gestion des ressources humaines

---

## piggyback trailer on flatcar
A specialized form of containerization in which rail and motor transport coordinate.

### ferroutage[nm]
= transport[nm] rail-route
Mode d'expédition des marchandises combinant les transports routier et ferroviaire en vue d'éviter les transbordements.
◆ transport

---

## pilot lot
A relatively small preliminary order for a product. The purpose of this small lot is to correlate the product design with the development of an efficient manufacturing process.

### lot[nm] prototypé
= pré-série[nf]
= lot[nm] pilote
Lot de taille relativement réduite mis en fabrication afin de définir ou de vérifier des méthodes de production avant la fabrication en grande quantité.
◆ gestion de la production et des stocks

---

## pilot order
→ experimental order

---

## pilot plant
= semiworks
Small-scale production facilities used to develop production processes and to manufacture small quantities of new products for field testing, etc.

### usine[nf] pilote
Unité de production de taille réduite servant à l'expérimentation de procédés ou de produits nouveaux en quantités restreintes.
◆ gestion de la production et des stocks

---

## pilot test 1.
In computer systems, a test for final acceptance testing of a new business system using a subset of data with engineered test cases and documented results.

### essai[nm] pilote
Opération destinée à contrôler le bon fonctionnement d'un appareil ou la bonne exécution d'un programme.
◆ informatique

---

## pilot test 2.
= walk through
Generally, production of a quantity to verify manufacturability, customer acceptance, or other management requirements before implementation of ongoing production.

### fabrication[nf] du prototype
= essai[nm] pilote
Fabrication d'un premier lot de produits en vue d'étudier certaines caractéristiques : aptitude à être usiné, réceptivité des consommateurs, etc., avant la mise en production.
◆ gestion de la production et des stocks

---

## pipeline inventory
→ pipeline stock

---

## pipeline stock
= pipeline inventory
= transportation inventory
Inventory to fill the transportation network and the distribution system including the flow through intermediate stocking points. The flow time through the pipeline has a major effect on the amount of inventory required in the pipeline. Time factors involve order transmission, order processing, shipping, transportation, receiving, stocking, review time, etc.

### stock[nm] en transit
Stock maintenu entre le lieu de production et le lieu de vente dans le circuit de distribution.
*Le stock en transit comprend les stocks qui sont entreposés dans tous les points de stockage intermédiaires.*
◆ gestion de la production et des stocks

---

## plan-do-check-action
(PDCA)
The Japanese interpretation of the Deming circle of quality. It is the process of pursuing total quality control through a sequence of continuous improvement.

### cycle[nm] penser-démarrer-contrôler-agir
= cycle[nm] PDCA
Dans le cadre d'un programme d'amélioration continue, démarche systématique en vue de prévenir et de résoudre les problèmes affectant les performances d'un processus.
◆ gestion de la qualité; gestion

---

## planned issue
= controlled issue
A disbursement of an item predicted by MRP through the creation of a gross requirement or allocation.

### sortie[nf] prévisionnelle
= sortie[nf] planifiée

Prélèvement d'un composant, d'un produit défini par la programmation des besoins matières sous forme d'un besoin brut ou d'une affectation.

◆ gestion de la production et des stocks

### planned load

The standard hours of work required by MRP-recommended (planned) production orders.

### charge[nf] prévisionnelle
= charge[nf] planifiée

Heures de travail standards nécessaires à la réalisation des ordres de fabrication définis par la programmation des besoins matières.

◆ gestion de la production et des stocks

### planned order

A suggested order quantity, release date, and due date created by MRP processing when it encounters net requirements. Planned orders are created by the computer, exist only within the computer, and may be changed or deleted by the computer during subsequent MRP processing if conditions change. Planned orders at one level will be exploded into gross requirements for components at the next lower level. Planned orders, along with released orders, serve as input to capacity requirements planning to show the total capacity requirements by work center in future time periods.

### ordre[nm] planifié
= ordre[nm] prévisionnel

Ordre de fabrication ou d'approvisionnement calculé automatiquement par le programme des besoins matières pour couvrir le besoin net.

*Un ordre planifié ne constitue pas un engagement définitif et peut être modifié à l'occasion des mises à jour des plans directeurs de production.*

◆ gestion de la production et des stocks

### planned order receipt

That quantity planned to be received at a future date as a result of a planned order release. Planned order receipts differ from scheduled receipts in that they have not been released.

### réception[nf] prévisionnelle

Quantité de produits qui seront livrés à l'entreprise à la suite d'appels de livraison.

*Les réceptions prévisionnelles diffèrent des réceptions programmées parce qu'elles sont déclenchées par des appels de livraison en fonction des besoins.*

◆ gestion de la production et des stocks

### planned receipt

A receipt against an open purchase order or open production order.

### réception[nf] planifiée
= réception[nf] programmée

Réception prévue dans le cadre d'un marché d'approvisionnement ou d'un ordre de fabrication lancé.

◆ gestion de la production et des stocks

### planner
→ material planner

### planner/buyer
→ supplier scheduler

### planning bill of material

An artificial grouping of items and/or events in bill of material format, used to facilitate master scheduling and/or material planning. It is sometimes called a pseudo bill of material.

### nomenclature[nf] de planification

Regroupement de pièces, composants, articles, activités sous forme de nomenclature globale en vue de faciliter la définition et la mise en œuvre du plan directeur de production.

◆ gestion de la production et des stocks

### planning board
→ control board

### planning calendar
→ manufacturing calendar

### planning fence
→ planning time fence

### planning horizon
= horizon

The amount of time the master schedule extends into the future. This is normally set to cover a minimum of cumulative lead time plus time for lot sizing low-level components and for capacity changes of primary work centers.

### horizon[nm] de planification
= horizon[nm] prévisionnel

Période de temps pour laquelle est établi le plan directeur de production.

*Pour les cycles courts de production, l'horizon de planification correspond au cycle budgétaire, c'est-à-dire douze mois. Pour les cycles longs, il peut varier de dix-huit mois à trois ans, et doit être au moins égal à une fois et demie ou deux fois le cycle moyen de fabrication.*

**NOTE** L'horizon de planification doit être égal à la somme des plus longs délais d'approvisionnement, de fabrication et de montage du produit concerné. L'horizon prévisionnel correspond à la période comprise entre le moment présent et une date limite au-delà de laquelle l'entreprise ne peut plus prévoir de façon satisfaisante son chiffre d'affaires et sa production.

◆ gestion de la production et des stocks

### planning time fence
= **planning fence**

A point in time in the master production schedule. The master schedule planning horizon is divided into three regions. The demand time fence separates regions 1 and 2 and the planning time fence separates regions 2 and 3. Region 1 contains actual orders. Region 2 contains actual orders and forecast orders. Region 3 contains forecast orders and extends to the end of the planning horizon. The planning time fence represents a time period beyond which only forecasts of expected customer orders exist. Between the demand fence and the planning time fence actual customer orders replace the forecast quantities. Management of order acceptance depends on the manufacturing response strategies, make-to-stock, assemble-to-order, being used by the firm and other management criteria.

### borne$^{nf}$ de planification
= **limite$^{nf}$ de planification**

Limite de temps au-delà de laquelle l'entreprise ne peut prévoir de façon valable.

◆ gestion de la production et des stocks

### plant within a plant
→ **factory within a factory**

### PLC
Abbreviation for **programmable logic controller.**

### point of sale
(POS)

The relief of inventory and computation of sales data at the time and place of sale, generally through the use of bar coding or magnetic media and equipment.

### mise$^{nf}$ à jour des données (au point de vente)

Situation des ventes et inventaire permanent à l'aide de terminaux de point de vente.

*La mise à jour des données au point de vente est facilitée par l'utilisation de la codification à barres et de l'informatisation des opérations.*

◆ gestion de la production et des stocks

### point-of-use storage

Keeping inventory in specified locations on a plant floor near the operation where it is to be used.

### entreposage$^{nm}$ au point d'utilisation
= **stockage$^{nm}$ au lieu d'utilisation**

Stockage de matières, pièces, articles en différents points de l'atelier, près de leurs lieux d'utilisation.

◆ gestion de la production et des stocks

### point reporting

The recording and reporting of milestone manufacturing order occurrences, typically done at checkpoint locations rather than operations and easily controlled from a reporting standpoint.

### contrôle$^{nm}$ ponctuel
= **contrôle$^{nm}$ d'étape**

Enregistrement de données à certaines étapes de la fabrication.

*La saisie des données s'effectue à l'occasion de contrôles ponctuels.*

◆ gestion de la production et des stocks

### poka-yoke (mistake-proof)
= **failsafe techniques**
= **failsafe work methods**
= **mistake proofing**

Mistake-proofing techniques, such as manufacturing or setup activity designed in a way to prevent an error from resulting in a product defect. For example, in an assembly operation, if each correct part is not used, a sensing device detects a part was unused and shuts down the operation, thereby preventing the assembler from moving the incomplete part on to the next station or beginning another one. Sometimes spelled "poke-yoke".

### poka-yoke$^{nm}$
= **détecteur$^{nm}$ d'erreurs**
= **dispositif$^{nm}$ anti-erreurs**

Système permettant d'éviter toute erreur humaine au cours d'un processus de production.

*Le poka-yoke est conçu pour pouvoir arrêter de lui-même la machine lorsqu'une erreur est commise.*

**NOTE** Le terme *poka-yoke* est emprunté à la langue japonaise où il signifie «garde-fou».

◆ gestion de la qualité; gestion de la production et des stocks

## ▼ policies

Definitive statements of what should be done in the business.

### principes<sup>nm</sup> directeurs
= lignes<sup>nf</sup> d'action
= politique<sup>nf</sup> générale de l'entreprise

Directives générales, règles d'action sous-tendant la conduite d'une entreprise et concourant à la réalisation des objectifs définis.

◆ gestion

## ▼ population

The entire set of items from which a sample is drawn.

### population<sup>nf</sup>
Ensemble défini et clos d'éléments distincts faisant l'objet d'une enquête statistique.

◆ statistique

## ▼ POS

Abbreviation for **point of sale.**

## ▼ post-deduct inventory transaction processing
= explode-to-deduct

A method of inventory bookkeeping where the book (computer) inventory of components is automatically reduced by the computer only after completion of activity on the components' upper level parent item, based on what should have been used as specified in the bill of material and allocation records. This approach has the disadvantage of a built-in differential between the book record and what is physically in stock.

### mise<sup>nf</sup> à jour des stocks par postdéduction
Méthode informatisée de tenue des stocks où l'inventaire comptable des composants est réduit une fois terminées les activités touchant les composants utilisés.

*La méthode de mise à jour des stocks par post-déduction présente l'inconvénient de résulter en des stocks comptables et des stocks physiques différents.*

◆ gestion de la production et des stocks

## ▼ post-release

The period after the product design has been released to manufacturing when the product has ongoing support and product enhancement.

### postconception<sup>nf</sup>
Intervalle suivant la conception finale du produit au cours duquel s'effectue la mise au point définitive.

◆ gestion de la production et des stocks

## ▼ potency

The measurement of active material in a specific lot, normally expressed in terms of an active unit. Typically used for materials as solutions.

### titrage<sup>nm</sup>
Mesure des composants dans un lot déterminé.

◆ gestion de la production et des stocks

## ▼ PPB

Abbreviation for **part period balancing.**

## ▼ pre-deduct inventory transaction processing

A method of inventory bookkeeping where the book (computer) inventory of components is reduced prior to issue, at the time a scheduled receipt for their parent or assembly is created via a bill of material explosion. This approach has the disadvantage of a built-in differential between the book record and what is physically in stock.

### mise<sup>nf</sup> à jour des stocks par prédéduction
Méthode informatisée de tenue des stocks où l'inventaire comptable des composants est réduit avant la sortie effective de stock, au moment du lancement d'un ordre de fabrication.

*La méthode de mise à jour des stocks par prédéduction présente l'inconvénient de résulter en des stocks comptables et des stocks physiques différents, jusqu'à la consommation effective des composants.*

◆ gestion de la production et des stocks

## ▼ predetermined motion time
= synthetic time standard

An organized body of information, procedures, techniques, and motion times employed in the study and evaluation of manual work elements. It is useful in categorizing and analyzing all motions into elements whose unit times are computed according to such factors as length, degree of muscle control, precision, etc. The element times provide the basis for calculating a time standard for the operations.

### (méthode des) temps<sup>nm</sup> standards
Temps préétabli, obtenu après une analyse technique détaillée, pour réaliser un produit ou une opération dans des conditions normales d'exploitation.

*La méthode des temps standards permet de synthétiser la durée d'une opération à partir de tables indiquant le temps normal des mouvements fondamentaux.*

**NOTE** La méthode la plus utilisée est la méthode des temps mesurés (MTM).

◆ gestion de la production et des stocks

## predictable maintenance
→ **predictive maintenance**

## prediction
An intuitive estimate of demand taking into account changes and new factors influencing the market, as opposed to a forecast, which is an objective projection of the past into the future.

### prédiction<sup>nf</sup>
Évaluation intuitive de la demande, compte tenu des tendances et des changements susceptibles d'influencer le marché.

*La prédiction s'oppose à la prévision, qui est basée sur une projection objective du passé dans le futur.*
◆ prévision

## predictive maintenance
= **predictable maintenance**
A type of preventive maintenance based on nondestructive testing and statistical analysis, used to predict when required maintenance should be scheduled.

### maintenance<sup>nf</sup> conditionnelle
Maintenance préventive subordonnée à un type d'événement prédéterminé (auto-diagnostic, information fournie par un capteur, mesure d'une usure, analyse statistique, etc.).

**NOTE** Des circuits électroniques spécifiques assurent la surveillance et réagissent immédiatement à toute anomalie (auto-diagnostic) en déclenchant automatiquement des actions qui permettront de rétablir un fonctionnement normal.
◆ gestion de la production et des stocks

## pre-expediting
The function of following up on open orders before the scheduled delivery date, to ensure the timely delivery of materials in the specified quantity.

### relance<sup>nf</sup> préventive
Suivi et lancement des ordres avant la date de livraison prévue afin d'assurer le respect de cette date.
◆ gestion de la production et des stocks

## prepaid
A term denoting that transportation charges have been or are to be paid at the point of shipment by the sender.

### port payé<sup>loc adj</sup>
= **franco de port**<sup>loc adj</sup>
Se dit d'une expédition où les frais de transport entre le point de départ des marchandises et le point convenu de leur livraison sont à la charge de l'expéditeur.
◆ gestion des approvisionnements

## prerelease
The period of product specification, design, and design review.

### période<sup>nf</sup> de conception
Période au cours de laquelle un produit est en cours de réalisation, ses performances, testées, ses possibilités de fonctionnement, établies.
◆ gestion de la production et des stocks

## present value
The value today of future cash flows. For example, the promise of $10 a year from now is worth something less than $10 in hand today.

### valeur<sup>nf</sup> actuelle
= **valeur**<sup>nf</sup> actualisée
Valeur présente de rentrées futures.

*La valeur actuelle est calculée au moyen d'un taux d'actualisation approprié, en convertissant des valeurs disponibles plus tard, en une valeur équivalente à l'instant où on se place.*
◆ gestion

## prevention costs
The costs due to improvement activities that focus on the reduction of failure and appraisal costs. Typical costs include education, quality training, and supplier certification. Prevention costs are one of four categories of quality costs.

### coûts<sup>nm</sup> de prévention
Ensemble des coûts engagés pour éviter, prévenir et réduire la non-qualité en finançant des actions menées pour éliminer les causes des anomalies.
◆ gestion de la qualité

## preventive maintenance
Activities, including adjustments, replacements, and basic cleanliness, that forestall machine breakdowns. The purpose is to ensure that production quality is maintained. In addition, a machine that is well cared for will last longer and cause fewer problems

### maintenance<sup>nf</sup> préventive
Maintien en bon état du matériel et des installations par une surveillance régulière sous forme de visites périodiques planifiées
◆ gestion de la production et des stocks

## price analysis
The examination of a seller's price proposal or bid by comparison with price benchmarks, without examination and evaluation of all of the separate elements of the cost and profit making up the price in the bid.

## analyse[nf] de prix
Étude du prix demandé par un fournisseur pour un bien ou un service en fonction de standards de prix.
◆ gestion des approvisionnements

---

## price discrimination
Selling the same products to different buyers at different prices.

### discrimination[nf] des prix
Fixation de prix différenciés pour un même produit destiné à des clientèles distinctes alors que les coûts de production et de distribution sont identiques.
◆ marketing

---

## price elasticity
The degree of change in buyer demand in response to changes in product price. It is calculated by dividing the percentage of change in quantity bought by the percentage of change of price. Prices are considered elastic if demand varies with changes in price. If demand changes only slightly when the price changes, demand is said to be inelastic. For example, demand for most medical services is relatively inelastic, but demand for automobiles is generally elastic.

### élasticité[nf] de la demande par rapport au prix
Rapport entre la variation relative de la quantité demandée d'un bien ou d'un service et la variation relative du prix de ce bien, cause de la variation de la demande.

*L'élasticité de la demande par rapport au prix, mesure de combien, en pourcentage, diminuera la demande si le prix augmente de 1%. Si l'élasticité est inférieure à un, on dit que la demande est inélastique. Si la demande est très élastique, le chiffre d'affaires diminuera lorsque les prix augmentent.*
◆ économie

---

## price fixing
Sellers illegally conspiring to raise, lower, or stabilize prices.

### fixation[nf] des prix
= entente[nf] illicite sur les prix
Collusion entre deux entreprises ou plus afin de limiter la concurrence en demandant les mêmes prix.

NOTE L'expression *fixation des prix* au sens d'«établissement des prix» n'a pas une connotation péjorative.
◆ économie; marketing

---

## price point
The relative price position at which the product will enter

the market compared to direct and indirect competitors' prices. It is considered within the context of the price-range options available: high, medium, or low.

### niveau[nm] de prix
Échelon de prix qui tient compte du coût de production, de la rentabilité, du positionnement des produits, de la part de marché ainsi que de la concurrence, de la situation du marché, du pouvoir d'achat des consommateurs.

*Le niveau de prix d'une entreprise va du bas de gamme (prix de vente situé en bas de l'échelle des prix) au haut de gamme (prix de vente situé en haut de l'échelle des prix).*
◆ marketing

---

## price prevailing at date of shipment
An agreement between a purchaser and a supplier that the price of the goods ordered is subject to change at the supplier's discretion between the date the order is placed and the date the supplier makes shipment and that the then-established price is the contract price.

### prix[nm] à la date de livraison
Entente passée entre un fournisseur et un acheteur selon laquelle le prix des marchandises commandées variera au choix du fournisseur, entre la date de passation de la commande et celle de son expédition.
◆ gestion des approvisionnements

---

## price protection
An agreement by a supplier with a purchaser to grant the purchaser any reduction in price that the supplier may establish on its goods prior to shipment of the purchaser's order or to grant the purchaser the lower price should the price increase prior to shipment. Price protection is sometimes extended for an additional period beyond the date of shipment.

### engagement[nm] de prix
Entente passée entre un fournisseur et un acheteur selon laquelle le fournisseur garantit à l'acheteur les conditions les plus avantageuses ou, en cas d'augmentation, le prix le plus bas.
◆ gestion des approvisionnements

---

## price schedule
The list of prices applying to varying quantities or kinds of goods.

### barème[nm] de prix
= liste[nf] de prix
Répertoire ou table comportant les prix de divers articles en fonction des quantités ou d'autres critères.
◆ marketing

### primary location

The designation of a certain storage location as the standard, preferred location for an item.

### emplacement<sup>nm</sup> principal

Détermination d'un lieu de stockage à titre d'emplacement standard d'un article.

♦ gestion de la production et des stocks

### primary operation

A manufacturing step normally performed as part of a manufacturing part's routing.

ANT. alternate operation

### opération<sup>nf</sup> de base

Étape de fabrication habituellement effectuée à l'intérieur d'une gamme d'opérations pour la fabrication d'une pièce.

ANT. opération de remplacement

♦ gestion de la production et des stocks

### primary work center

The work center wherein an operation on a manufactured part is normally scheduled to be performed.

ANT. alternate work center

### poste<sup>nm</sup> de charge principal
= centre<sup>nm</sup> de charge principal

Poste de charge où doit s'effectuer une opération sur une pièce selon le plan directeur.

♦ gestion de la production et des stocks

### prime costs

Direct costs of material and labor. Prime costs do not include general sales and administrative costs.

### coût<sup>nm</sup> de revient de base

Coût de base d'un produit, c'est-à-dire le coût des matières premières plus celui de la main-d'œuvre directe.

♦ comptabilité

### prime operations

Critical or most significant operations whose production rates must be closely planned.

### opérations<sup>nf</sup> clés

Opérations critiques ou très importantes qui requièrent une planification rigoureuse.

♦ gestion de la production et des stocks

### priority

In a general sense, the relative importance of jobs, i.e., the sequence in which jobs should be worked on. It is a separate concept from capacity.

### priorité<sup>nf</sup>

Importance relative attribuée aux diverses tâches afin de déterminer l'ordre dans lequel ces tâches doivent être exécutées.

♦ gestion de la production et des stocks

### priority control

The process of communicating start and completion dates to manufacturing departments in order to execute a plan. The dispatch list is the tool normally used to provide these dates and priorities based on the current plan and status of all open orders.

### gestion<sup>nf</sup> des priorités
= contrôle<sup>nm</sup> des priorités

Communication aux postes de travail des dates de début et de fin des ordres de fabrication en fonction du programme directeur de production.

♦ gestion de la production et des stocks

### priority planning

The function of determining what material is needed and when. Master production scheduling and material requirements planning are the elements used for the planning and replanning process in order to maintain proper due dates on required materials.

### planification<sup>nf</sup> des priorités

Détermination du nombre de pièces dont les ateliers ont besoin à des dates définies par le programme directeur de production et la programmation des besoins matières.

♦ gestion de la production et des stocks

### private carrier

Transportation provided to a firm that owns or leases the vehicles.

### transporteur<sup>nm</sup> privé

Entreprise qui se charge de l'acheminement de ses produits, matières, fournitures à l'aide de ses véhicules ou de véhicules de location.

♦ transport

### private warehousing

Company-owned warehouse. A relatively high volume of throughput is necessary to make this economical.

### entreposage<sup>nm</sup> privé

Ensemble de bâtiments qui appartiennent à l'entreprise et qui sont destinés au stockage des matières, des pièces, de produits.

♦ gestion de la production et des stocks

▼
## probabilistic demand models
Statistical procedure that represent the uncertainty of demand by a set of possible outcomes (i.e., a probability distribution) and that suggest inventory management strategies under probabilistic demands.

### modèles<sup>nm</sup> à demande probabiliste
Méthodes statistiques qui tiennent compte de l'incertitude de la demande par un ensemble de données significatives (par exemple, une distribution de probabilités) et qui proposent des stratégies de gestion des stocks adaptées à ces modèles.
◆ statistique

▼
## probability
Mathematically, a number between 0 and 1 that estimates the number of experiments (if the same experiments were being repeated many times) in which a particular result would occur. This number can be either subjective or based upon the empirical results of experimentation. It can also be derived for a process to give the probable outcome of experimentation.

### probabilité<sup>nf</sup>
Coefficient compris entre 0 et 1 qui estime le rapport entre le nombre de fois où une expérience atteindra un résultat donné et le nombre total d'expériences réalisées.
*La probabilité est un pourcentage de chances pour qu'un événement se produise.*
◆ statistique

▼
## probability distribution
A table of numbers or a mathematical expression that indicates the frequency with which each of all possible results of an experiment should occur.

### distribution<sup>nf</sup> de probabilités
Tableau où sont consignées les valeurs d'une variable aléatoire et les fréquences d'apparition du phénomène étudié pour chacune des valeurs.
◆ statistique

▼
## probability tree
A graphic display of all possible outcomes of an event based on the possible occurrences and their associated probabilities.

### arbre<sup>nm</sup> de probabilités
Représentation dans une structure arborescente de toutes les conséquences possibles d'une situation en fonction de leurs probabilités d'occurrence.
◆ statistique

▼
## procedure manual
A formal organization and indexing of a firm's procedures. Manuals are usually printed and distributed to the appropriate functional areas.

### manuel<sup>nm</sup> des procédés et méthodes
Recueil où sont consignés les méthodes administratives et les divers procédés mis en pratique par une entreprise.
*Le manuel des procédés et méthodes est généralement diffusé dans les diverses unités administratives de l'entreprise.*
◆ gestion

▼
## procedures
Definitions of approved methods used to accomplish tasks.

### méthodes<sup>nf</sup> administratives
Ensemble des démarches définies pour l'exécution d'un travail, d'une opération, dans une entreprise.
◆ gestion

▼
## process average
Expected average value of the percentage defective of a given manufacturing process.

### qualité<sup>nf</sup> moyenne d'une fabrication
= **qualité<sup>nf</sup> moyenne des fabrications**
Pourcentage moyen de pièces défectueuses, ou nombre moyen de défauts par 100 unités ou par millions, estimé à partir d'informations sur une fabrication, par exemple à partir d'échantillons prélevés sur des lots contrôlés en première présentation.
◆ gestion de la qualité

▼
## process capability
The basic physical capability of production equipment and procedures to hold dimensions and other characteristics of products within the acceptable bounds for the process. It is not the same as tolerances or specifications required of the produced units.

### capacité<sup>nf</sup> opérationnelle d'un processus
Aptitude des équipements de production et des procédés de fabrication à réaliser des produits dont les caractéristiques s'inscrivent à l'intérieur de tolérances définies.
NOTE À ne pas confondre avec la **tolérance,** «écart entre les limites supérieures et inférieures d'admissibilité», et la **spécification,** «ensemble de conditions à remplir par un produit».
◆ gestion de la qualité

## process chart
### = block diagram
A graphic representation of events occurring during a series of actions or operations, with information pertaining to those operations.

### diagramme<sup>nm</sup> de processus
Représentation graphique d'une ou plusieurs gammes et de leur enclenchement.
- ◆ gestion de la production et des stocks

## process control
The function of maintaining a process within a given range of capability by feedback, correction, etc.

### maîtrise<sup>nf</sup> du processus
### = pilotage<sup>nm</sup> du processus
Fonction de maintien de la capacité opérationnelle d'un processus à l'aide de rétroactions, de corrections et ayant pour objet la surveillance d'un processus en vue de prévenir et d'éliminer la production d'unités non conformes.
- ◆ gestion de la qualité; gestion de la production et des stocks

## process control chart
Chart that represents the sequence of work or the nature of events in process. It serves as a basis for examining and possibly improving the way the work is carried out.

### carte<sup>nf</sup> de contrôle
Graphique indiquant les variations produites par un processus à intervalles réguliers.
**NOTE** Ce diagramme permet d'améliorer le mode de fabrication, s'il y a lieu.
- ◆ gestion de la qualité

## process controllers
Computers designed to monitor the manufacturing cycle during production, often with the capability to modify conditions, to bring the production back to within prescribed ranges.

### ordinateurs<sup>nm</sup> de contrôle
Ordinateurs pilotant un cycle de fabrication et programmés pour modifier les conditions d'exécution du travail afin de maintenir la production à l'intérieur des bornes établies.
- ◆ gestion de la production et des stocks

## process costing
A cost accounting system in which the costs are col-

lected by time period and averaged over all the units produced during the period. This system can be used with either actual or standard costs in the manufacture of a large number of identical units.

### méthode<sup>nf</sup> du coût de revient en fabrication continue
Méthode qui consiste à déterminer le coût d'unités qui ne peuvent être distinguées les unes des autres en accumulant, par procédé de fabrication ou par atelier, les frais de production engagés au cours d'une période, et en divisant le total obtenu par le nombre d'unités produites.
- ◆ comptabilité

## process flow production
A production approach with minimal interruptions in the actual processing in any one production run or between production runs of similar products. Queue time is virtually eliminated by integrating the movement of the product into the actual operation of the resource performing the work.

### production<sup>nf</sup> en flux continu
Type de production où il existe peu d'interruptions dans l'exécution d'une série de production ou entre les séries de production de produits similaires.
*Dans la production en flux continu, le temps d'attente est pratiquement éliminé lorsqu'on intègre le déplacement du produit dans l'opération proprement dite.*
- ◆ gestion de la production et des stocks

## process flow scheduling
(PFS)
A generalized method for planning equipment usage and material requirements that uses the process structure to guide scheduling calculations. PFS is used in flow environments common in process industries.

### ordonnancement<sup>nm</sup> de flux continu
Méthode d'ordonnancement de la production par processus utilisée pour la planification des capacités ainsi que des besoins matières.
- ◆ gestion de la production et des stocks

## process hours
The time required at any specific operation or task to process product.

### heures<sup>nf</sup> d'exécution
### = heures<sup>nf</sup> de traitement
Temps nécessaire à la réalisation d'une opération donnée, d'une tâche.
- ◆ gestion de la production et des stocks

▼
## process improvement
Activities designed to identify and eliminate causes of poor quality, process variation, and nonvalue-added activities.

### amélioration[nf] du processus
Ensemble d'activités visant à mettre en lumière les causes de qualité médiocre, de variations de processus et les tâches non productives.
◆ gestion de la qualité; gestion

▼
## process layout
→ functional layout

▼
## process list
A list of operations and procedures in the manufacture of product. It may also include a statement of material requirements.

### gamme[nf] (de fabrication)
Énumération des phases de travail nécessaires à la réalisation d'un produit.
◆ gestion de la production et des stocks

▼
## process manufacturing
Production that adds value by mixing, separating, forming, and/or performing chemical reactions. It may be done in either batch or continuous mode.

### production[nf] par processus
Production qui ajoute de la valeur par mélange, séparation, formage, réactions chimiques.
*La production par processus peut s'effectuer par lots ou en continu.*
◆ gestion de la production et des stocks

▼
## processor-dominated scheduling
(PDS)
A technique that schedules equipment (processor) before materials. This facilitates scheduling equipment in economic run lengths and the use of low-cost production sequences. This scheduling method is used in some process industries.

### ordonnancement[nm] du processus
Mode de programmation selon lequel on définit l'utilisation des ressources techniques de l'entreprise avant celle des matières premières.
*L'ordonnancement du processus est surtout employé dans les entreprises utilisant des procédés de fabrication en continu.*
◆ gestion de la production et des stocks

▼
## process sheet
Detailed manufacturing instructions issued to the plant. The instructions may include specifications on speeds, feeds, temperatures, tools, fixtures, and machines and sketches of setups and semifinished dimensions.

### fiche[nf] d'instructions
= feuille[nf] d'instructions
Document décrivant de façon détaillée les moyens à mettre en œuvre pour l'exécution d'un travail à un poste donné.
**NOTE** Cette fiche, remise avec le bon de travail correspondant, fixe les conditions d'exécution en fournissant pour chacune des opérations les paramètres de production, tels que vitesses, températures, accessoires, outils, etc.
◆ gestion de la production et des stocks

▼
## process steps
The operations or stages within the manufacturing cycle required to transform components into intermediates or finished goods.

### étapes[nf] du processus
Ensemble des phases nécessaires à la transformation des matières, pièces sous-ensembles en produits semi-finis ou finis.
◆ gestion de la production et des stocks

▼
## process stocks
Raw ingredients or intermediates available for further processing into marketable products.

### produits[nm] semi-finis
= produits[nm] intermédiaires
Matières premières, produits semi-finis devant subir des transformations avant d'être livrés au consommateur.
◆ gestion de la production et des stocks

▼
## process time
= residence time
The time during which the material is being changed, whether it is a machining operation or an assembly. Process time per piece is (setup time/lot size) plus run time per piece.

### temps[nm] de fabrication
= temps[nm] d'exécution
= durée[nf] de traitement
Temps pendant lequel un produit est transformé ou assemblé.
*Le temps de fabrication comprend le temps de mise en course et le temps d'exécution.*
◆ gestion de la production et des stocks

## ▼ process train

A representation of the flow of materials through a process industry manufacturing system that shows equipment and inventories. Equipment that performs a basic manufacturing step, such as mixing or packaging, is called a "process unit." Process units are combined into stages, and stages are combined into process trains. Inventories decouple the scheduling of sequential stages within a process train.

### diagramme<sup>nm</sup> de flux continu

Représentation graphique de l'enchaînement d'opérations en flux continu qui illustre les postes de travail, les déplacements des encours, les points de stock qui font partie du cheminement complet du processus.

◆ gestion de la production et des stocks

## ▼ procurement

The business functions of procurement planning, purchasing, inventory control, traffic, receiving, incoming inspection, and salvage operations.

### approvisionnement <sup>nm</sup>

Fonction consistant à fournir en temps voulu à l'entreprise toutes les matières et produits qui lui sont nécessaires pour permettre son fonctionnement, sa production.

L'approvisionnement comprend notamment la planification, l'achat, la gestion des stocks, l'acheminement des matières et articles, le contrôle à la réception et la récupération des matières recyclables.

◆ gestion des approvisionnements

## ▼ procurement cycle
→ procurement lead time

## ▼ procurement lead time
= procurement cycle
= total procurement lead time

The time required to design a product, modify or design equipment, conduct market research, and obtain all necessary materials. Lead time begins when a decision has been made to accept an order to produce a new product and ends when production commences.

### délai<sup>nm</sup> d'approvisionnement

Période de temps nécessaire à la sélection d'un fournisseur, à la négociation des conditions et au traitement administratif de l'ordre d'approvisionnement.

◆ gestion des approvisionnements

## ▼ product

Any commodity produced for sale.

## ▼ produit<sup>nm</sup>

Bien ou service produit pour être mis en vente par une entreprise.

NOTE La définition du terme *produit* dépend de chaque entreprise; ainsi une pièce détachée vendue en service après-vente est un produit.

◆ généralités

## ▼ product configuration catalog

A listing of all upper level configurations contained in an end-item product family. Its application is most useful when there are multiple end-item configurations in the same product family. It is used to provide a transition linkage between the end-item level and a two-level master production schedule. It also provides a correlation between the various units of upper level product definition.

### catalogue<sup>nm</sup> de configuration

Répertoire de toutes les configurations de niveau supérieur d'une gamme de produits finis.

*Le catalogue de configuration met en évidence les relations entre les configurations de la gamme et sert à assurer la liaison entre le produit fini et un programme directeur de production à deux niveaux; elle fait aussi apparaître les relations entre les diverses configurations de la famille.*

◆ gestion de la production et des stocks

## ▼ product cost

Cost allocated by some method to the products being produced. Initially recorded in asset (inventory) accounts, they become an expense (cost of sales) when the product is sold.

### coût<sup>nm</sup> incorporable
= charges<sup>nf</sup> incorporables
= frais<sup>nm pl</sup> incorporables

Frais engagés pour fabriquer un produit et qui sont incorporés au coût des stocks au lieu d'être immédiatement passés en charges.

◆ comptabilité

## ▼ product differentiation

Unique product attributes that set off one brand from another.

### différenciation<sup>nf</sup> du produit

Choix d'une entreprise de donner des caractéristiques distinctives à un de ses produits en vue de se démarquer de la concurrence.

◆ marketing

## ▼ product diversification

A marketing strategy that seeks to develop new products to supply current markets.

**diversification^nf de produits**
Choix stratégique d'une entreprise de proposer de nouveaux produits pour répondre aux besoins du marché.
◆ marketing

**product family**
A group of products with similar characteristics, often used in sales and operations (production) planning.

**famille^nf de produits**
Ensemble d'articles dotés de caractéristiques communes et regroupés pour faciliter la planification de la production et de la commercialisation.
*Les familles de produits peuvent être liées au marché, à l'équipement de production ou aux caractéristiques intrinsèques des produits eux-mêmes.*
NOTE La définition d'une famille de produits dépend de chaque entreprise.
◆ marketing; gestion de la production et des stocks

**product genealogy**
A record, usually on a computer file, of the history of a product from its introduction into the production process through its termination. The record includes lot or batch sizes used, operations performed, inspection history, options, where-used information, etc.

**historique^nm d'un produit**
Dossier généralement informatisé d'un produit depuis son lancement sur le marché jusqu'à son retrait.
*L'historique d'un produit comprend la taille du lot de fabrication, les opérations que requiert sa réalisation, les données de contrôle, les options et des données sur ses cas d'emplois.*
◆ marketing

**product grade**
The categorization of goods based upon the range of specifications met during the manufacturing process.

**classe^nf de produit**
Classement des produits d'après les diverses spécifications qui les caractérisent.
◆ marketing

**product group forecast**
A forecast for a number of similar products.

**prévision^nf par famille de produits**
= **prévision^nf par gamme de produits**
Estimation de la demande pour une gamme de produits.
◆ prévision

**production activity control**
(PAC)
= **shop floor control**
The function of routing and dispatching the work to be accomplished through the production facility and performing supplier control. PAC encompasses the principles, approaches, and techniques needed to schedule, control, measure, and evaluate the effectiveness of production operations.

**contrôle^nm des activités de production**
= **pilotage^nm de l'atelier**
Agencement de la production par la détermination du travail à faire (attribution des tâches, établissement du calendrier de travail), et le suivi du déroulement des activités afin d'apporter des correctifs au besoin.
*Le contrôle des activités de production applique les principes directeurs, les méthodes et les techniques d'ordonnancement, de contrôle et de mesure de l'efficience des activités de production.*
◆ gestion de la production et des stocks

**production and inventory management**
General term referring to the body of knowledge and activities concerned with planning and controlling rates of purchasing, production, distribution, and related capacity resources to achieve target levels of customer service, backlogs, operating costs, inventory investment, manufacturing efficiency, and return on investment.

**gestion^nf de la production et des stocks**
Mise en œuvre des activités de gestion concernant l'ensemble des activités de production, de l'achat des matières premières à la vente des produits finis.
*La gestion de la production et des stocks comprend les activités d'approvisionnement, de production, de distribution, de gestion des capacités dans le respect des objectifs de service après-vente, de carnet de commandes, de niveau de frais d'exploitation, de niveaux des stocks, de productivité et de rendement des investissements.*
◆ gestion de la production et des stocks

**production card**
In a Just-in-Time context, a card or other signal for indicating that items should be made for use or to replace some items removed from pipeline stock.

**carte^nf de production**
Dans un système de juste-à-temps, document définissant le nombre d'unités à fabriquer pour remplacer les unités prélevées pour l'aval.
◆ gestion de la production et des stocks

▼ **production control**

The function of directing or regulating the movement of goods through the entire manufacturing cycle from the requisitioning of raw material to the delivery of the finished products.

**gestion^nf de production**
= **contrôle^nm de la production**

Fonction de direction de l'ensemble des activités de l'ensemble du cycle de fabrication depuis la demande de matières premières jusqu'à la livraison de produits finis.

◆ gestion de la production et des stocks

▼ **production cycle**
→ **manufacturing cycle**

▼ **production cycle elements**

Elements of manufacturing strategy that define the span of an operation by addressing the following areas: (1) the established boundaries for the firm's activities, (2) the construction of relationships outside of the firm's boundaries (i.e., suppliers, distributors, and customers), (3) circumstances under which changes in established boundaries and/or relationships are necessary, (4) the effect of such boundary and/or relationship changes on the firm's competitive position. The production cycle elements must explicitly address the strategic implications of vertical integration in regard to (a) the direction of such expansion, (b) the extent of the process span desired, and (c) the balance among the resulting vertically linked activities.

**éléments^nm du cycle de production**

Éléments de la stratégie industrielle qui définissent l'envergure ainsi que le degré d'intégration des activités de l'entreprise.

*Les éléments du cycle de production comprennent la définition précise du champ d'activité de l'entreprise, l'établissement de relations avec les fournisseurs, distributeurs et clients, les modalités de changement de ces relations, la détermination de la position concurrentielle de l'entreprise.*

◆ gestion de la production et des stocks

▼ **production forecast**

A predicted level of customer demand for an option, feature, etc., of an assemble-to-order product or finish-to-order product. It is calculated by netting customer backlog against an overall family or product line master production schedule and then factoring this product available-to-promise by the option percentage in a planning bill of material.

▼ **prévision^nf de production**

Estimation de la demande pour un produit, une option, etc., d'un produit assemblé ou fini sur commande.

*Pour effectuer la prévision de production, on déduit en premier lieu le carnet de commandes du programme directeur, puis on applique au disponible à vendre qui en résulte le pourcentage d'options apparaissant dans la nomenclature de planification.*

◆ prévision; gestion de la production et des stocks

▼ **production lead time**
→ **manufacturing cycle**

▼ **production level**
→ **production rate**

▼ **production line**

A series of pieces of equipment dedicated to the manufacture of a specific number of products or families.

**chaîne^nf de production**
= **chaîne^nf de montage**

Ensemble de machines, d'équipements, de moyens de manutention directement reliés les uns aux autres, et permettant de réaliser des séquences d'opération de production.

◆ gestion de la production et des stocks

▼ **production material**

Any material used in the manufacturing process.

**matières^nf de fabrication**

Tout élément, produit utilisé au cours du processus de fabrication.

◆ gestion de la production et des stocks

▼ **production materials requisition**
= **material order**
= **materials requisition**

An authorization which identifies the item and quantity required to be withdrawn from an inventory.

**bon^nm matières**
= **bon^nm de sortie de matières**
= **demande^nf de matières**

Ordre d'approvisionnement écrit ou électronique qui énumère les composants à acheter ou à sortir des magasins, leur emplacement de stockage et les postes de travail auxquels ils sont destinés.

*Le bon matières tient lieu de pièce justificative pour le magasinier.*

◆ gestion de la production et des stocks

## ▼ production monitoring
→ input/output control

## ▼ production network
The complete set of all work centers, processes, and inventory points, from raw material sequentially to finished products and product families. It represents the logical system that provides the framework to attain the strategic objectives of the firm based on its resources and the products' volumes and processes. It provides the general sequential flow and capacity requirement relationships among raw materials, parts, resources, and product families.

### réseau[nm] de production
Ensemble de toutes les ressources (postes de travail, lieux de stockage, etc.) assurant la production depuis l'achat de matières premières jusqu'à la livraison des produits finis.

*Le réseau de production constitue le système global qui permet l'atteinte des objectifs fondamentaux de l'entreprise établis en fonction de ses ressources.*

**NOTE** Le réseau de production assure les liaisons essentielles entre matières premières, composants, ressources et familles de produits.

◆ gestion de la production et des stocks

## ▼ production order
→ manufacturing order

## ▼ production plan
The agreed-upon plan that comes from the aggregate (production) planning function, specifically the overall level of manufacturing output planned to be produced, usually stated as a monthly rate for each product family (group or products, items, options, features, etc.) Various units of measure can be used to express the plan: units, tonnage, standard hours, number of workers, etc. The production plan is management's authorization for master scheduler to convert it into a more detailed plan, that is, the master production schedule.

### plan[nm] de production
Plan à long terme découlant de la planification globale et exprimant les prévisions de production par produits ou familles de produits regroupés selon les critères propres à la production.

*C'est à partir du plan de production que sera établi le programme directeur de production.*

**NOTE** Établi en unités d'œuvre caractéristiques des activités de production (quantités, volumes, heures, dollars) il exprime, sur l'horizon retenu, les prévisions de production par produits ou familles de produits re-

groupés selon les critères propres à la production et fixe le niveau global de production.

◆ gestion de la production et des stocks

## ▼ production planning
= **sales and operations planning**
The function of setting the overall level of manufacturing output (production plan) and other activities to best satisfy the current planned levels of sales (sales plan and/or forecasts), while meeting general business objectives of profitability, productivity, competitive customer lead times, etc., as expressed in the overall business plan. The sales and production capabilities are compared and a business strategy that includes a production plan, budgets, pro forma financial statements, and supporting plans for materials and work force requirements, etc., is developed. One of its primary purposes is to establish production rates that will achieve management's objective of satisfying customer demand, by maintaining, raising, or lowering inventories or backlogs, while usually attempting to keep the work force relatively stable. Because this plan affects many company functions, it is normally prepared with information from marketing and coordinated with the functions of manufacturing, engineering, finance, materials, etc.

### planification[nf] de la production
Fonction qui consiste à définir le niveau global des unités à produire (plan de production) afin de respecter le plan commercial tout en satisfaisant les objectifs généraux de rentabilité, de productivité, de délais de livraison exprimés dans le plan d'entreprise.

*La planification de la production doit couvrir un horizon de planification suffisant pour prévoir la main-d'œuvre, les matières premières, les machines et les ressources financières nécessaires à sa réalisation.*

◆ gestion de la production et des stocks

## ▼ production planning and control strategies
An element of manufacturing strategy that includes the design and development of manufacturing planning and control systems in relation to the following considerations: (1) market related criteria – the required level of delivery speed and reliability in a given market segment, (2) process requirement criteria – consistency between process type (job shop, repetitive, continuous, etc.) and the production planning and control system, (3) organization control levels – systems capable of providing long-term planning and short-term control capabilities for strategic and operational considerations by managment. Production planning and control strategies help firms develop systems that enable them to exploit market opportunities while satisfying manufacturing process requirements.

## stratégie[nf] de planification et de contrôle de la production

Éléments de la stratégie manufacturière qui définissent les modes de planification et de contrôle à retenir pour atteindre les objectifs de l'entreprise.

*Le degré de fiabilité des produits, les délais de livraison demandés, par le segment de marché de l'entreprise sont considérés parmi d'autres facteurs lors de l'élaboration de la stratégie de planification et de contrôle de la production.*

◆ gestion de la production et des stocks

---

## production rate
### = production level

The rate of production usually expressed in units, hours, or some other broad measure, expressed by a period of time, i.e., per hour, shift, day, week, etc.

### cadence[nf] de production
### = niveau[nm] de production
### = taux[nm] de production

Quantité d'unités produites au cours d'une période donnée (heures, équipe, jour, semaine, etc.).

◆ gestion de la production et des stocks

---

## production release
→ manufacturing order

---

## production report

A statement of the output of a production facility for a specified period. The information normally includes the type and quantity of output; worker's efficiencies; departmental efficiencies; costs of direct labor, direct material, and the like; overtime worked; and machine downtime.

### rapport[nm] de production

Document faisant état de la production réalisée au cours d'une période donnée.

*Le rapport de production comprend généralement le type d'articles produits, la quantité, le rendement des postes de travail, les coûts directs de main-d'œuvre, de matières premières, les heures supplémentaires et les temps d'arrêt, s'il y a lieu.*

◆ gestion de la production et des stocks

---

## production reporting and status control
### = manufacturing order reporting
### = shop order reporting

A vehicle to provide feedback to the production schedule and allow for corrective action and maintenance of valid on-hand and on-order balances. Production reporting and status control normally includes manufacturing order authorization, release, acceptance, operation start, move reporting, scrap and rework reporting, order close-out, and payroll interface.

### suivi[nm] de production

Système de mise à jour de l'ordonnancement permettant de prendre les mesures correctives qui s'imposent et de mettre à jour les données sur les matières, composants, produits en stock et en commande.

*Le système de suivi de production comprend généralement l'autorisation et le lancement des ordres de fabrication, le début de l'opération, les déplacements dans l'atelier, les rebuts et reprises, la rémunération versée et la fin des ordres de fabrication.*

◆ gestion de la production et des stocks

---

## production schedule

A plan that authorizes the factory to manufacture a certain quantity of a specific item. It is usually initiated by the production planning departement.

### programme[nm] de fabrication
### = programme[nm] de production

Plan autorisant la production d'une certaine quantité d'un article défini.

*C'est généralement le service de la planification de la production qui prépare le programme de fabrication.*

◆ gestion de la production et des stocks

---

## production standard

Time standards to produce piece parts and assemblies.

### temps[nm] standard de production
### = standard[nm] de production

Temps préétabli nécessaire à la fabrication d'un article ou à l'exécution d'une tâche dans des conditions normales d'exploitation.

◆ gestion de la production et des stocks

---

## productive capacity

The additional output capabilities of a resource when operated at 100% utilization.

### capacité[nf] (de production)

Débit de sortie maximal pouvant être atteint lorsqu'une ressource est utilisée à 100 %.

◆ gestion de la production et des stocks

---

## productivity 1.

An overall measure of the ability to produce a good or a service. It is the actual output of production compared to the actual input of resources. Productivity is a relative measure across time or against common entities. In the production literature, attempts have been made to define total productivity where the effects of labor and capital are combined and divided into the output. One example is a ratio that is calculated by adding the standard hours of labor actually produced plus the standard machine hours actually produced in a given time period divided by the actual hours available for both labor and machines in the time period.

### productivité[nf]
Rapport entre la quantité de biens ou de services produits et l'ensemble des ressources mises en œuvre pour assurer cette production.
  **NOTE** La productivité constitue une mesure de l'utilisation efficiente des facteurs de production.
  ◆ gestion de la production et des stocks

---

### ▼ productivity 2.
In economics, the ratio of output in terms of dollars of sales to an input such as direct labor in terms of the total wages. This is also called a "partial productivity measure."

### productivité[nf]
Rapport entre une production exprimée en unités d'œuvre ou en unités monétaires et un facteur de production tel que les coûts de main-d'œuvre directe.
  ◆ économie

---

### ▼ product layout
Layout of resources arranged sequentially based on the product's routing.

### implantation[nf] linéaire
= **aménagement[nm] en ligne**
Disposition des postes de travail en fonction de la gamme d'opérations d'un produit.
  ◆ gestion de la production et des stocks

---

### ▼ product life cycle 1.
The stages a new product idea goes through from beginning to end, i.e., the stages that a product passes through from introduction through growth, maturity, and decline.

### cycle[nm] de vie d'un produit
Période qui s'écoule depuis le lancement d'un produit jusqu'à ce que celui-ci cesse d'être utilisé et qui comprend quatre phases : lancement, croissance, maturité et déclin.
  ◆ marketing

---

### ▼ product life cycle 2.
The time from initial research and development to the time at which sales and support of the product to customers are withdrawn.

### vie[nf] d'un produit
Période qui s'écoule depuis la conception d'un produit jusqu'au retrait de ce produit du marché.
  ◆ marketing

---

### ▼ product life cycle 3.
The period of time during which a product can be produced and marketed profitably.

### durée[nf] de vie économique d'un produit
Période au cours de laquelle la fabrication et la commercialisation d'un produit demeurent rentables.
  ◆ économie

---

### ▼ product line
A group of products whose similarity in manufacturing procedures, marketing characteristics, or specifications allows them to be aggregated for planning, marketing, or occasionally, costing.

### gamme[nf] de produits
= **ligne[nf] de produits**
Série de produits qui sont dotés de caractéristiques communes ou voisines et qui peuvent être regroupés à des fins de planification, de fabrication, de commercialisation.
  ◆ marketing; gestion de la production et des stocks

---

### ▼ product load profile
= **bill of labor**
= **bill of resources**
A listing of the required capacity and key resources required to manufacture one unit of a selected item or family. Often used to predict the impact of the item scheduled on the overall schedule and load of the key resources. Rough cut capacity planning uses these profiles to calculate the approximate capacity requirements of the master production schedule and/or the production plan.

### macrogamme[nf]
= **nomenclature[nf] de charge par produit**
État fournissant, pour chaque produit ou famille de produits, soit la charge globale d'un ensemble de postes de charge, soit la charge détaillée d'un ou de plusieurs postes clés.
  **NOTE** Les macrogammes sont utilisées pour l'estimation des besoins en capacité du programme directeur de production.
  ◆ gestion de la production et des stocks

---

### ▼ product mix
The proportion of individual products that make up the total production and/or sales volume. Changes in the

product mix can mean drastic changes in the manufacturing requirements for certain types of labor and material.

### portefeuille[nm] de produits
### = assortiment[nm] de produits
Ensemble des différents produits d'une entreprise qui constituent l'ensemble de la production et du chiffre d'affaires.

&#9670; marketing; gestion de la production et des stocks

### product number
&#8594; item number

### product positioned warehouse
Warehouse located close to the manufacturing plants in order to act as a consolidation point for products.

### implantation[nf] d'entrepôt en fonction de la fabrication
Emplacement d'un lieu de stockage situé à proximité de l'usine.

&#9670; gestion de la production et des stocks

### product positioning
The marketing effort involved to place a product in a market to serve a particular niche or function.

### positionnement[nm] d'un produit
Détermination de la position occupée par un produit sur un marché (prix, promotion, etc.), compte tenu de ses caractéristiques et des attentes du marché.

&#9670; marketing

### product profiling 1.
The comparison of manufacturing capabilities with marketing capabilities to determine areas where the two functions are mismatched.

### profil[nm] d'adéquation
Comparaison entre les habiletés manufacturières et les habiletés commerciales d'une entreprise afin de diagnostiquer les écarts ou décalages susceptibles de réduire l'efficience de l'entreprise.

&#9670; marketing; gestion de la production et des stocks

### product profiling 2.
Removing material around a predetermined boundary by means of numerically controlled machining. The numerically controlled tool path is automatically generated on the system.

### profilage[nm] (d'un produit)
Opération par laquelle une machine à commande numérique donne un profil déterminé à une pièce, à un produit.

&#9670; gestion de la production et des stocks

### product specification
A statement of acceptable physical, electrical, and/or chemical properties or an acceptable range of properties that distinguish one product or grade from another.

### spécification[nf] du produit
### = caractéristique[nf] de produit
Énoncé des propriétés physiques, électriques ou chimiques dans le cadre de leurs limites acceptables qui distinguent un produit d'un autre produit ou une classe de produit, d'une autre classe.

&#9670; gestion de la production et des stocks; gestion de la qualité

### product structure
The sequence that components follow during their manufacture into a product. A typical product structure would show raw material converted into fabricated components, components put together to make subassemblies, subassemblies going into assemblies, etc.

### structure[nf] du produit
Énumération hiérarchisée des liens entre composants et composés qui par combinaisons, réactions ou assemblages successifs de complexité croissante, transforment des matières premières et des composants en un produit fini.

&#9670; gestion de la production et des stocks

### product structure record
A computer record defining the relationship of one component to its immediate parent and containing fields for quantity required, engineering effectivity, scrap factor, application selection switches, etc.

### lien[nm] de nomenclature
Enregistrement informatique définissant les relations entre un composant et un sous-ensemble et comprenant des données sur les quantités requises, le taux de rebut, la date d'entrée en vigueur.

&#9670; gestion de la production et des stocks

### profit center
An assigned responsibility center that has authority to affect traditionally both the revenues earned and the costs incurred by the center. Operational effectiveness is evaluated in terms of the amount of profit generated.

### centre nm de profit
Centre de responsabilité pour lequel a été fixé un objectif de profit ou de marge.

*Le centre de profit permet de connaître le profit par différence entre le chiffre d'affaires et les charges du centre; l'efficacité du centre est évaluée selon le profit qu'il a réalisé.*

◆ comptabilité; gestion

---

▼
### program evaluation and review technique
(PERT)
A network planning technique for the analysis of a project's completion time. It uses an algorithm that permits identification of the "critical path"—the string of sequential activities that determine the project's completion time. PERT time estimates are probabilistic, based on pessimistic, most likely, and optimistic time estimates for each activity.

### méthode nf PERT
(PERT)
Méthode de gestion et d'analyse de projet qui consiste à représenter au moyen d'un réseau les activités nécessaires à l'exécution d'un travail complexe et les durées d'exécution de chacune, ainsi que les relations d'ordre de leur exécution, de façon à déterminer les dates au plus tôt et au plus tard du lancement de chaque étape ainsi que le chemin critique.

◆ gestion; recherche opérationnelle

---

▼
### programmable logic controller
(PLC)
An electronic device that is programmed to test the state of input process data and to set output lines in accordance with the input state, thus providing control instructions or branching to another set of tests. Programmable controllers provide factory floor operations with the ability to monitor and rapidly control hundreds of parameters, such as temperatures, pressure, etc.

### automate nm programmable
Dispositif électronique programmé pour établir la production en fonction des intrants et pour veiller au bon fonctionnement des divers appareils par le contrôle de multiples paramètres (température, pression, etc.).

*Les automates programmables facilite la gestion des activités de production en assurant le contrôle de centaines de paramètres divers telles les températures, les pressions, etc.*

◆ informatique

---

▼
### progress payments
Payments arranged in connection with purchase transactions requiring periodic payments in advance of delivery for certain amounts or for certain percentages of the purchase price.

### paiements nm échelonnés
Mode de règlement partiel en fonction du degré d'avancement des travaux avant la livraison.

◆ gestion des approvisionnements

---

▼
### project costing
An accounting method of assigning valuations that is generally used in industries where services are performed on project basis. Each assignment is unique and costed without regard to other assignments. Examples are ship building, construction projects and public accounting firms. Project costing is opposed to process costing where products to be valued are homogeneous.

### évaluation nf des coûts par projet
Méthode de détermination du coût de revient d'un projet spécifique.

*La fabrication d'un bateau, la construction d'un immeuble demande l'évaluation des coûts par projet.*

NOTE Chaque projet fait l'objet d'une évaluation distincte parce que ses caractéristiques particulières l'exigent.

◆ comptabilité

---

▼
### projected available balance
In MRP, the inventory balance projected out into the future. It is the running sum of on-hand inventory minus requirements plus scheduled receipts and planned orders.

### stock nm disponible projeté
Dans la planification des besoins matières, stock prévu pour chaque période.

*Le stock disponible projeté est égal au stock physique de la période, diminué des besoins et augmenté des réceptions prévues et des ordres prévisionnels.*

◆ gestion de la production et des stocks

---

▼
### projected on hand
Projected available balance, excluding planned orders.

### stock nm projeté
Stock disponible projeté, à l'exclusion des ordres prévisionnels.

◆ gestion de la production et des stocks

---

▼
### projection
= extrapolation
Estimation based on past data.

### projection nf
Mode de prévision s'appuyant sur des données antérieures.

*La projection suppose que l'avenir sera le prolongement du passé.*
◆ prévision

---

▼
### project model
A time-phased project planning and control tool that itemizes major milestones and points of user approval.

### modèle[nm] d'un projet
Outil de planification et de contrôle qui met en évidence les aspects fondamentaux d'un projet à des fins d'examen et d'approbation.
◆ gestion de la production et des stocks

---

▼
### project production
Production in which each unit or small group of units is managed by a project team created especially for that purpose.

### production[nf] par projet
Production dans laquelle chaque unité ou chaque petit groupe d'unités est géré par une équipe spécifique créée à cette fin.
◆ gestion de la production et des stocks

---

▼
### promotional product
A product that is subject to wide fluctuations in sales because it is usually sold at a reduced price or with some other sales incentive.

### produit[nm] de promotion
= produit[nm] d'appel
Produit soumis à d'importantes variations de vente parce que son prix est fréquemment réduit ou parce qu'il est proposé pour attirer le consommateur au point de vente.
◆ marketing

---

▼
### protection time
→ safety lead time

---

▼
### protective capacity
= safety capacity
A given amount of extra capacity at non-constraints above the system constraints capacity, used to protect against statistical fluctuation (breakdowns, late receipts of materials, quality problems, etc.). Protective capacity provides non-constraints with the ability to catch up to "protect" throughput and due date performance.

### capacité[nf] de sécurité
Capacité excédentaire destinée à permettre le respect du programme directeur de production en dépit des pannes, de la réception au plus tard de matières, de problèmes de qualité, etc.
◆ gestion de la production et des stocks

---

▼
### protective inventory
The amount of inventory required relative to the protective capacity in the system in order to achieve a specific throughput rate at the constraint.

### stock[nm] de sécurité
Quantité excédentaire de matières, d'articles destinés à l'absorption des irrégularités de la demande, des délais d'approvisionnement et des aléas de la production.
◆ gestion de la production et des stocks

---

▼
### prototype
A product model constructed for testing and evaluation to see how the product performs before releasing the product to manufacture.

### prototype[nm]
Premier exemplaire d'un produit appelé à une fabrication industrielle.
◆ gestion de la production et des stocks

---

▼
### prototyping
A specialized system development technique for performing a determination wherein user needs are extracted, presented, and developed by building a working model of the system. Generally these tools make it possible to create all files and processing programs needed for a business application in a matter of days or hours for evaluation purposes.

### conception[nf] de prototypes
Technique de développement de prototypes en fonction des besoins des utilisateurs.
◆ gestion de la production et des stocks

---

▼
### pseudo bill of material
→ phantom bill of material

---

▼
### public warehousing
Warehouse space that is rented or leased by an independent business providing a variety of services for a fee or on a contract basis.

### magasins[nm] généraux
= entrepôt[nm] loué
Établissement exploité par des personnes physiques ou morales, qui mettent à la disposition du public des locaux destinés à recevoir et à stocker des marchandises.
◆ généralités

▼ **pull (system)** 1.

In production, the production of items only as demanded for use, or to replace those taken for use.

### (système de) production<sup>nf</sup> à flux tiré
= **production<sup>nf</sup> appelée par l'aval**

Système de production suivant lequel les pièces n'avancent au poste de travail situé en aval que si celui-ci les sollicite.

◆ gestion de la production et des stocks

▼ **pull (system)** 2.

In material control, the withdrawal of inventory as demanded by the using operations. Material is not issued until a signal comes from the user.

### sortie<sup>nf</sup> à flux tiré

En gestion des stocks, prélèvement de matières, pièces, articles uniquement lorsque l'utilisation les réclame.

◆ gestion de la production et des stocks

▼ **pull (system)** 3.

In distribution, a system for replenishing field warehouse inventories wherein replenishment decisions are made at the field warehouse itself, not at the central warehouse or plant.

### gestion<sup>nf</sup> des stocks à flux tiré

En distribution, système de réapprovisionnement des stocks géré en fonction des besoins de l'entrepôt régional et non de ceux du magasin central ou de l'usine.

◆ gestion de la production et des stocks

▼ **purchased part**

An item sourced from a supplier.

### pièce<sup>nf</sup> achetée
= **produit<sup>nm</sup> acheté**

Pièce non manufacturée par l'entreprise et provenant d'un fournisseur externe.

◆ gestion de la production et des stocks

▼ **purchase order**

The purchaser's document used to formalize a purchase transaction with a supplier. A purchase order, when given to a supplier, should contain statements of the quantity, description, and price of the goods or services ordered; agreed-to terms as to payment, discounts, date of performance, and transportation; and all other agreements pertinent to the purchase and its execution by the supplier.

### bon<sup>nm</sup> de commande
= **ordre<sup>nm</sup> d'achat**

Formule imprimée que remplit un acheteur pour demander un bien ou un service à un fournisseur dans des conditions déterminées et moyennant un certain prix.

*Le bon de commande comprend les quantités d'articles commandés, leur description, le prix et les conditions de paiement et la date de livraison des articles.*

◆ gestion des approvisionnements

▼ **purchase price variance**

The difference in price between what was paid to the supplier and the standard cost of that item.

### écart<sup>nm</sup> sur prix d'achat

Différence entre le prix payé pour un produit à un fournisseur et le prix courant de ce produit.

◆ gestion des approvisionnements

▼ **purchase requisition**

A document conveying authority to the purchasing department to purchase specified materials in specified quantities within a specified time.

### demande<sup>nf</sup> d'achat

Document autorisant le service de l'approvisionnement de procéder à l'achat de matières définies en quantités déterminées et selon un délai convenu.

**NOTE** Le terme *réquisition est un anglicisme en ce sens.

◆ gestion des approvisionnements

▼ **purchasing**

The term used in industry and management to denote the function of and the responsibility for procuring materials, supplies, and services.

### approvisionnement<sup>nm</sup>

Fonction consistant à mettre à la disposition de l'entreprise les biens et les services nécessaires à son fonctionnement dans les meilleures conditions de sécurité, de coût et de qualité.

◆ gestion des approvisionnements

▼ **purchasing agent**

A person authorized by the company to purchase goods and services for the company.

### acheteur<sup>nm</sup>
### acheteuse<sup>nf</sup>

Agent chargé de l'acquisition de biens ou de services dans une entreprise.

◆ gestion des approvisionnements

▼
### purchasing capacity
The act of buying capacity or machine time from a supplier. This allows a company to use and schedule the capacity of the machine or a part of the capacity of the machine as if it were in its own plant.

### achat$^{nm}$ de capacité
Acquisition de temps d'utilisation de moyens de production d'une autre entreprise moyennant un prix convenu.

*L'achat de capacité permet à une entreprise d'utiliser les moyens de production d'une autre entreprise comme s'ils étaient dans ses ateliers.*

◆ gestion des approvisionnements; gestion de la production et des stocks

▼
### purchasing lead time
The total lead time required to obtain a purchased item. Included here are order preparation and release time; supplier lead time; transportation time; and receiving, inspection, and put-away time.

### délai$^{nm}$ d'approvisionnement
Période de temps comprise entre le lancement d'un ordre d'achat et la réception de l'article acheté en magasin.

*Le délai d'approvisionnement comprend les temps de préparation et de passation de la commande, le délai de livraison du fournisseur, les temps de transport, de réception et de contrôle de l'article acheté.*

◆ gestion des approvisionnements; gestion de la production et des stocks

▼
### purchasing unit of measure
→ unit of measure (purchasing)

▼
### push (system) 1.
In production, the production of items at times required by a given schedule planned in advance.

### système$^{nm}$ de production à flux poussé
= production$^{nf}$ poussée
Mode de production suivant lequel les pièces sont fabriquées à partir d'un programme de production.

◆ gestion de la production et des stocks

▼
### push (system) 2.
In material control, the issuing of material according to a given schedule and/or issuing material to a job order at its start time.

### sortie$^{nf}$ à flux poussé
En gestion des stocks, prélèvement de matières, pièces, articles selon un programme de production ou pour un ordre de fabrication déterminé.

◆ gestion de la production et des stocks

▼
### push (system) 3.
In distribution, a system for replenishing field warehouse inventories wherein replenishment decision making is centralized, usually at the manufaturing site or central supply facility.

### gestion$^{nf}$ des stocks à flux poussé
En distribution, système de réapprovisionnement des stocks d'un entrepôt régional selon lequel les décisions sont centralisées au magasin central ou dans l'usine.

◆ gestion de la production et des stocks

▼
### put-away
Removing the material from the dock (or other location of receipt), transporting the material to a storage area, placing that material in a staging area and then moving it to a specific location, and recording this movement and identification of the location where the material has been placed.

### réservation$^{nf}$ de stock
Action de retirer de marchandises reçues des articles déterminés, de les déposer en un lieu de stockage spécifique et d'enregistrer le point d'entreposage de ces articles.

◆ gestion de la production et des stocks

▼
### pyramid forecasting
A forecasting technique that enables management to review and adjust forecasts made at an aggregate level and to keep lower level forecasts in balance. The aggregate family forecasts are forced onto the lower level forecasts, level by level, by prorating the difference between the aggregate forecasts and the rolled up sum of the lower level forecasts. The approach combines the stability of aggregate forecasts and the application of management judgment with the need to forecast many end items within the constraints of an aggregate forecast or sales plan.

### prévision$^{nf}$ hiérarchique
Technique prévisionnelle globale qui permet à la direction de revoir et de mettre à jour les prévisions globales et d'ajuster les prévisions qui en découlent en fonction de la somme des prévisions détaillées.

◆ prévision

## QFD
Abbreviation for **quality function deployment.**

## qualifiers
Those competitive characteristics that a firm must exhibit to be a viable competitor in the marketplace. For example, a firm may seek to compete on characteristics other than price, but in order to "qualify" to compete, it must keep its costs and the related price within a certain range.

### facteurs[nm] clés de succès
Caractéristiques essentielles que doit posséder une entreprise pour demeurer concurrentielle.

*Un des facteurs clés de succès pour une entreprise est le rapport qualité-prix de ses produits ou services.*

◆ gestion

## quality
Conformance to requirements, or fitness for use. Quality can be defined through five principal approaches: (1) Transcendent quality is an ideal, a condition of excellence. (2) Product-based quality is based on a product attribute. (3) User-based quality is fitness for use. (4) Manufacturing-based quality is the conformance to requirements. (5) Value-based quality is the degree of excellence at an acceptable price. Also, quality has two major components: (1) quality of conformance–quality is defined by the absence of defects, and (2) quality of design–quality is measured by the degree of customer satisfaction with a product's characteristics and features.

### qualité[nf]
Ensemble des propriétés et caractéristiques d'un produit, d'un service qui lui confèrent l'aptitude à satisfaire des besoins exprimés ou implicites.

**NOTE** Les besoins peuvent comporter des aspects de convenance à l'usage, de sûreté, de disponibilité, de fiabilité, de maintenabilité, des aspects économiques et des aspects relatifs à l'environnement.

◆ gestion de la qualité

## quality at the source
A producer's responsibility to provide 100% acceptable quality material to the consumer of the material. The objective is to reduce or eliminate shipping/receiving quality inspections and line stoppages as a result of supplier defects.

### qualité[nf] chez le fournisseur
= qualité[nf] à la source
Caractéristique d'un produit ou d'un service qui satisfait pleinement les besoins du consommateur et dont la responsabilité incombe au fabricant.

*L'objectif de la qualité chez le fournisseur est de réduire ou de supprimer les contrôles de qualité ou les interruptions de production en raison des défectueux.*

◆ gestion de la qualité

## quality circle
A small group of people who normally work as a unit and meet frequently for the purpose of uncovering and solving problems concerning the quality of items produced, process capability, or process control.

### cercle[nm] de qualité
Groupe composé de travailleurs volontaires, généralement de la même unité administrative, qui se réunit périodiquement pour rechercher et résoudre des problèmes relatifs à la qualité des produits, à la maîtrise du processus de fabrication dans leur unité de production.

◆ gestion de la qualité; gestion

## quality control
The process of measuring quality conformance by comparing the actual with a standard for the characteristic and acting on the difference.

### contrôle[nm] de la qualité
### = maîtrise[nf] de la qualité
Ensemble d'activités consistant à évaluer la conformité d'un produit ou d'un service aux normes de qualité établies et à déterminer les écarts entre le produit ou le service et ces normes et à les corriger.

◆ gestion de la qualité

### quality costs
The overall costs associated with prevention activities and the improvement of quality throughout the firm before, during, and after production of a product. These costs fall into four recognized categories of internal failures, external failures, appraisal costs, and prevention costs. Internal failures costs relate to things that go wrong before the product reaches the customer. This usually includes such things as rework, scrap, downgrades, reinspection, retest, and process losses. External failures costs relate to problems found after the product reaches the customer. This usually includes such costs as warranty, returns, etc. Appraisal costs are associated with the formal evaluation and audit of quality in the firm. Typical costs include inspection, quality audits, testing, calibration and checking time. Prevention costs are due to improvement activities that focus on the reduction of failure and appraisal costs. Typical costs include education, quality training, supplier certification, etc.

### coût-qualité[nm]
Ensemble des sommes investies pour éviter, prévenir et réduire la non-qualité ainsi que pour améliorer la qualité des produits et s'assurer qu'ils sont conformes aux exigences des consommateurs.

*Le calcul du coût-qualité comprend la détermination des coûts de prévention, des coûts d'évaluation ou de contrôle, des coûts de défaillances internes et de défaillances externes.*

**NOTE** Les coûts de prévention se rapportent à l'élimination de la cause des anomalies. Les coûts d'évaluation ou de contrôle concernent la vérification de la conformité des produits aux critères de qualité définis. Les coûts de défaillances internes sont les frais engagés lorsque le produit ne satisfait pas aux exigences de qualité avant d'avoir quitté l'entreprise, alors que les coûts de défaillances externes comprennent les frais engagés lorsque le produit ne satisfait pas aux exigences de qualité après avoir quitté l'entreprise.

◆ gestion de la qualité

### quality function deployment
(QFD)
A structured process or mechanism for determining customer requirements and translating them into relevant technical requirements that each functional area and organization level can understand and act upon. It also includes the appropriate monitoring and control of the manufacturing process to achieve the goal.

### déploiement[nm] de la fonction qualité
(DFQ)
Approche structurée qui permet de relier les besoins directs du client à différentes activités de conception d'un processus ou d'un produit et de sa fabrication, d'une façon intégrée et systématique.

*Le déploiement de la fonction qualité comprend également le pilotage de la production en vue d'atteindre les objectifs de qualité adoptés par l'entreprise.*

◆ gestion de la qualité

### quantity discount
A price reduction allowance determined by the quantity or value of a purchase.

### remise[nf] sur quantité
### = remise[nf] quantitative
Réduction de prix consentie par le fournisseur en raison de la forte quantité de marchandises achetées à un moment donné.

◆ gestion des approvisionnements

### quantity per
The quantity of a component to be used in the production of its parent. This value is stored in the bill of material and is used to calculate the gross requirements for components during the explosion process of MRP.

### facteur[nm] de quantité
### = coefficient[nm] d'emploi
Quantité d'un composant utilisé dans la fabrication du produit.

*Dans un système de planification des besoins matières, le facteur de quantité est utilisé pour calculer les besoins bruts en composants.*

◆ gestion de la production et des stocks

### quarantine
The setting aside of items from availability for use or sale until all required quality tests have been performed and conformance certified.

### quarantaine[nf]
### = quantité[nf] en quarantaine
Quantité en attente de contrôle de qualité.

*Les produits sont gardés en quarantaine en attendant que tous les essais soient terminés et qu'ils aient reçu leur attestation de conformité aux normes établies.*

◆ gestion de la qualité

### queue
A waiting line. In manufacturing, the jobs at a given work center waiting to be processed. As queues increase, so do average queue time and work-in-process inventory.

#### file$^{nf}$ d'attente (des travaux)
Ensemble des travaux en attente à un poste de charge donné.
*L'augmentation de la file d'attente accroît le délai moyen et les encours.*
◆ recherche opérationnelle; gestion de la production et des stocks

### queue ratio
The hours of slack within the job by the queue originally scheduled between the start of the operation being considered and the scheduled due date.

#### ratio$^{nm}$ de file d'attente
Rapport obtenu en divisant les heures disponibles pour la réalisation d'un ordre par l'attente planifiée entre le début de l'opération et la date d'exigibilité de cet ordre de fabrication.
◆ recherche opérationnelle; gestion de la production et des stocks

### queue time
The amount of time a job waits at a work center before setup or work is performed on the job. Queue time is one element of total manufacturing lead time. Increases in queue time result in direct increases to manufacturing lead time and work-in-process inventories.

#### temps$^{nm}$ d'attente
Intervalle de temps qui s'écoule avant qu'un ordre de fabrication ne soit traité à un poste de travail.
*Le temps d'attente est un des éléments du délai total de production.*
◆ gestion de la production et des stocks; recherche opérationnelle

### queuing theory
= waiting line theory
The collection of models dealing with waiting line problems, i.e., problems for which customers or units arrive at some service facility at which waiting lines or queues may build.

#### théorie$^{nf}$ des files d'attentes
Ensemble des modèles mathématiques visant à définir et à rechercher le meilleur équilibre économique entre les coûts respectivement liés à l'attente des clients et à la sous-activité des éléments qui rendent le service.
◆ recherche opérationnelle

### quotation
A statement of price, terms of sale, and description of goods or services offered by a supplier to a prospective purchaser; a bid. When giving in response to an inquiry, it is usually considered an offer to sell.

#### devis$^{nm}$
= offre$^{nf}$ de service
Proposition de prix, conditions de vente, état détaillé d'un travail à exécuter d'une opération de fabrication à réaliser avec les prix estimatifs soumis à un acheteur potentiel.
*Quand le devis est proposé en réponse à un appel d'offres, il est alors considéré comme une soumission.*
◆ gestion des approvisionnements

### quotation expiration date
The date at which time a quotation price is no longer valid.

#### date$^{nf}$ limite de validité (d'un devis)
Date à compter de laquelle une proposition de prix n'est plus valable.
◆ gestion des approvisionnements; gestion

# R

### rack

A storage device for handling material in pallets. A rack usually provides storage for pallets arranged in vertical sections with one or more pallets to a tier. Some racks accommodate more than one-pallet-deep storage.

#### casier<sup>nm</sup> de stockage

Élément de charpente métallique destiné à stocker des charges palettisées ou non.

*Les casiers de stockage peuvent être fixes ou mobiles.*

◆ gestion de la production et des stocks

### racking

Function performed by a rack jobber, a full function intermediary who performs all regular warehousing functions and some retail functions, typically stocking a display rack.

#### gestion<sup>nf</sup> des casiers de stockage

Réapprovisionnement des casiers de stockage ou disposition des produits sur les étalages des détaillants.

◆ gestion de la production et des stocks

### random

Having no predictable pattern. For example, sales data may vary randomly about some forecasted value with no specific pattern and no attendant ability to obtain a more accurate sales estimate than the forecast value.

#### aléatoire<sup>adj</sup>

Se dit d'une grandeur qui peut prendre un certain nombre de valeurs, selon une loi de répartition de probabilités.

*À titre d'exemple, les données de vente peuvent varier de façon aléatoire par rapport aux prévisions sans qu'il soit possible d'obtenir une meilleure estimation du chiffre d'affaires que la valeur des prévisions.*

◆ statistique

### random access

A manner of storing records in a computer file so that an individual record may be accessed without reading other records.

#### accès<sup>nm</sup> direct

Mode d'exploitation d'un fichier permettant d'atteindre chaque enregistrement au moyen d'une adresse, dans un ordre indépendant de leur position en mémoire.

◆ informatique

### random location storage

A storage technique in which parts are placed in any space that is empty when they arrive at the storeroom. Although this random method requires the use of a locator file to identify part locations, it often requires less storage space than a fixed location storage method.

#### stockage<sup>nm</sup> aléatoire
#### = stockage<sup>nm</sup> banalisé

Technique de stockage selon laquelle les matières, pièces, articles sont placés dans n'importe quel espace libre à leur réception au magasin.

*Le stockage aléatoire nécessite l'utilisation d'un fichier afin de permettre la localisation des matières, pièces et articles, mais elle requiert moins d'espace de stockage qu'une méthode à emplacements fixes.*

◆ gestion de la production et des stocks

### random numbers

A sequence of integers or group of numbers (often in the form of a table) that show absolutely no relationship to each other anywhere in the sequence. At any point, all integers have an equal chance of occurring, and they occur in an unpredictable fashion.

#### nombres<sup>nm</sup> aléatoires

Suite de nombres disposés au hasard à la suite les uns des autres et n'ayant aucune relation entre eux.

*Les nombres aléatoires ont une chance égale de se présenter à tout moment.*
◆ statistique

---

▼ **random sample**
A selection of observations taken from all of the observations of a phenomenon in such a way that each chosen observation has the same possibility of selection.

**échantillon[nm] aléatoire**
= **échantillon[nm] probabiliste**
Échantillon dont chaque observation a une probabilité connue et égale à celle de tout autre d'être choisi pour faire partie de l'échantillon.
◆ statistique

---

▼ **random variation**
A fluctuation in data that is due to uncertain or random occurrences.

**variation[nf] aléatoire**
Fluctuation dans les données causée par des événements incertains ou aléatoires.
◆ statistique

---

▼ **range**
In statistics the spread in a series of observations. For example, the anticipated demand for a particular product might vary from a low of 10 to a high of 500 per week. The range would, therefore, be 500-10 or 490.

**étendue[nf]**
Écart entre la valeur la plus faible et la plus élevée d'une série statistique.
*L'étendue d'une demande qui pourrait varier d'un minimum de 10 à un maximum de 500 par semaine sera de 490.*
◆ statistique

---

▼ **rate-based scheduling**
A method for scheduling and producing based on a periodic rate, e.g., daily, weekly, or monthly. Traditionally, this method has been applied to high-volume and process industries. The concept has been recently applied within job shops using cellular layouts and mixed-model level schedules where the production rate is matched to the selling rate.

**ordonnancement[nm] quantitatif**
Technique d'ordonnancement basée sur des niveaux de production quotidiens, hebdomadaires ou mensuels.
*L'ordonnancement quantitatif s'emploie surtout dans les productions par processus ou les grandes productions de série.*

---

**NOTE** Cette technique a été adoptée récemment par les ateliers multigammes aménagés en cellules.
◆ gestion de la production et des stocks

---

▼ **rated capacity** 1.
= **calculated capacity**
= **nominal capacity**
The demonstrated capability of a system. Traditionally, capacity is calculated from such data as planned hours, efficiency, and utilization. The rated capacity is equal to hours available x efficiency x utilization.

**capacité[nf] nominale**
Capacité disponible d'une unité de production.
**NOTE** La capacité est la quantité maximale de biens qu'une unité de production est susceptible de produire pendant une certaine période de temps lorsqu'elle fonctionne dans des conditions normales.
◆ gestion de la production et des stocks

---

▼ **rated capacity** 2.
= **standing capacity**
In theory of constraints, rated capacity = hours available x efficiency activation x availability, where activation is a fonction of scheduled production and availability is a function of uptime.

**capacité[nf] calculée**
Contrainte liée à la disponibilité des moyens de production d'une entreprise.
◆ gestion de la production et des stocks

---

▼ **rate variance**
The difference between the actual output rate of product and the planned or standard output.

**écart[nm] sur cadence de production**
Écart entre la cadence réelle de production et la cadence standard ou planifiée.
◆ gestion de la production et des stocks

---

▼ **raw material**
Purchased items or extracted materials that are converted via the manufacturing process into components and/or products.

**matières[nf] premières**
Matières destinées à être transformées par le processus de fabrication.
◆ généralités

---

▼ **RCCP**
Abbreviation for **resource requirements planning.**

## R&D order
→ **experimental order**

## reactor
A special vessel to contain a chemical reaction.

### réacteur[nm]
Contenant particulier dans lequel est réalisée une réaction chimique.
♦ généralités

## real time
Technique of coordinating data processing with external related physical events as they occur thereby permitting reporting of conditions promptly.

### temps[nm] réel
Traitement de données effectué par un ordinateur aussitôt que celles-ci sont fournies par un demandeur.
**NOTE** Dans un système en temps réel, la sortie des résultats suit l'entrée des données avec un très court temps de réponse.
♦ informatique

## receipt 1.
The physical acceptance of an item into a stocking location.

### réception[nf]
= entrée[nf]
Acceptation d'un article dans un lieu de stockage.
♦ gestion de la production et des stocks

## receipt 2.
Often the transaction reporting of this activity.

### réception[nf]
Enregistrement de l'entrée d'un article dans un lieu de stockage.
♦ gestion de la production et des stocks

## receiving
The function encompassing the physical receipt of material; the inspection of the shipment for conformance with the purchase order (quantity and damage); the identification and delivery to destination; and the preparation of receiving reports.

### réception[nf]
Ensemble des opérations par lesquelles le destinataire prend acte de la mise à sa disposition de matières, composants, articles dont il avait préalablement passé commande.

*Le service de la réception doit assurer le contrôle qualitatif et quantitatif des articles reçus, transmettre les articles à leurs destinataires et préparer les documents de réception.*
♦ gestion de la production et des stocks

## receiving point
Location to which material is being shipped.
**ANT.** shipping point

### aire[nf] de réception
Lieu où sont reçues les marchandises commandées.
♦ gestion de la production et des stocks

## receiving report
A document used by the receiving function of a company to inform others of the receipt of goods purchased.

### bon[nm] de réception
= avis[nm] de réception
= bordereau[nm] de réception
Document du service de la réception sur lequel figure la description des marchandises reçues.
♦ gestion de la production et des stocks

## recipe
→ **formula**

## reconciling inventory
Comparing the physical inventory figures with the perpetual inventory record and making any necessary corrections.

### écriture[nf] d'ajustement d'inventaire
= correction[nf] d'inventaire
Écriture passée pour rétablir la concordance entre l'inventaire physique et la fiche de l'inventaire permanent.
♦ comptabilité; gestion de la production et des stocks

## record 1.
A collection of data fields arranged in a predefined format.

### enregistrement[nm]
Groupe de données relatives à un même objet et formant un tout pour le traitement.
♦ informatique

## record 2.
A set of related data that a computer program treats as a unit.

### fichier[nm]

Ensemble d'informations structuré, généralement conservé en mémoire secondaire d'un système informatique.

*Un fichier est enregistré sur un support : les supports les plus utilisés pour le traitement automatique sont les disques magnétiques, les disquettes, les bandes magnétiques.*

◆ informatique

---

### record accuracy

The conformity of recorded values in a bookkeeping system to the actual values, e.g., the on-hand balance of an item maintained in a computer record relative to the actual on-hand balance of the items in the stockroom.

### exactitude[nf] d'une donnée

Conformité aux données réelles des données consignées à l'aide d'un système comptable.

*À titre d'exemple, l'exactitude d'une donnée relative au stock en comparaison avec les articles effectivement en stock.*

◆ comptabilité; gestion de la production et des stocks

---

### recycle 1.

The reintroduction of partially processed product or carrier solvents from one operation or task into a previous operation.

### recyclage[nm]
= recirculation[nf]

Action de réintroduire dans une partie d'un cycle de traitement un fluide ou des matières qui l'ont déjà parcourue, lorsqu'un passage unique n'a pas achevé leur transformation.

◆ gestion de la production et des stocks

---

### recycle 2.

A recirculation process.

### recyclage[nm]

Action de récupérer la partie utile des déchets et de la réintroduire dans le cycle de production dont ils sont issus.

◆ généralités

---

### redundancy 1.

A backup capability, coming either from extra machines or from extra components within a machine, to reduce the effects of breakdowns.

### redondance[nf]

Qualité d'un système, d'un dispositif conçu pour conti-

nuer à fonctionner quand une défaillance affecte un de ses composants parce que ceux-ci sont doublés ou triplés.

*C'est la redondance de certains composants qui permet la tolérance aux incidents.*

◆ gestion de la production et des stocks

---

### redundancy 2.

The utilization of one or more extra or duplicating components in a system or equipment (often to increase reliability).

### redondance[nf]

Duplication d'équipements chargés d'assurer une fonction donnée, afin que l'un d'eux puisse se substituer à l'autre en cas de défaillance.

◆ gestion de la qualité

---

### refurbished goods
→ remanufactured parts

---

### refurbished part
→ remanufactured parts

---

### regen

Slang abbreviation for **regeneration MRP**. Pronounced "ree-jen."

---

### regeneration MRP

An MRP processing approach where the master production schedule is totally reexploded down through all bills of material, to maintain valid priorities. New requirements and planned orders are completely recalculated or "regenerated" at that time.

**ANT.** net change MRP; requirements alteration

### PBM[nf] en mode régénératif
= calcul[nm] des besoins en mode régénératif

Méthode de planification des besoins matières selon laquelle le programme directeur de production est entièrement mis à jour à travers toutes les nomenclatures rééclatées pour conserver la validité des priorités.

*La PBM en mode régénératif consiste à recalculer périodiquement les besoins matières à partir du PDP, des nomenclatures et de l'état des stocks.*

**NOTE** Ce terme s'oppose à celui de *planification des besoins matières par variations nettes.*

◆ gestion de la production et des stocks

---

### regression analysis

Models for determining the mathematical expression that best describes the functional relationship between two or more variables. Regression models are often used in forecasting.

### analyse[nf] de régression
Méthode statistique servant à estimer ou à prédire la valeur d'une variable (la variable dépendante) en se fondant sur la valeur d'une ou de plusieurs autres variables (les variables indépendantes).

**NOTE** Les modèles obtenus sont généralement utilisés pour la prévision des ventes à court terme et à moyen terme.

◆ statistique; prévision

### rejected inventory
Inventory that does not meet quality requirements but has not yet been sent to rework, scrapped, or returned to a supplier.

### stock[nm] rejeté
= stock[nm] refusé
Stock qui ne respecte pas les normes de qualité, mais qui n'a pas encore été réusiné, mis au rebut ou retourné au fournisseur.

◆ gestion de la production et des stocks; gestion de la qualité

### rejection
The act of identifying an item as not meeting quality specifications.

### rejet[nm]
= refus[nm]
Action de refuser un article parce qu'il n'est pas conforme aux normes établies.

◆ gestion de la qualité

### relational database
A software program that allows users to obtain information drawn from two or more databases that are made up of two dimensional arrays of data.

### base[nf] de données relationnelles
Organisation de base de données structurée en un ensemble de tables appelées relations.

◆ informatique

### release
The authorization to produce or ship material that has already been ordered.

### lancement[nm]
Déclenchement du processus devant assurer la réalisation d'un ordre (de fabrication, d'approvisionnement, de sous-traitance) ou la livraison d'un produit commandé.

*Le lancement s'effectue au moment fixé par le programme et lorsqu'ont été faites les vérifications de disponibilité des éléments nécessaires (matières, composants, moyens).*

◆ gestion de la production et des stocks

### released order
→ open order 1.

### reliability
The probability of a product performing its specified function under prescribed conditions without failure for a specified period of time. It is a design parameter that can be made part of a requirements statement.

### fiabilité[nf]
Aptitude d'un article, d'un appareil, d'un système à fonctionner sans défaillance pendant une période de temps déterminée dans des conditions spécifiques.

◆ gestion de la qualité

### reliability engineering
Determination and application of appropriate reliability tasks and criteria during the design, development, manufacture, test, and support of a product that will result in achievement of the specified product reliability.

### méthodes[nf] de recherche de fiabilité
Ensemble des activités concourant à la conception, à la mise au point et à la fabrication d'un produit qui satisfait aux exigences de fiabilité établies.

*Les spécialistes des méthodes de recherche de fiabilité sont des fiabilistes.*

◆ gestion de la qualité

### remanufactured parts
= refurbished goods
= refurbished parts
Components or assemblies that are refurbished or rebuilt to perform the original function.

### pièces[nf] réusinées
Pièces, composants remis à neuf en vue de leur réutilisation.

◆ gestion de la qualité; gestion de la production et des stocks

### remanufacturing
An industrial process in which worn-out products are restored to like-new condition. In constrast, a repaired or rebuilt product normally retains its identity, and only those parts that have failed or are badly worn are replaced or serviced.

### réusinage[nm]
**= refabrication[nf]**

Procédé qui consiste à remettre à neuf des produits usagés ou défectueux.

*Un produit qui a fait l'objet d'un réusinage garde son identité, car ce sont seulement les pièces défaillantes qui sont remplacées.*

◆ gestion de la qualité; gestion de la production et des stocks

---

### remedial maintenance

Unscheduled maintenance performed to return a product or process to a specified performance level after a failure or malfunction.

### maintenance[nf] corrective
**= entretien[nm] correctif**
**= maintenance[nf] curative**

Intervention non planifiée visant à redresser une situation qui ne se conforme pas à la norme qualitative ou quantitative établie, à dépanner, à corriger une erreur.

*La maintenance corrective s'effectue après défaillance ou altération d'un bien.*

◆ gestion de la production et des stocks

---

### reorder cycle
→ replenishment lead time

---

### reorder point
→ order point

---

### reorder quantity 1.

In a fixed order system of inventory control, the fixed quantity that should be ordered each time the available stock (on-hand plus on-order) falls below the order point.

### quantité[nf] de réapprovisionnement
**= quantité[nf] économique de réapprovisionnement**

Quantité à acheter en vue de minimiser les coûts totaux (coûts de commande, coûts de possession de stock, etc.) dans un système d'approvisionnement à commande fixe.

◆ gestion de la production et des stocks

---

### reorder quantity 2.
**= replenishment order quantity**

In a variable reorder quantity system, the amount ordered from time period to time period will vary.

### quantité[nf] de réapprovisionnement

Dans un système d'approvisionnement à intervalle fixe, quantité à commander d'une période à l'autre en fonction des besoins de la production et de la vente.

---

*La quantité de réapprovisionnement peut différer selon le volume de production.*

◆ gestion de la production et des stocks

---

### repairables

Items that it is technically feasible to repair economically.

### articles[nm] réparables

Articles qui peuvent être remis en bon état sans entraîner des coûts très élevés.

◆ généralités

---

### repair order
→ rework order

---

### repair parts
→ service parts

---

### repair parts demand
→ service parts demand

---

### repetitive manufacturing

A form of manufacturing where various items with similar routings are made across the same process whenever production occurs. Products may be made in separate batches or continuously. Production in a repetitive environment is not a function of speed or volume.

### production[nf] répétitive
**= fabrication[nf] répétitive**

Production planifiée et exécutée, d'après un programme portant sur de grandes quantités, généralement à des cadences élevées.

*Dans la production répétitive, les produits peuvent être fabriqués en lots ou en continu.*

◆ gestion de la production et des stocks

---

### replacement cost method

A method of setting the value of inventories based upon the cost of the next purchase.

### méthode[nf] d'évaluation au coût de remplacement

Méthode qui consiste à évaluer les stocks à leur coût de remplacement, que ce coût soit supérieur ou inférieur au coût d'acquisition des articles en stock.

◆ comptabilité

---

### replacement order

An order for the replacement of material that has been scrapped.

## bon[nm] de remplacement
### = ordre[nm] de remplacement
Document ordonnant de remplacer des composants mis au rebut.

◆ gestion de la production et des stocks

## replacement parts
Parts that can be used as substitutes that differ from completely interchangeable service parts in that they require some physical modification, e.g., boring, cutting, drilling, etc., before they can replace the original part.

### pièces[nf] de remplacement
Pièces tenues en stock afin de permettre la rechange de pièces semblables après avoir subi quelques modifications.
*À défaut de la pièce de rechange originale, on doit parfois recourir à une pièce de remplacement.*

◆ gestion de la production et des stocks

## replenishment
Relocating material from a bulk storage area to an order pick storage area, and documenting of this relocation.

### mise[nf] à disposition des stocks
Déplacement des matières, pièces, produits de l'entrepôt jusqu'aux magasins servant directement à l'approvisionnement des postes de travail.

◆ gestion de la production et des stocks

## replenishment interval
→ **replenishment period**

## replenishment lead time
The total period of time that elapses from the moment it is determined that a product is to be reordered until the product is back on the shelf available for use.

### délai[nm] de réapprovisionnement
Délai écoulé entre le moment où l'on décide d'approvisionner ou de réapprovisionner et celui où la commande entre dans le stock physique.
**NOTE** Ce délai comprend le délai administratif de préparation de l'ordre d'approvisionnement et son cheminement vers le fournisseur, le délai du fournisseur, le transport, la réception de la marchandise, le contrôle de la qualité, le stockage dans un magasin et la mise à jour du stock.

◆ gestion de la production et des stocks

## replenishment order quantity
→ **reorder quantity**

## replenishment period
### = replenishment interval
The time between successive replenishment orders.

### période[nf] de réapprovisionnement
Laps de temps séparant deux commandes successives.

◆ gestion de la production et des stocks

## reprocessed material
Goods that have gone through selective rework or re-cycle.

### produit[nm] réusiné
### = produit[nm] retouché
Produit qui a été remis en fabrication ou recyclé.

◆ gestion de la production et des stocks; gestion de la qualité

## request for proposal
(RFP)
### = request for quote
A document that describes requirements for a system or product and requests proposals from suppliers.

### appel[nm] d'offres
Opération, appuyée par un cahier des charges, par laquelle l'acheteur éventuel de biens, de fournitures ou de services invite des fournisseurs potentiels par des propositions précises (soumissions, devis, offres de service) en vue de la conclusion d'un contrat.

◆ gestion des approvisionnements

## request for quote
(RFQ)
→ **request for proposal**

## requirements alteration
### = alteration planning
Processing a revised master production schedule through MRP in order to review the impact of the changes. It is not the same as net change, which, in addition to processing changes to the MPS, also processes changes to inventory balances, bills of material, etc., through MRP.
**ANT.** regeneration MRP

### modification[nf] des besoins
Mise à jour partielle de la planification des besoins matières en vue d'établir l'impact de modifications apportées à un programme directeur de production.

◆ gestion de la production et des stocks

## requirements definitions
Defining of the inputs, files, processing, and outputs for

a new system, but without expressing computer alternatives and technical details.

### définition[nf] des besoins
= étude[nf] des besoins

Détermination précise des données, des fichiers, des extrants recherchés par l'utilisateur d'un nouveau système informatique.

◆ informatique

---

### requirements explosion
= explosion

The process of calculating the demand for the components of a parent item by multiplying the parent item requirements by the component usage quantity specified in the bill of material.

### éclatement[nm] (de nomenclature)
= décomposition[nf] (de nomenclature)

Méthode de calcul des besoins bruts qui détermine, à l'aide de l'analyse de la nomenclature, le nombre des divers composants nécessaires à la production d'une quantité donnée de l'article faisant l'objet de la nomenclature.

*L'éclatement peut être réalisé à l'aide de l'ordinateur qui multiplie la quantité de composés demandés par le coefficient d'utilisation pour obtenir la quantité de composants nécessaires.*

◆ gestion de la production et des stocks

---

### requirements traceability

The capability to determine the source of demand requirements through record linkages. It is used in the analysis of requirements to make adjustments to plans for material and/or capacity.

### traçabilité[nf] des besoins
= aptitude[nf] à repérer les besoins

Habileté à déterminer l'origine d'un besoin exprimé.

*La traçabilité des besoins est essentielle pour la mise à jour de la planification des besoins matières.*

◆ gestion de la production et des stocks

---

### requisition
→ parts requisition

---

### rescheduling

The process of changing order or operation due dates, usually as a result of their being out of phase with when they are needed.

### réordonnancement[nm]
= reprogrammation[nf]

Opération consistant à mettre à jour la date d'exigibilité d'un ordre en raison d'un décalage avec la date de besoin.

◆ gestion de la production et des stocks

---

### rescheduling assumption

A fundamental piece of MRP logic that assumes that existing open orders can be rescheduled in nearer time periods far more easily than new orders can be released and received. As a result, planned order receipts are not created until all scheduled receipts have been applied to cover gross requirements.

### hypothèse[nf] de réordonnancement
= hypothèse[nf] de reprogrammation

Principe fondamental de la programmation des besoins matières selon lequel il est beaucoup plus simple de reprogrammer les ordres déjà lancés que de lancer et de réaliser de nouveaux ordres.

*En conséquence de l'hypothèse de reprogrammation, on ne lancera pas de nouveaux ordres tant que l'on pourra répondre aux besoins bruts par les ordres déjà lancés.*

◆ gestion de la production et des stocks

---

### reservation
= allocation

The process of designating stock for a specific order or schedule.

### réservation[nf]

Affectation d'un stock à un ordre de fabrication déterminé ou à un programme défini.

◆ gestion de la production et des stocks

---

### reserved material
= allocated material
= assigned material
= mortgaged material; obligated material

Material on hand or on order that is assigned to specific future production or customer orders.

### stock[nm] réservé
= matières[nf] réservées

Stock affecté à des ordres lancés ou à des commandes clients, considéré comme étant non disponible dans le calcul de la planification des besoins matières.

◆ gestion de la production et des stocks

---

### reserve stock
→ safety stock 2.

---

### residence time
→ process time

## resource
Anything that adds value to a product or service in its creation, production, and delivery.

### ressource[nf]
Tout ce qui contribue à la conception, à la production et à la distribution d'un bien ou d'un service.
◆ généralités

## resource management
Planning, effective scheduling and control of organization resources to produce a product or service that provides customer satisfaction and supports the organization's competitive edges and ultimately the organization's goals.

### gestion[nf] des ressources
Mise en œuvre des activités de planification, d'organisation et de contrôle de l'ensemble des ressources nécessaires à la fabrication de produits et à la prestation de services visant la satisfaction des besoins du consommateur ainsi que l'atteinte des objectifs de l'entreprise et le respect de sa mission.
◆ gestion de la production et des stocks

## resource planning
= long-range resource planning
= long-term planning
The process of establishing, measuring, and adjusting limits or levels of long-range capacity. Resource planning is normally based on the production plan but may be driven by higher level plans beyond the time horizon for the production plan, i.e., business plan. It addresses those resources that take long periods of time to acquire. Resource planning decisions always require top management approval.

### planification[nf] des ressources
Détermination des ressources qui seront nécessaires à long terme pour l'atteinte des objectifs de l'entreprise.
*La planification des ressources se fait au niveau de la direction générale de l'entreprise et concerne les ressources dont l'acquisition s'étale sur une longue période de temps.*
◆ gestion de la production et des stocks

## resource profile
= bill of resources
The standard hours of load placed on a resource by time period.

### profil[nm] des ressources
Charge en heures standards affectée à une ressource au cours d'une période donnée.
◆ gestion de la production et des stocks

## resource requirements planning
→ rough cut capacity planning

## response time
The elapse of time or average delay between the initiation of a transaction and the results of the transaction.

### temps[nm] de réponse
Temps mis par un système, un dispositif pour répondre à une demande.
◆ gestion de la production et des stocks

## retail method
A method of inventory valuation in which the value is determined by applying a predetermined percentage based on retail markup to the retail price, in order to determine its inventory value based on cost.

### méthode[nf] de l'inventaire au prix de détail
= méthode[nf] du détaillant
Méthode d'estimation du coût des stocks fondée sur la valeur du stock au prix de détail multipliée par un pourcentage prédéterminé pour en établir le coût de revient.
**NOTE** On trouve le coût estimatif des stocks en multipliant l'inventaire comptable évalué au prix de détail par le ratio du prix coûtant des marchandises à leur prix de détail.
◆ comptabilité

## retrofit
An item that replaces components originally installed on equipment; a modification to inservice equipment.

### réajustement[nm]
= rattrapage[nm]
Modification d'un matériel après sa livraison pour lui incorporer des améliorations apportées ultérieurement en fabrication.
◆ gestion de la production et des stocks

## return on assets
(ROA)
A financial measure of the relative income producing value of an asset. It is net income divided by total assets or profit margin multiplied by asset turnover expressed as a percentage.

### rendement[nm] de l'actif
= taux[nm] de rendement de l'actif
Ratio de rentabilité égal au quotient du bénéfice net augmenté des intérêts et des charges afférentes aux capitaux empruntés par le total de l'actif.
◆ gestion

### ▼ return on investment
(ROI)

A financial measure of the relative return from an investment, usually expressed as a percentage of earnings produced by an asset to the amount invested in the asset.

### rendement[nm] du capital investi
= rendement[nm] des investissements

Ratio financier égal au quotient du bénéfice net par le capital investi.

◆ gestion

### ▼ return to supplier
Material that has been rejected by the buyer's inspection department and is awaiting shipment back to the supplier for repair or replacement.

### retour[nm] fournisseur
= rendu[nm] fournisseur

Matières, produits refusés lors du contrôle réception qui sont en attente d'être renvoyées au fournisseur pour remise en état ou remplacement.

◆ gestion des approvisionnement

### ▼ reverse engineering
The process of disassembling, evaluating, and redesigning a competitor's product for the purpose of manufacturing a product with similar characteristics without violating any of the competitor's proprietary manufacturing technologies.

### rétroconception[nf]
Ensemble des activités de décomposition, d'évaluation, d'examen d'un produit d'une entreprise concurrente en vue de la fabrication d'un produit similaire sans violation des droits de la propriété industrielle.

◆ gestion de la production et des stocks

### ▼ reverse flow scheduling
A scheduling procedure used in some process industries for building process train schedules that starts with the last stage and proceeds backward (countercurrent to the process flow) through the process structure.

### ordonnancement[nm] à rebours
Technique d'ordonnancement selon laquelle les étapes de production sont définies en partant de l'étape finale et en remontant jusqu'à l'étape initiale.

◆ gestion de la production et des stocks

### ▼ review period
The time between successive evaluations of inventory status to determine whether or not to reorder.

### intervalle[nm] de révision
Laps de temps séparant deux examens de l'état du stock afin de décider si l'on procédera ou non à un réapprovisionnement.

◆ gestion de la production et des stocks

### ▼ revision level
A number or letter representing the number of times a part drawing or specification has been changed.

### indice[nm] de modification
Code alphabétique ou numérique signalant le nombre de modifications apportées à une conception.

*Les modifications qui n'altèrent pas le format, l'utilisation ou la fonction d'une pièce sont habituellement désignées par l'indice de modification; dans le cas contraire, le numéro de référence de l'article est modifié.*

◆ gestion de la production et des stocks

### ▼ rework
Reprocessing to salvage a defective item or part.

### réusinage[nm]
= remise[nf] en fabrication

Action de reprendre le travail exécuté sur un article ou un produit en raison de sa non-conformité aux normes établies.

◆ gestion de la production et des stocks; gestion de la qualité

### ▼ rework lead time
The time required to rework material in-house or at a supplier.

### délai[nm] de réusinage
= délai[nm] de reprise

Temps alloué au nouvel usinage d'une pièce, d'un article ou d'un produit défectueux dans l'entreprise ou chez un fournisseur.

◆ gestion de la production et des stocks

### ▼ rework order
= repair order
= spoiled work order

A manufacturing order to rework and salvage defective parts or products.

### bon[nm] de réusinage
= ordre[nm] de reprise

Ordre de fabrication commandant un nouvel usinage pour la remise en état d'une pièce, d'un article ou d'un produit défectueux.

◆ gestion de la production et des stocks

▼
## RFP
Abbreviation for **request for proposal.**

▼
## RFQ
Abbreviation for **request for quote.**

▼
## ROA
Abbreviation for **return on assets.**

▼
## robotics
Replacing functions previously done by humans with mechanical devices or robots that can either be operated by humans or run by computer. Hard-to-do, dangerous, or monotonous tasks are likely candidates for robots to perform.

### robotique^nf
Ensemble des études et des techniques de conception relatives aux systèmes de production automatisés réalisant des fonctions interdépendantes allant de la conception à la fabrication du produit.

*La robotique permet une automatisation programmable de la production.*

◆ gestion de la production et des stocks

▼
## ROI
Abbreviation for **return on investment.**

▼
## rough cut capacity planning
(RCCP)
= **resource requirements planning**
The process of converting the production plan and/or the master production schedule into capacity needs for key resources: work force, machinery, warehouse space, suppliers' capabilities, and in some cases, money. Bills of resources are often used to accomplish this. Comparison of capacity required of items in the MPS to available capacity is usually done for each key resource. RCCP assists the master scheduler in establishing a feasible master production schedule.

### planification^nf sommaire des capacités
= **calcul^nm des charges globales**
Traduction du plan de production ou du programme directeur de production en besoins de capacité des ressources clés : main-d'œuvre, machines, magasins, fournisseurs, financement.

*La planification sommaire des capacités s'effectue généralement à l'aide des macrogammes.*

◆ gestion de la production et des stocks

▼
## route sheet
→ **operation chart**
→ **routing**

▼
## routing
= **batch sheet**
= **bill of operations**
= **instruction sheet; manufacturing data sheet; operation chart; operation list; operation sheet; route sheet; routing sheet**
A set of information detailing the method of manufacture of a particular item. It includes the operations to be performed, their sequence, the various work centers to be involved, and the standards for setup and run. In some companies, the routing also includes information on tooling, operator skill levels, inspection operations, testing requirements, etc.

### gamme^nf (d'opérations)
= **gamme^nf de fabrication**
Ensemble d'informations se rapportant au mode de fabrication d'un article.

*La gamme d'opérations établit la suite ordonnée des opérations à réaliser assorties de leur temps d'exécution, leur désignation, les postes de charge concernés et les temps standards de mise en course et d'exécution.*

**NOTE** Le terme *gamme d'opérations* ne doit pas être confondu avec celui de *gamme de produits* qui désigne l'ensemble des produits fabriqués ou distribués par une entreprise.

◆ gestion de la production et des stocks

▼
## routing sheet
→ **routing**

▼
## run
A quantity of production being processed.

### lot^nm (de fabrication)
Quantité fabriquée au cours d'une période déterminée.
◆ gestion de la production et des stocks

▼
## run order
→ **manufacturing order**

▼
## run-out list 1.
A list of items to be scheduled into production in sequence by the dates at which the present available stock is expected to be exhausted.

### liste[nf] par épuisement

Liste des articles dont la mise en fabrication doit être prévue aux dates auxquelles les stocks actuellement disponibles seront épuisés.

◆ gestion de la production et des stocks

---

▼ **run-out list** 2.

A statement of ingredients required to use up an available resource, e.g., how much "a" resource is required to consume 300 pounds of "x."

### liste[nf] des manquants prévus

État des ingrédients requis pour épuiser une ressource disponible.

◆ gestion de la production et des stocks

---

▼ **run sheet**

A log-type document used in continuous processes to record raw materials used, quantity produced, in-process testing results, etc. It may serve as an input document for inventory records.

### relevé[nm] de production

En production continue, document servant à enregistrer les matières utilisées, les quantités produites, les résultats de tests, etc.

*Le relevé de production peut servir à l'établissement de l'inventaire.*

◆ gestion de la production et des stocks

---

▼ **run size**
→ **standard batch quantity**

---

▼ **run standards**
→ **run time**

---

▼ **run time**
= **run standards**

Operation setup and processing.

### temps[nm] d'exécution

Temps standard prévu pour la mise en course et la réalisation d'une opération sur un article.

◆ gestion de la production et des stocks

---

▼ **rush order**

An order that for some reason must be fulfilled in less than normal lead time.

### commande[nf] urgente
= **ordre[nm] de fabrication urgent**

Commande devant être exécutée dans un délai plus court que le délai de fabrication normal.

◆ gestion de la production et des stocks; gestion des approvisionnements

## safety capacity
= **protective capacity**

The planned amount by which the available capacity exceeds current productive capacity. This capacity provides protection from planned activities such as resource contention, preventive maintenance, etc., and unplanned activities such as resource breakdown, poor quality, rework, lateness, etc. Safety capacity plus productive capacity plus idle or excess capacity is equal to 100% of capacity.

### capacité[nf] de sécurité

Planification d'une capacité excédentaire de main-d'œuvre ou d'équipement en vue de contrer les aléas de la production (pannes, retards, défectueux, etc.).

*La capacité de sécurité, la capacité de production et le temps mort constituent la capacité totale.*

◆ gestion de la production et des stocks

## safety factor

Ratio of average strength to the worst stress expected. It is essential that the variation, in addition to the average value, must be considered in design.

### coefficient[nm] de sécurité

Rapport prévu dans les calculs, entre la charge de rupture d'un article et la charge sûre admissible.

*Lors de la conception d'un article, on devra tenir compte du coefficient de sécurité à inclure.*

◆ gestion de la production et des stocks

## safety lead time
= **protection time**
= **safety time**

An element of time added to normal lead time for the purpose of completing an order in advance of its real need date to protect against fluctuations in lead time. When used, the MRP system, in offsetting for lead time, will plan both order release and order completion for earlier dates than it would otherwise.

## délai[nm] de sécurité

Période de temps ajoutée au délai normal en vue d'exécuter un ordre de fabrication avant sa date d'exigibilité de manière à absorber les variations du délai de livraison.

◆ gestion de la production et des stocks

## safety stock 1.

In general, a quantity of stock planned to be in inventory to protect against fluctuations in demand and/or supply.

### stock[nm] de sécurité

Quantité de stock nécessaire pour absorber les variations de la demande ou des approvisionnements.

**NOTE** Le stock de sécurité est constitué d'articles dont le manque est susceptible d'entraîner de sérieuses conséquences pour l'entreprise.

◆ gestion de la production et des stocks

## safety stock 2.
= **inventory buffer**
= **reserve stock**

In the context of master production scheduling, the additional inventory and/or capacity planned as protection against forecast errors and/or short-term changes in the backlog. Overplanning can be used to create safety stock.

### stock[nm] de sécurité

Dans le cadre du programme directeur de production, stock destiné à absorber les erreurs de prévision ou les modifications du portefeuille de commandes dans le court terme.

◆ gestion de la production et des stocks

## safety time
→ safety lead time

▼ **salable goods**
A part or assembly authorized for sale to final customers through the marketing function. Also spelled "saleable."

### produits<sup>nm</sup> disponibles à la vente
= **disponibles<sup>nm</sup> à la vente**
Ensemble des unités produites qui peuvent être offertes à la clientèle par la fonction commerciale.
◆ généralités

▼ **sales and operations planning**
→ **production planning**

▼ **sales mix**
The proportion of individual product-type sales volumes that make up the total sales volume.

### composition<sup>nf</sup> du chiffre d'affaires
= **composition<sup>nf</sup> des ventes**
Ventilation des ventes en fonction des différents produits de l'entreprise.
◆ marketing

▼ **sales order configuration**
→ **customer order servicing system**

▼ **sales order number**
A unique control number assigned to each new customer order, usually during order entry. It is often used by order promising, master scheduling, cost accounting, invoicing, etc. For some make-to-order products it can also take the place of an end item part number by becoming the control number that is scheduled through the finishing operations.

### numéro<sup>nm</sup> de commande client
= **numéro<sup>nm</sup> de commande**
Numéro attribué à chaque commande client, ordinairement lors de la saisie des commandes.
*Le numéro de commande client sera utilisé notamment pour l'ordonnancement, la comptabilité et la facturation.*
◆ gestion de la production et des stocks

▼ **sales plan**
The overall level of sales expected to be achieved, usually stated as a monthly rate of sales for a product family (group of products, items, options, features, etc.). It needs to be expressed in units identical to the production plan (as well as dollars) for planning purposes. It represents sales and marketing managements' commit-ment to take all reasonable steps necessary to make the sales forecast (a prediction) accurately represent actual customer orders received.

### plan<sup>nm</sup> commercial
Prévision du chiffre d'affaires, généralement établie par mois et par gammes de produits.
*Le plan commercial doit être exprimé en unités identiques (quantité et valeur) à celles du plan de production afin de faciliter la planification.*
◆ marketing

▼ **sales promotion** 1.
Sales activities that supplement both personal selling and marketing, coordinate the two, and help to make them effective, e.g., displays.

### promotion<sup>nf</sup> des ventes
Activités qui complètent la publicité et la vente individuelle, les coordonnent et les rendent efficaces.
**NOTE** Pour certains, la promotion des ventes s'oppose à la publicité parce qu'elle a pour objectif de pousser le produit vers l'utilisation, alors que la publicité pousse l'utilisateur vers le produit.
◆ marketing

▼ **sales promotion** 2.
More loosely, the combination of personal selling, advertising, and all supplementary selling activities.

### promotion<sup>nf</sup> des ventes
= **stimulation<sup>nf</sup> des ventes**
Ensemble des activités concourant à l'augmentation du chiffre d'affaires.
◆ marketing

▼ **sales promotion** 3.
Promotion activities—other than advertising, publicity, and personal selling—that stimulate interest, trial, or purchase by final customers or others in the channel.

### promotion<sup>nf</sup>
Ensemble des activités promotionnelles (démonstrations, baisse des prix, étalages, etc.) destinées à stimuler l'intérêt des consommateurs.
◆ marketing

▼ **sales representative**
Employee authorized to accept a customer's order for a product. Sales representatives usually go to the customer's location when industrial products are being marketed.

### représentant<sup>nm</sup> (de commerce)
### représentante<sup>nf</sup> (de commerce)

Intermédiaire chargé de visiter la clientèle d'une entreprise qu'il représente et pour le compte de laquelle il prend et transmet des commandes.

◆ marketing

---

### sample

A portion of a universe of data chosen to estimate some characteristic(s) about the whole universe. The universe of data could consist of sizes of customer orders, number of units of inventory, number of lines on a purchase order, etc.

### échantillon<sup>nm</sup>

Ensemble d'unités prélevées dans un univers préalablement défini (population de référence) en vue d'estimer, par induction statistique, certaines caractéristiques quantitatives ou qualitatives de l'univers en question.

*L'ensemble des données peut être constitué du nombre ou du volume des commandes clients, du nombre de produits en stock et l'échantillon sera tiré de cet ensemble.*

◆ statistique

---

### sample size

The number of elements selected for analysis from the population.

### taille<sup>nf</sup> de l'échantillon

Nombre d'éléments prélevés dans un ensemble (population) pour constituer l'échantillon.

◆ statistique

---

### sampling

A statistical process whereby generalizations regarding an entire body of phenomena are drawn from a relatively small number of observations.

### échantillonnage<sup>nm</sup>
### = sondage<sup>nm</sup>

Étude d'un certain nombre d'éléments (un échantillon) tirés d'un ensemble (une population) en vue de porter un jugement sur cet ensemble ou d'estimer le nombre d'éléments qui en font partie.

**NOTE** Généralement, le choix des éléments de l'échantillon est fait au hasard.

◆ statistique

---

### sampling distribution

The distribution of values of a statistic calculated from samples of a given size.

### distribution<sup>nf</sup> d'échantillonnage

Distribution de probabilité d'un paramètre de l'échantillon (la moyenne, par exemple) pour tous les échantillons aléatoires possibles tirés d'une certaine population.

◆ statistique

---

### sawtooth diagram

A quantity vs. time graphic representation of the order point/order quantity inventory system showing inventory being received and then used up and reordered.

### diagramme<sup>nm</sup> en dents de scie

Graphique de l'évolution du stock entre deux livraisons successives où la diminution du stock est représentée par une droite et chaque livraison par un segment vertical dont la longueur est proportionnelle à la quantité livrée.

◆ gestion de la production et des stocks

---

### SBQ

Abbreviation for **standard batch quantity.**

---

### SBU

Abbreviation for **strategic business unit.**

---

### Scanlon plan

A system of group incentives on a companywide or plantwide basis that sets up one measure that reflects the results of all efforts. The universal standard is the ratio of labor costs to sales value added by production. If there is an increase in production sales value with no change in labor costs, then productivity has increased while unit cost has decreased.

### plan<sup>nm</sup> Scanlon

Système d'intéressement collectif visant la réduction des coûts et l'accroissement de l'efficacité par la coopération et la participation de la main-d'œuvre et de la direction.

*La principale unité de mesure du plan Scanlon est le rapport entre les coûts de main-d'œuvre et la valeur ajoutée par la production.*

**NOTE** Si le chiffre d'affaires augmente et que les coûts de main-d'œuvre demeurent constants, c'est que la productivité s'est accrue et que le coût unitaire a diminué.

◆ gestion des ressources humaines

---

### scanner

An electronic device that optically converts coded shop floor information into electrical control signals.

### lecteur[nm] optique
= **lecteur[nm] optique à scanner**
Dispositif de lecture d'image qui analyse ligne par ligne, par déplacement d'un faisceau laser, l'image à numériser.

◆ informatique

---

▼
### scatter chart
A graph showing the actual observed relationships between two variables by the use of plotted points.

### graphique[nm] de dispersion
= **nuage[nm] statistique**
Graphique qui illustre à l'aide de points la corrélation existant entre un certain nombre de couples dont chacun des éléments représente la variable dépendante et la variable indépendante.

◆ statistique

---

▼
### schedule
A timetable for planned occurrences, e.g., shipping schedule, manufacturing schedule, supplier schedule, etc. Some schedules include the starting and ending time for activities.

### calendrier[nm] de production
= **horaire[nm] de production**
Liste quotidienne ou hebdomadaire des travaux à réaliser pour un poste de travail, un atelier, un service, une usine avec l'indication des dates de lancement et des priorités à respecter dans l'exécution des ordres.

*Certains calendriers de production comportent les dates de début et de fin des opérations.*

**NOTE** Le nom *cédule en ce sens est un anglicisme.

◆ gestion de la production et des stocks

---

▼
### schedule board
→ **control board**

---

▼
### schedule chart
Usually a large piece of graph paper used in the same manner as a control board. Where the control board often uses strings and markers to represent plans and progress, the schedule chart is typically filled in with pencil.

### tableau[nm] de planification
= **horaire[nm] de production**
Tableau servant à la représentation et à la programmation des diverses activités de la production ou des autres unités administratives de l'entreprise.

◆ gestion de la production et des stocks

---

▼
### schedule control
Control of a plant floor by schedules rather than job orders (called "order control"). Schedules are derived by taking requirements over a period of time and dividing by the number of workdays allowed in which to run the parts or assemblies. Production completed is compared with the schedule to provide control. This type of control is most frequently used in repetitive and process manufacturing.

### gestion[nf] d'atelier par programmes
Méthode qui consiste à gérer la production de l'atelier par programmes plutôt qu'en fonction des ordres de fabrication.

*Dans la gestion d'atelier par programmes, les besoins totaux d'une période donnée sont divisés par le nombre de jours de travail prévus pour la réalisation des pièces ou des ensembles.*

**NOTE** Cette méthode s'emploie surtout pour des fabrications répétitives ou en continu.

◆ gestion de la production et des stocks

---

▼
### scheduled downtime
Planned shutdown of equipment or plant to perform maintenance or to adjust to softening demand.

### arrêt[nm] programmé
Temps mort planifié pendant lequel la production est arrêtée pour permettre l'entretien technique ou par suite d'un ralentissement des affaires.

◆ gestion de la production et des stocks

---

▼
### scheduled load
The standard hours of work required by scheduled receipts, i.e., open production orders.

### charge[nf] programmée
Heures de travail standards nécessaires à la réalisation des ordres de fabrication lancés.

◆ gestion de la production et des stocks

---

▼
### scheduled receipt
= **open order** 1.
Orders already released either to manufacturing (production, manufacturing, or shop orders) or to suppliers (purchase orders).

### réception[nf] programmée
Ordre de fabrication ou d'achat lancé, c'est-à-dire en cours de réalisation.

*Dans un calcul des besoins, les ordres lancés à la production ou à l'approvisionnement sont considérés comme des réceptions programmées.*

◆ gestion de la production et des stocks

▼
## scheduler
A general term that can refer to a material planner, dispatcher, or a combined function.

### agent<sup>nm</sup> d'ordonnancement
### agente<sup>nf</sup> d'ordonnancement
**= agent<sup>nm</sup> de programmation**
**agente<sup>nf</sup> de programmation**
Personne chargée de définir les dates de lancement des ordres d'approvisionnement ou de fabrication, de déterminer les priorités à respecter dans l'exécution des ordres et de veiller à la bonne progression des travaux aux différents postes de travail.
◆ gestion de la production et des stocks

▼
## scheduling
The act of creating a schedule, such as a master production schedule, shop schedule, maintenance schedule, supplier schedule, etc.

### ordonnancement<sup>nm</sup>
**= programmation<sup>nf</sup>**
Action de concevoir un programme tel que le programme directeur de production, un programme de charge d'atelier, un programme de maintenance, un programme d'approvisionnement, etc.

**NOTE** La programmation a pour objectif essentiel de déterminer : 1) les articles à commander et en quelle quantité; 2) le calendrier des lancements et les dates de fin souhaitées des ordres; 3) les modifications à apporter aux quantités et le réordonnancement des ordres déjà planifiés.
◆ gestion de la production et des stocks

▼
## scheduling rules
Basic rules that can be used consistently in a scheduling system. Scheduling rules usually specify the amount of calendar time to allow for a move and for queue, how load will be calculated, etc.

### règles<sup>nf</sup> d'ordonnancement
**= règles<sup>nf</sup> de programmation**
Règles de base utilisées lors de la mise en ordre rationnelle des opérations.

*Les règles d'ordonnancement précisent habituellement les temps de déplacement, les temps d'attente, le mode de calcul d'une charge, etc.*
◆ gestion de la production et des stocks

▼
## scientific inventory control
→ **statistical inventory control**

▼
## scrap
Material outside of specifications and of such characteristics that rework is impractical.

### rebut<sup>nm</sup>
Partie de la production qui est rejetée pour non-conformité aux normes et au modèle, et qui ne sera pas mise dans le circuit normal de la vente.
◆ gestion de la qualité; gestion de la production et des stocks

▼
## scrap factor
**= scrap rate**
A percentage factor in the product structure used to increase gross requirements to account for anticipated loss within the manufacture of a particular product.

### coefficient<sup>nm</sup> de rebut
**= taux<sup>nm</sup> de rejet**
Pourcentage à ajouter aux quantités de composants lancés en production afin de compenser les rebuts de la fabrication.

**NOTE** Le coefficient de rebut prévisionnel est établi de façon statistique.
◆ gestion de la production et des stocks

▼
## scrap rate
→ **scrap factor**

▼
## search models
Operations research models that attempt to find optimal solutions with adaptive searching approaches.

### modèles<sup>nm</sup> de recherche opérationnelle
Modèles servant à l'étude du choix optimal entre différentes solutions au moment d'une prise de décision, à partir de techniques de recherche adaptées à la situation.
◆ recherche opérationnelle

▼
## seasonal harmonics
→ **harmonic smoothing**

▼
## seasonal index
A number used to adjust data to seasonal demand.

### indice<sup>nm</sup> de saisonnalité
Coefficient utilisé pour tenir compte des variations saisonnières de la demande.
◆ prévision

▼
## seasonal inventory
Inventory built up in anticipation of a peak seasonal demand in order to smooth production.

### stock[nm] d'articles saisonniers
= stock[nm] saisonnier

Stock constitué de façon à absorber les pointes de consommation saisonnières et à lisser la production.

NOTE Les articles saisonniers ont des pointes de consommation marquées à certaines époques de l'année; si d'une année à l'autre l'amplitude des pointes peut varier, elle se produit toujours aux mêmes époques.

◆ gestion de la production et des stocks

---

### seasonality
A repetitive pattern from year to year with some periods considerably higher than others.

### saisonnalité[nf]
= influence[nf] saisonnière

Qualité d'un phénomène dont le caractère provisoire, répétitif et identique est lié à une même saison.

*La saisonnalité est caractérisée par des pointes ou des creux se répétant d'année en année.*

◆ prévision

---

### second order smoothing
= double smoothing

A method of exponential smoothing for trend situations that employs two previously computed averages, the singly and doubly smoothed values, to extrapolate into the future.

### lissage[nm] exponentiel double

Lissage exponentiel utilisant, lorsqu'il y a tendance, deux coefficients de lissage.

◆ prévision

---

### secular trend
The general direction of the long-run change in the value of a particular time series.

### tendance[nf] à long terme
Orientation générale d'un changement à long terme.

NOTE C'est une composante de l'expression de la série chronologique.

◆ prévision

---

### self-directed work team
Generally a small, independent, self-organized, and self-controlling group in which members flexibly plan, organize, determine, and manage their duties and actions, as well as perform many other supportive functions. It may work without immediate supervision and can often have authority to select, hire, promote, or discharge its members.

### équipe[nf] de travail autonome
Petit groupe de travailleurs auquel ont été déléguées la planification, l'organisation et la gestion des activités dévolues au groupe.

*L'équipe de travail autonome peut effectuer ses tâches sans supervision et elle a la responsabilité du recrutement, de l'engagement, de la promotion ou du congédiement de ses membres.*

◆ gestion des ressources humaines; gestion de la production et des stocks

---

### seller's market
A market condition in which goods cannot easily be secured and when the economic forces of business tend to cause goods to be priced at the supplier's estimate of value.

### marché[nm] vendeur
Situation conjoncturelle qui caractérise un marché où le vendeur est en position favorable, ayant de larges possibilités d'écoulement de ses produits.

◆ économie

---

### selling expense
An expense or class of expense incurred in selling or marketing, e.g., salespersons' salaries and commissions, advertising, samples, and shipping cost.

### frais[nm pl] de commercialisation
= frais[nm pl] de vente

Ensemble des frais engagés pour mettre des articles sur le marché (rémunération des vendeurs, publicité, coûts d'expédition) par opposition aux frais de fabrication, de gestion et de financement.

◆ marketing

---

### semifinished goods
Products that have been stored uncompleted awaiting final operations that adapt them to different uses or customer specifications.

### produit[nm] semi-fini
= produit[nm] semi-ouvré

Produit devant subir des transformations avant d'être livré à la consommation.

◆ gestion de la production et des stocks

---

### semiprocess flow
A manufacturing configuration where most jobs go through the same sequence of operations even though production is in job lots.

### flux nm semi-continu
Implantation des machines selon laquelle la matière passe toujours dans le même ordre, même si la production est effectuée par lots.
◆ gestion de la production et des stocks

### semiworks
→ pilot plant

### send ahead
The movement of a portion of a lot of material to a subsequent operation before completion of the current operation for all of the units of the lot. The purpose of sending material ahead is to reduce the manufacturing lead time.

### chevauchement nm (du lot)
= fractionnement nm (du lot)
Déplacement d'une partie du lot vers le poste de travail suivant avant la fin du traitement de toutes les unités du lot afin de réduire le délai de fabrication.
◆ gestion de la production et des stocks

### sensors
Devices that can monitor and adjust differences in conditions in order to control equipment on a dynamic basis.

### capteurs nm
Dispositifs qui détectent les écarts à la norme établie.
◆ gestion de la production et des stocks; gestion de la qualité

### sequencing
Determining the order in which a manufacturing facility is to process a number of different jobs in order to achieve certain objectives.

### jalonnement nm
= séquencement nm des opérations
Mode de détermination des dates d'exécution prévisionnelles des tâches qui rendent optimale l'utilisation des ressources (moyens, stocks, etc.).
NOTE On distingue les jalonnements au plus tard et au plus tôt.
◆ gestion de la production et des stocks

### sequential
In numeric sequence, normally in ascending order.

### séquentiel adj
Classé selon un ordre donné, généralement croissant.
◆ généralités

### serial number
A unique number assigned for identification to a single piece that will never be repeated for similar pieces. Serial numbers are usually applied by the manufacturer but can be applied at other points, including by the distributor or wholesaler.

### numéro nm de série
Numéro donné à une pièce, à un produit afin d'indiquer sa place dans une série.
*Le numéro de série, qui est unique, est généralement attribué par le fabricant, mais le distributeur ou le grossiste peut également apposer un numéro de série sur chaque produit.*
◆ généralités

### serviceability
Design characteristic that allows the easy and efficient performance of service activities. Service activities are defined as acts required to keep equipment in operating condition, such as lubrication, fueling, oiling, cleaning, etc.

### maintenabilité nf
Qualité d'un matériel dont l'accès aux sous-ensembles à remplacer est à la fois rapide et direct, dont l'entretien est facile et qui présente des points tests.
*La maintenabilité intègre les deux notions de fiabilité et de maintenance.*
◆ gestion de la production et des stocks

### service blueprint
A service analysis method that allows service designers to identify processes involved in the service delivery system, isolate potential failure points in the system, establish time frames for the service delivery, and set standards for each step that can be quantified for measurement.

### diagramme nm d'analyse de service
Méthode d'analyse de la prestation d'un service visant à mettre en lumière ses principaux éléments, ses points faibles, s'il y a lieu, en vue d'établir des lignes directrices, des normes en matière de qualité, de délais de livraison qui pourront faire l'objet d'évaluations.
◆ gestion de la production et des stocks

### service function
A mathematical relationship of the safety factor to service level, i.e., the fraction of demand that is routinely met from stock.

### fonction nf de niveau de service
= paramètre nm de niveau de service
Relation mathématique entre le coefficient de sécurité et le niveau de service, c'est-à-dire la portion de la demande qui est habituellement couverte par le stock.
◆ gestion de la production et des stocks

▼
### service level
→ **level of service**

▼
### service parts
= **repair parts**
= **spare parts**
Those modules, components, and elements that are planned to be used without modification to replace an original part during the performance of maintenance.

### pièces<sup>nf</sup> de rechange
Pièces détachées tenues en stock afin de permettre le remplacement de pièces identiques usées ou cassées.
*Les pièces de rechange peuvent être utilisées lors d'opérations de maintenance curative ou préventive.*
◆ généralités

▼
### service parts demand
= **repair parts demand**
= **spare parts demand**
The need or requirement for a component to be sold by itself, as opposed to being used in production to make a higher level product.

### demande<sup>nf</sup> de pièces de rechange
Demande de pièces détachées destinées au remplacement de pièces usées ou cassées.
◆ gestion de la production et des stocks

▼
### service time
The time taken to serve a customer, e.g., the time required to fill a sales order, the time required to fill a request at a tool crib, etc.

### délai<sup>nm</sup> de service
= **temps<sup>nm</sup> de service**
Temps nécessaire pour satisfaire une commande client ou une demande à un magasin d'outillage, etc.
◆ gestion de la production et des stocks

▼
### service vs. investment chart
A curve showing the amount of inventory that will be required to give various levels of customer service.

### graphique<sup>nm</sup> stock/niveau de service
Graphique dont la courbe illustre les stocks nécessaires aux différents niveaux de service à la clientèle.
◆ gestion de la production et des stocks

▼
### servo system
A control mechanism linking a system's input and output, designed to feed back data on system output to regulate the operation of the system.

### système<sup>nm</sup> automatisé
Mécanisme interactif de régulation d'un système à partir de données captées en sortie et en entrée.
◆ informatique; gestion de la production et des stocks

▼
### setup 1.
The work required to change a specific machine, resource, work center, or line from making the last good piece of unit A to the first good piece of unit B.

### mise<sup>nf</sup> en course
Opération consistant à changer les outils ou les pièces d'une machine et à les régler pour passer à une nouvelle fabrication.
◆ gestion de la production et des stocks

▼
### setup 2.
= **changeover**
The refitting of equipement to neutralize the effects, e.g., teardown of the just completed production and preparation of the equipment for production of the next scheduled item.

### changement<sup>nm</sup> de fabrication
= **mise<sup>nf</sup> en course**
= **réglage<sup>nm</sup>**
Ensemble des opérations nécessaires à la préparation des postes de travail en vue de la production d'une nouvelle série.
◆ gestion de la production et des stocks

▼
### setup cost
= **changeover cost**
The costs such as scrap costs, calibration costs, downtime costs, and lost sales associated with preparing the resource for the next product.

### coût<sup>nm</sup> de mise en course
Frais afférents à la préparation des postes de travail en vue d'une production.
◆ gestion de la production et des stocks

▼
### setup lead time
The time needed to prepare a manufacturing process to start. Setup lead time may include run and inspection time for the first piece.

### délai<sup>nm</sup> de mise en course
= **délai<sup>nm</sup> de réglage**
Temps nécessaire à la préparation d'un processus avant son démarrage, y compris le temps d'exécution et de vérification de la première pièce.
◆ gestion de la production et des stocks

▼
## setup time
The time required for a specific machine, resource, work center, or line to convert from the production of the last good piece of lot A to the first good piece of lot B.

### temps<sup>nm</sup> de mise en course
= temps<sup>nm</sup> de changement d'outil
Durée nécessaire pour convertir une machine ou une chaîne de production en vue d'une nouvelle fabrication.
   ◆ gestion de la production et des stocks

▼
## shelf life
The amount of time an item may be held in inventory before it becomes unusable.

### durée<sup>nf</sup> limite de stockage
= durée<sup>nf</sup> de conservation
Temps de stockage maximal avant qu'un produit ne devienne inutilisable.
   ◆ gestion de la production et des stocks

▼
## shelf life control
A technique of physical first in, first out usage aimed at minimizing stock obsolescence.

### gestion<sup>nf</sup> de la durée de conservation
Utilisation de la technique du premier entré, premier sorti pour la gestion des stocks afin de réduire au maximum la désuétude des pièces et articles.
   ◆ gestion de la production et des stocks

▼
## ship-age limit
The date after which a product cannot be shipped to a customer.

### date<sup>nf</sup> limite d'expédition
Date après laquelle un produit ne peut plus être expédié au client.
   ◆ gestion de la production et des stocks

▼
## shipping
The department that provides facilities for the outgoing shipment of parts, products, and components. It includes packaging, marking, weighing, and loading for shipment.

### expédition<sup>nf</sup>
Fonction consistant à assurer la livraison de la marchandise vendue au client et comprenant l'emballage, l'étiquetage et l'expédition par train, route, air ou eau.
   ◆ gestion de la production et des stocks

▼
## shipping lead time
The number of working days in transit normally required

for goods to move between a shipping and receiving point, plus acceptance time in days at the receiving point.

### délai<sup>nm</sup> d'expédition
Nombre de jours ouvrables que requiert normalement la livraison de produits de l'entreprise au lieu de destination, y compris la réception et le contrôle de ces produits.
   ◆ gestion de la production et des stocks

▼
## shipping manifest
A document that lists the pieces in a shipment. A manifest usually covers an entire load regardless of whether the load is to be delivered to a single destination or many. Manifests usually list the piece count, total weight, and the destination name and address for each destination in the load.

### manifeste<sup>nm</sup>
Liste détaillée des articles contenus dans un envoi.
   *Le manifeste répertorie les articles d'un chargement, en indique le poids total ainsi que le nom des divers destinataires et leur adresse.*
   ◆ transport

▼
## shipping order debit memo
Document used to authorize the shipment of rejected material back to the supplier and create a debit entry in accounts payable.

### bon<sup>nm</sup> de retour
Document autorisant le retour de produits refusés par le client et réduisant le montant des comptes clients.
   ◆ gestion des approvisionnements; gestion de la production et des stocks

▼
## shipping point
The location from which material is sent.

### point<sup>nm</sup> d'expédition
= lieu<sup>nm</sup> d'expédition
Lieu d'où est expédiée la marchandise.
   ◆ transport

▼
## shipping tolerance
An allowable deviation that the supplier can ship over or under the contract quantity.

### tolérance<sup>nf</sup> d'expédition
Écart positif ou négatif entre les quantités livrées par un fournisseur et les quantités définies contractuellement
   ◆ gestion des approvisionnements

▼
## shop calendar
→ manufacturing calendar

## shop floor control
### = production activity control

A system for utilizing data from the shop floor to maintain and communicate status information on shop orders (manufacturing orders) and on work centers. The major subfunctions of shop floor control are: 1) assigning priority of each shop order, 2) maintaining work-in-process quantity information, 3) conveying shop order status information to the office, 4) providing actual output data for capacity control purposes, 5) providing quantity by location by shop order for work-in-process inventory and accounting purposes, and 6) providing measurement of efficiency, utilization, and productivity of the work force and machines. Shop floor control can use order control or flow control to monitor material movement throught the facility.

### pilotage<sup>nm</sup> de l'atelier

Fonction qui consiste à veiller à la bonne marche des activités de fabrication, à l'état d'avancement des ordres de fabrication et au respect du programme directeur de production.

*Les tâches spécifiques du pilotage de l'atelier sont 1) l'attribution d'une priorité à chaque ordre de fabrication, 2) la mise à jour du nombre d'encours, 3) la communication des informations sur les ordres de fabrication, 4) sur les capacités, 5) sur les emplacements en vue de connaître les stocks, 6) la mesure du rendement de la main-d'œuvre et des appareils afin d'établir la productivité de l'atelier.*

◆ gestion de la production et des stocks

## shop order
### → manufacturing order

## shop order close-out station

A stocking point on the shop floor where completed production of components is transacted (received) into and subsequently transacted (issued) to assembly or other downstream operations. This technique is used to reduce material handling by not having to move items into and out of stockrooms, while simultaneously enabling a high degree of inventory record accuracy.

### point<sup>nm</sup> de saisie en atelier

Aire de stockage dans l'usine pour des composants ou des sous-ensembles complétés (réception) en attente d'une utilisation future (sortie).

**NOTE** Cette technique évite les déplacements à destination ou en provenance des magasins et permet une plus grande exactitude dans la détermination des stocks.

◆ gestion de la production et des stocks

## shop order reporting
### → production reporting and status control

## shop packet

A package of documents used to plan and control the shop floor movement of an order. The packet may include a manufacturing order, operations sheets, engineering blueprints, picking lists, move tickets, inspection tickets, time tickets, and others.

### dossier<sup>nm</sup> de fabrication

Ensemble des documents nécessaires à la planification et au lancement d'un ordre de fabrication.

*Le dossier de fabrication comprend notamment les bons de sortie matières (matières, composants, sous-ensembles à sortir du magasin), les bons de travaux, la fiche suiveuse (liste globale des opérations à réaliser), bons de sortie et de retour d'outillage, etc.*

◆ gestion de la production et des stocks

## shop planning

The function of coordinating the availability of material handling, material resources, setup, and tooling so that an operation or job can be done on a particular machine. Shop planning is often part of the dispatching function. The term shop planning is sometimes used interchangeably with dispatching although dispatching does not have to necessarily include shop planning. For example, the selection of jobs might be handled by the centralized dispatching function while the actual shop planning might be done by the foreman or a representative.

### planification<sup>nf</sup> d'atelier

Fonction consistant à coordonner la disponibilité des matières, des outillages, la préparation du poste de travail, la manutention nécessaire afin de pouvoir exécuter une tâche sur une machine déterminée.

*La planification d'atelier découle de l'ordonnancement.*

◆ gestion de la production et des stocks

## shop scheduling
### → operations scheduling

## shop traveler
### → traveler

## shortage cost

The marginal profit that is lost when a customer orders an item that is not immediately available in stock.

**coût$^{nm}$ de rupture (de stock)**
= **coût$^{nm}$ de pénurie**
Perte de profit attribuable à l'absence dans les stocks ou à l'insuffisance d'un article commandé par un client.

*Les coûts de rupture peuvent résulter en la perte de clients, en frais découlant d'une livraison au plus tard, en obligation de fournir un article valant plus cher, en la modification de l'ordonnancement.*

◆ gestion de la production et des stocks

---

### short-cycle manufacturing
→ **Just-in-Time**

---

### shortest process time rule
(SPT)
= **smallest process time rule**
A dispatching rule that directs the sequencing of jobs in ascending order by processing time. If this rule is followed, the most jobs at a work center per time period will be processed. As a result, the average lateness of jobs at that work center is minimized, but some jobs will be very late.

**règle$^{nf}$ du temps d'opération le plus court**
= **règle$^{nf}$ TOC**
Règle accordant la priorité aux ordres de fabrication dont les temps d'exécution sont les plus courts.

*La règle du temps d'opération le plus court maximise le nombre d'ordres de fabrication exécutés par période de temps et minimise le retard moyen des ordres en retardant cependant davantage certains ordres.*

◆ gestion de la production et des stocks

---

### short-term planning
The function of adjusting limits or levels of capacity within relatively short periods of time, such as parts of a day, a day, or a week.

**planification$^{nf}$ à court terme**
Fonction qui consiste à établir les niveaux de capacité à l'intérieur de périodes de temps relativement courtes (fraction de journée, journée, semaine).

◆ gestion de la production et des stocks

---

### shrinkage
Reductions of actual quantities of items in stock, in process, or in transit. The loss may be caused by scrap, theft, deterioration, evaporation, etc.

**perte$^{nf}$**
= **freinte$^{nf}$**
Réduction de la quantité disponible d'un article en stock, en cours de production ou en cours de transport.

NOTE Cette perte de volume, de poids, de quantité, etc., peut être causée par la détérioration, l'évaporation, le vieillissement, le vol, etc.

◆ gestion de la production et des stocks

---

### shrinkage factor
= **shrinkage rate**
A percentage factor in the item master record that compensates for expected loss during the manufacturing cycle either by increasing the gross requirements or by reducing the expected completion quantity of planned and open orders. The shrinkage factor differs from the scrap factor in that the former affects all uses of the part and its components and the scrap factor relates to only one usage.

**coefficient$^{nm}$ de perte**
Pourcentage des quantités d'un produit à lancer en production qui est destiné à compenser les pertes inhérentes à sa fabrication, soit en augmentant les besoins bruts, soit en réduisant la quantité finie attendue des ordres prévisionnels ou lancés.

NOTE Le coefficient de perte influe sur toutes les utilisations de la pièce et de ses composants alors que le facteur de rebut ne concerne qu'une seule utilisation.

◆ gestion de la production et des stocks

---

### shrinkage rate
→ **shrinkage factor**

---

### SIC
Abbreviation for **standard industrial classification.**

---

### Sigma
A Greek letter ($\sigma$) commonly used to designate the standard deviation, which is a measure of the dispersion of data or the spread of the distribution.

**sigma$^{nm}$**
= **écart-type$^{nm}$**
Lettre de l'alphabet grec utilisée en général pour désigner l'écart-type d'une distribution.

NOTE 1 sigma = 68 % de la distribution de l'erreur; 2 sigma = 95 % de la distribution de l'erreur; 3 sigma = 99,6 % de la distribution de l'erreur.

◆ statistique

---

### significant part number
A part number that is intended to convey certain information, such as the source of the part, the material in the part, the shape of the part, etc. These usually make part numbers longer.

ANT. nonsignificant part numbers

### code[nm] significatif

Code d'article dont certains éléments correspondent à une information particulière à l'article (origine, matière, forme).

◆ gestion de la production et des stocks

---

## simplex algorithm

A procedure for solving a general linear programming problem.

### algorithme[nm] du simplexe
= algorithme[nm] de Dantzig

Suite d'opérations permettant de résoudre des problèmes de programmation linéaire.

◆ recherche opérationnelle

---

## simulation 1.

The technique of using representative or artificial data to reproduce in a model various conditions that are likely to occur in the actual performance of a system. It is frequently used to test the behavior of a system under different operating policies.

### simulation[nf]

Représentation d'un système ou d'un procédé par un modèle obéissant aux mêmes lois que les phénomènes que l'on veut étudier et qui est ensuite soumis aux phénomènes que l'on veut décrire.

*La simulation est fréquemment utilisée pour apprécier, avant la mise en œuvre d'un système, les conséquences que pourraient avoir différentes politiques sur le système.*

◆ recherche opérationnelle

---

## simulation 2.
= what-if analysis

Within MRP II, using the operational data to perform "what-if" evaluations of alternative plans to answer the question, "Can we do it?" If yes, the simulation can then be run in the financial mode to help answer the question, "Do we really want to?"

### simulation[nf]

Dans la planification des ressources de production, utilisation de données pour vérifier des hypothèses de planification sur un plan technique ou financier.

◆ gestion de la production et des stocks

---

## simultaneous design/engineering
→ participative design/engineering

---

## simultaneous engineering
→ participative design/engineering

---

## single exponential smoothing
→ first order smoothing

---

## single-level backflush

A form of backflush that reduces inventory of only the parts used in the next level down in an assembly or sub-assembly.

### déduction[nf] par éclatement à un niveau
= postdéduction à un niveau

À partir d'un ensemble produit, déduction du stock de ses composants directs par le calcul de la quantité consommée.

◆ gestion de la production et des stocks

---

## single-level bill of material

A display of those components that are directly used in a parent item. It shows only the relationships one level down.

### nomenclature[nf] à un niveau

Liste des composants directs d'un ensemble.

*La nomenclature à un niveau ne montre que les liens avec le niveau immédiatement inférieur.*

◆ gestion de la production et des stocks

---

## single-level where-used

Single-level where-used for a component lists each parent in which that component is directly used and in what quantity. This information is usually made available through the technique known as implosion.

### cas[nm] d'emploi à un niveau

Liste des utilisations d'un composant avec son coefficient d'emploi.

◆ gestion de la production et des stocks

---

## single minutes exchange of die
(SMED)

The concept of setup times of less than 10 minutes, developed by Shigeo Shingo in 1970 at Toyota.

### mise[nf] en course rapide
(SMED)
= méthode[nf] SMED

Obtention d'un temps de changement de fabrication qui est inférieur à dix minutes.

*La mise en course rapide, ou méthode SMED, consiste à observer et à noter toutes les opérations qui sont effectuées lors d'un changement de fabrication. Cette méthode a été mise au point par Shigeo Shingo de Toyota en 1970.*

◆ gestion de la production et des stocks

### single period inventory models
= static inventory models

Inventory models used to define economical or profit maximizing lot-size quantities when an item is ordered or produced only once, e.g., newspapers, calendars, tax guides, greeting cards, or periodicals, while facing uncertain demands.

### modèles<sup>nm</sup> de stock pour vente unique

Modèles de gestion des stocks servant à la détermination des quantités économiques d'un produit qui n'est commandé ou fabriqué qu'une seule fois et dont la demande est incertaine (journaux, calendriers, cartes saisonnières, etc.).

◆ gestion de la production et des stocks

### single smoothing
→ first order smoothing

### single source supplier

A company that is selected to have 100% of the business for a part although alternate suppliers are available.

### fournisseur<sup>nm</sup> exclusif

Entreprise retenue pour la fourniture unique et complète d'une matière, d'une pièce, d'un produit au détriment des autres fournisseurs.

◆ gestion des approvisionnements

### single sourcing

A method whereby a purchased part is supplied by only one supplier. Traditional manufacturers usually have at least two suppliers for each component part they purchase to ensure continuity of supply and (more so) to foster price competition between the suppliers. A JIT manufacturer will frequently have only one supplier for a purchased part so that close relationships can be established with a smaller number of suppliers. These close relationships (and mutual interdependence) foster high quality, reliability, short lead times, and cooperative action.

### fourniture<sup>nf</sup> exclusive

Méthode d'approvisionnement selon laquelle l'entreprise n'achète une matière, un produit qu'à un seul fournisseur.

*La fourniture exclusive favorise une meilleure concertation entre l'entreprise et le fournisseur.*

**NOTE** Généralement, l'entreprise s'approvisionne auprès de plusieurs fournisseurs en vue de favoriser la concurrence et de réduire les prix ainsi que de permettre la régularité des livraisons.

◆ gestion des approvisionnements

### skew

The degree of nonsymmetry shown by a frequency distribution.

### coefficient<sup>nm</sup> d'asymétrie
= déviation<sup>nf</sup>

Degré de dissymétrie d'une distribution de fréquences.

◆ statistique

### skill-based compensation

A method of employee compensation that bases the employee's wage rate on the number of skills he or she is qualified to perform. People who are qualified to do a wider variety of skills are paid more.

### rémunération<sup>nf</sup> fondée sur les habiletés

Système de rémunération fondé sur l'éventail des habiletés des travailleurs.

*Selon la rémunération fondée sur les habiletés, les travailleurs polyvalents ont droit à de meilleurs salaires que les autres employés.*

◆ gestion des ressources humaines

### skills inventories

An organized file of information on each employee's skills, abilities, knowledge, and experience usually maintained by a personnel office.

### fichier<sup>nm</sup> du personnel

Répertoire de données relatives aux compétences, connaissances, aptitudes des employés d'une entreprise.

◆ gestion des ressources humaines

### SKU

Abbreviation for **stockkeeping unit.**

### slack
→ slack time 2.

### slack time 1.

The difference in calendar time between the scheduled due date for a job and the estimated completion date. If a job is to be completed ahead of schedule, it is said to have slack time; if it is likely to be completed behind schedule, it is said to have negative slack time. Slack time can be used to calculate job priorities using formulas such as the critical ratio.

### marge<sup>nf</sup> libre

Pour une tâche, écart mesuré en jours entre la date d'exigibilité planifiée et sa date de fin prévue.

*La durée de la tâche à exécuter est assortie d'une marge libre qui dépend des intervalles de flottement des deux étapes qui la délimitent.*

**NOTE** Si une tâche peut être achevée avant la date prévue, la marge est positive; si elle est terminée après la date définie, la marge est négative.

◆ gestion de la production et des stocks

---

▼ **slack time** 2.

= **slack**

In the critical path method, total slack is the amount of time an activity or job may be delayed in starting without necessarily delaying the project completion time. Free slack is the amount of time an activity or job may be delayed in starting without delaying the start of any other activity in the project.

**marge[nf] totale**

Période durant laquelle une activité peut être retardée sans pour autant allonger la durée totale du projet.

*La marge totale correspond à la durée comprise entre la date du début au plus tôt et la date du début au plus tard d'une activité.*

◆ gestion de la production et des stocks; recherche opérationnelle

---

▼ **slack time rule**

A dispatching rule that directs the sequencing of jobs based on (days left x hrs/day) - std. hrs. of work left on this specific job = priority, e.g. (5 x 8)–12 equals 28.

**régle[nf] de la marge croissante**

Règle de lancement qui organise le séquencement des tâches d'après leurs priorités.

*La formule de la règle de la marge croissante est la suivante : priorité = (jours restants x nombre d'heures par jour)–nombre d'heures standards restantes.*

◆ gestion de la production et des stocks

---

▼ **slow moving items**

Those inventory items with a low turnover, i.e., items in inventory that have a relatively low rate of usage compared to the normal amount of inventory carried.

**articles[nm] à rotation lente**

= **articles[nm] à faible rotation**

Articles ayant une utilisation peu fréquente et peu élevée.

◆ gestion de la production et des stocks

---

▼ **smallest process time rule**

→ **shortest process time rule**

---

▼ **small group improvement activity**

An organizational technique for involving employees in continuous improvement activities.

**groupe[nm] d'amélioration de la qualité** (GAQ)

Petit groupe d'employés, animé par le supérieur hiérarchique direct et composé de volontaires d'un même secteur de l'entreprise, atelier ou bureau, qui se charge de résoudre des problèmes quotidiens et qui présente des propositions d'amélioration de la qualité des produits, des procédés ou des conditions de vie au travail.

◆ gestion de la qualité; gestion de la production et des stocks

---

▼ **SMED**

Acronym for **single minutes exchange of dies.**

**SMED**

Abréviation de **single minutes exchange of dies.**

**NOTE** L'abréviation anglaise est utilisée en français.

---

▼ **smoothing**

Averaging data by a mathematical process or by curve fitting, such as the method of least squares or exponential smoothing.

**lissage[nm]**

Technique de traitement d'une série statistique, réduisant les variations des données, pour dégager une tendance générale de l'évolution du phénomène étudié.

◆ prévision

---

▼ **smoothing constant**

→ **alpha factor**

---

▼ **software**

The programs and documentation necessary to make use of a computer.

**logiciel[nm]**

Ensemble des programmes, des méthodes et, éventuellement, de la documentation relatifs au fonctionnement d'un traitement d'informations sur ordinateur.

◆ informatique

---

▼ **sole source**

Supply of a product is available from only one organization. Usually technical barriers such as patents exist to preclude other suppliers from offering the product.

## monopole[nm]
Situation d'un marché dans lequel il existe un seul vendeur (offreur) face à un grand nombre d'acheteurs potentiels (demandeurs).
♦ économie

## sole source supplier
The only supplier capable of meeting (usually technical) requirements for an item.

### fournisseur[nm] unique
Seul fournisseur apte à offrir un produit satisfaisant aux critères principalement techniques définis par une entreprise pour un bien.
♦ gestion des approvisionnements

## sorting
The function of physically separating a homogeneous subgroup from a heterogenous population of items.

### tri[nm]
Classement de données, d'éléments suivant des critères déterminés.
*Le tri permet de constituer des sous-groupes homogènes d'une population hétérogène.*
♦ généralités

## source document
An original written or printed record of some type that is to be converted into machine-readable form.

### document[nm] d'origine
Document original écrit ou imprimé qui peut être lu directement par un ordinateur.
♦ généralités

## source inspection
Inspection at the source of supply, e.g., the supplier or the work center, as opposed to inspection following receipt or production of the items.

### contrôle[nm] à la source
Contrôle effectué au lieu de production et non lors de la réception.
♦ gestion de la qualité

## space buffer
A physical space allocated for safety stock. For example, a space buffer can exist in a product layout to protect a bottleneck from stopping production because no more room exists to off-load finished material from that operation.

## zone[nf] tampon
Section réservée au stock tampon dans une chaîne de production.
*Les zones tampons peuvent absorber provisoirement des encours de production afin d'éviter des amoncellements susceptibles de provoquer un goulot ou un arrêt des activités.*
♦ gestion de la production et des stocks

## spare parts
→ service parts

## spare parts demand
→ service parts demand

## SPC
Abbreviation for **statistical process control.**

## special
A term describing a part or group of parts that are unique to a particular order.

### produit[nm] spécifique
= pièces[nf] spécifiques
Pièce ou sous-ensemble conçu exclusivement pour une commande particulière.
♦ gestion de la production et des stocks

## specification
A clear, complete, and accurate statement of the technical requirements of a material, an item, or a service, and of the procedure to be followed to determine if the requirements are met.

### spécification[nf]
Document qui précise les exigences techniques relatives à une fourniture, un produit, un service, incluant au besoin les méthodes d'essai et de contrôle qui permettent de déterminer si ces exigences sont satisfaites.
♦ gestion de la qualité; gestion de la production et des stocks

## split delivery
A method by which a larger quantity is ordered on a purchase order to secure a lower price, but delivery is split into smaller quantities and spread out over several dates to control inventory investment, save storage space, etc.

### livraison[nf] fractionnée
Méthode selon laquelle on commande une grande quantité d'un produit afin de bénéficier de remise sur quantité, mais en échelonnant la livraison dans le temps

pour réduire le financement des stocks, économiser le volume de stockage, etc.

◆ gestion de la production et des stocks

---

▼ **split lot**

A manufacturing order quantity that has been divided into two or more smaller quantities, usually after the order has been released. The quantities of a split lot may be worked on in parallel, or a portion of the original quantity may be sent ahead to a subsequent operation to be worked on while work on the remainder of the quantity is being completed at the current operation. The purpose of splitting a lot is to reduce the lead time of part of the order.

### lotnm fractionné
= lotnm divisé

Lot de fabrication divisé en deux ou plusieurs parties qui seront exécutées simultanément ou non sur plusieurs postes de travail.

NOTE Habituellement le fractionnement du lot a lieu après que l'ordre a été lancé.

◆ gestion de la production et des stocks

---

▼ **spoiled work order**
→ rework order

---

▼ **SPT**

Abbreviation for **shortest process time rule.**

---

▼ **SQC**

Abbreviation for **statistical quality control.**

---

▼ **SQL**

Abbreviation for **structured query language.**

---

▼ **stabilization stock**

An inventory that is carried on hand above the base inventory level to provide some protection against incurring overtime or downtime.

### stocknm de régulation

Stock maintenu en supplément du stock de base afin de pallier les heures supplémentaires ou les temps d'arrêt.

◆ gestion de la production et des stocks

---

▼ **stacked lead time**
→ cumulative lead time

---

▼ **staged material**
→ kits

---

▼ **staging**

Pulling the material for an order from inventory before the material is required. This action is often taken to identify shortages, but it can lead to increased problems in availability and inventory accuracy.

### affectationnf physique (des composants)
= réservationnf physique

Mode de réservation des composants nécessaires à la réalisation d'un ordre de fabrication qui consiste à extraire ces composants du stock avant le lancement de l'ordre et de les regrouper dans un emplacement particulier.

NOTE Cette technique est employée pour prévenir les ruptures de stock; elle peut cependant occasionner des problèmes de disponibilité des composants et réduire l'exactitude de l'inventaire.

◆ gestion de la production et des stocks

---

▼ **staging and consolidation**

Physically moving material from the packing area to a staging area, based on a prescribed set of instructions related to a particular outbound vehicle or delivery route, often for shipment consolidation purposes.

### groupagenm

Regroupement de certaines matières, de certains produits à des fins d'expédition groupée.

◆ transport; gestion de la production et des stocks

---

▼ **standard allowance**

The established or accepted amount by which the normal time for an operation is increased within an area, plant, or industry to compensate for the usual amount of fatigue and/or personal and/or unavoidable delays.

### majorationnf standard
= supplémentnm standard

Supplément ajouté au temps de base établi pour fabriquer une pièce afin de tenir compte de retards occasionnés par la fatigue, les besoins personnels ou autres impondérables.

◆ gestion de la production et des stocks

---

▼ **standard batch quantity**
(SBQ)
= run size

The quantity of a parent that is used as the basis for specifying the material requirements for production. The "quantity per" is expressed as the quantity to make the SBQ, not to make only one of the parent. Often used by manufacturers that use some components in very small quantities or by process-related manufacturers.

### quantité[nf] standard de lot
Quantité d'un composé servant de base pour la détermination des besoins matières de la production.

*La quantité standard de lot est souvent employée par les fabricants qui utilisent quelques composants en très faibles quantités.*

**NOTE** Le coefficient d'emploi est la quantité de composants nécessaires à la fabrication d'un lot.

◆ gestion de la production et des stocks

---

### standard containers
Predetermined, specifically sized containers used for storing and moving components.

### conteneur[nm] standard
Emballage rigide à format défini destiné à contenir des matières, des marchandises en vue de faciliter leur transport, leur manutention et leur stockage.

*Un conteneur standard d'atelier est destiné à déplacer les lots de pièces d'un poste de travail à un autre.*

◆ transport; gestion de la production et des stocks

---

### standard costs
The target costs of an operation, process, or product including direct material, direct labor, and overhead charges.

### coût[nm] standard
Coût préétabli avec précision, d'un produit, d'une opération, d'une activité.

◆ comptabilité

---

### standard cost system
A cost system that uses cost units determined before production. For management control purposes, the standards are compared to actual costs and variances are computed.

### méthode[nf] des coûts standards
Méthode du coût de revient estimatif qui consiste à comptabiliser les éléments du coût de fabrication d'un produit à des montants qui reflètent des normes établies d'avance en vue d'exercer un meilleur contrôle par des comparaisons entre les coûts réels et les coûts standards.

◆ comptabilité

---

### standard deviation
A measure of dispersion of data or of a variable. The standard deviation is computed by finding the difference between the average and actual observations,

squaring each difference, summing the squared differences, finding the average squared difference (called the variance), and taking the square root of the variance.

### écart-type[nm]
Mesure de dispersion d'une série d'observations par rapport à la moyenne des données de cette série, que l'on obtient en calculant la racine carrée de la somme des carrés des différences entre chacune des données et leur moyenne arithmétique.

*L'écart-type est égal à la racine carrée de la variance.*

◆ statistique

---

### standard error
Applied to statistics such as the mean to provide a distribution within which samples of the statistics are expected to fall.

### erreur-type[nf]
= erreur[nf] standard
Expression de la variation attendue dans des prévisions.

◆ statistique; prévision

---

### standard hours
→ standard time

---

### standard industrial classification
(SIC)
Classification codes that are used to categorize companies into different industry groupings.

### classification[nf] industrielle standard
Codes de classement utilisés pour répartir les entreprises dans les divers secteurs d'activité de l'économie.

◆ généralités

---

### standardization 1.
The process of designing and/or altering products, parts, processes, and procedures to establish and use standard specifications for them and/or components.

### standardisation[nf]
Conception de produits, pièces, procédés et méthodes en vue d'établir ou d'utiliser des standards.

◆ gestion de la production et des stocks

---

### standardization 2.
Reduction of total numbers of parts and materials used and/or products, models, or grades produced.

### rationalisation[nf]
Action de définir, en fonction des besoins, les méthodes de production, les caractéristiques des produits en limi-

tant le plus possible leur diversité afin de réduire les coûts de revient et de rationnaliser la production.

◆ gestion de la production et des stocks

---

### ▼ standardization 3.

The function of bringing a raw ingredient into standard (acceptable) range per the specification prior to introduction to the main process.

#### normalisation[nf]

Action de rendre une matière première conforme aux normes établies avant de la mettre à la disposition de la production.

◆ gestion de la production et des stocks

---

### ▼ standardized ingredient

A raw ingredient that has been preprocessed to bring all its specifications within standard ranges before it is introduced to the main process. This preprocessing is done to minimize variability in the production process.

#### ingrédient[nm] standardisé
= ingrédient[nm] standard

Ingrédient de base ayant reçu un premier traitement afin de le rendre conforme aux normes avant son introduction dans le processus de fabrication en vue de minimiser la variabilité du processus de production.

◆ gestion de la production et des stocks

---

### ▼ standard ratio

A relationship based on a sample distribution by value for a particular company. When the standard ratio for a particular company is known, certain aggregate inventory predictions can be made, i.e., the amount of inventory increase that would be required to give a particular increase in customer service.

#### ratio[nm] standard

Ratio fondé sur une distribution statistique par valeur.

◆ gestion de la production et des stocks

---

### ▼ standard time
= standard hours

The length of time that should be required to (1) set up a given machine or operation and (2) run one part/assembly/batch/end product through that operation. This time is used in determining machine requirements and labor requirements. It is also frequently used as a basis for incentive pay systems and as a basis of allocating overhead in cost accounting systems.

#### temps[nm] standard
= temps alloué

Temps que devrait prendre une personne moyenne pour accomplir une tâche donnée dans des conditions normales.

◆ gestion de la production et des stocks

---

### ▼ standing capacity
→ rated capacity 2.

---

### ▼ standing order
→ blanket purchase order

---

### ▼ start date

The date that an order or schedule should be released into the plant based upon some form of scheduling rules. The start date should be early enough to allow time to complete the work, but not so early to overload the shop.

#### date[nf] de début

Date à laquelle doit débuter la production d'un ordre de fabrication selon les règles de l'ordonnancement.

◆ gestion de la production et des stocks

---

### ▼ static budget
→ master budget

---

### ▼ static inventory models
→ single period inventory models

---

### ▼ statistical inventory control
= scientific inventory control

The use of statistical methods to model the demands and lead times experienced by an inventory item or group of items. Demand during lead time and between reviews can be modeled and reorder points, safety stocks, and maximum inventory levels can be defined to attempt to achieve desired customer service levels, inventory investments, manufacturing/distribution efficiency, and targeted returns on investments.

#### gestion[nf] statistique des stocks

Utilisation des méthodes statistiques pour évaluer la demande et fixer le délai de réapprovisionnement d'un article ou d'un groupe d'articles.

*La gestion statistique des stocks comprend la définition du point de réapprovisionnement, du stock de sécurité, du niveau de réapprovisionnement en fonction du niveau de service client retenu et des objectifs de rentabilité des investissements.*

◆ gestion de la production et des stocks

---

### ▼ statistical order point
→ order point

## statistical order point system
→ order point system

## statistical process control
(SPC)
Monitoring a process by analyzing outputs using statistical techniques that provide feedback to be used in maintaining or improving process capability.

### contrôle nm statistique du processus
= maîtrise nf statistique du procédé
Méthode de gestion de la qualité selon laquelle on effectue une surveillance continue de la fabrication à l'aide de techniques statistiques plutôt qu'un contrôle a *posteriori* des articles fabriqués.
◆ gestion de la qualité

## statistical quality control
(SQC)
The use of statistical techniques in the quality function. This generic term includes such individual techniques as control charts, experimental design, and statistical process control.

### contrôle nm par échantillons
= contrôle nm statistique de la qualité
= contrôle nm statistique des procédés
Contrôle de la stabilité de la qualité de la fabrication ou de la conformité aux caractéristiques définies d'un certain lot livré à un client ou reçu par l'entreprise à l'aide de cartes de contrôle, de plans d'expérience, etc.
*Le contrôle par échantillons de la qualité s'appuie sur des tables tirées du calcul des probabilités.*
◆ gestion de la qualité

## statistical safety stock calculations
The mathematical determination of safety stock quantities considering forecast errors, lot size, desired customer service levels, and the ratio of lead time to the length of the forecast period. Safety stock is frequently the product of the appropriate safety factor and the standard deviation or mean absolute deviation of the distribution of demand forecast errors.

### calcul nm statistique du stock de sécurité
Détermination mathématique du stock de sécurité qui tient compte des erreurs de prévision, de la taille des lots, du niveau de service souhaité et du ratio du délai de réapprovisionnement à la période prévisionnelle.
*Le calcul statistique du stock de sécurité se fait par la multiplication du facteur de sécurité par l'écart-type ou par l'écart moyen absolu de la distribution des erreurs de prévision.*
◆ gestion de la production et des stocks

## step budget
A budget that establishes anticipated targets at which an operation will perform for each step or level of production. A step budget can be likened to several different fixed budgets. This method of budgeting is useful because most of the manufacturing overhead expenditures vary in steps, not as a straight line.

### budget nm par niveau
= budget nm par palier
Budget correspondant à différents degrés d'activité.
NOTE Cette méthode d'établissement du budget rend compte fidèlement de l'évolution des frais qui varient par palier plutôt que linéairement lorsqu'on passe d'un niveau d'activité à un autre.
◆ comptabilité

## step function scheduling
Scheduling logic that recognizes run length to be a multiple of the number of batches to be run rather than simply a linear relationship of run time to total production quantity.

### ordonnancement nm par palier
Logique d'ordonnancement fondée sur la durée de fabrication des lots en fonction du nombre de mises en course plutôt que sur le produit du temps de production unitaire par la quantité totale d'unités à produire.
◆ gestion de la production et des stocks

## stochastic models
Models where uncertainty is explicitly considered in the analysis.

### modèle nm stochastique
Modèle intégrant l'éventualité de réalisation d'états ou d'événements aléatoires.
◆ recherche opérationnelle

## stock 1.
Items in inventory.

### stock nm
Ensemble des matières premières, fournitures, produits semi-ouvrés, produits finis qui sont conservés à une date donnée, par une entreprise et lui appartiennent.
◆ gestion de la production et des stocks

## stock 2.
Stored products or service parts ready for sale as distinguished from stores, which are usually components or raw materials.

**stock**nm

Ensemble des pièces, fournitures, produits qui sont conservés, à une date donnée, par une entreprise et qui sont destinés à la vente plutôt qu'à la production (matières premières, composants).

◆ gestion de la production et des stocks

▼ **stockchase**
→ **expedite**

▼ **stock code**
→ **item number**

▼ **stockkeeping unit**
(SKU)

An item at a particular geographic location. For example, one product stocked at the plant and at six different distribution centers would represent seven SKUs.

**unité**nf **(de) stock**

Article conservé en magasin dans l'entreprise.

*À titre d'exemple, un article stocké dans l'usine et dans six centres de distribution de l'entreprise correspond à sept unités stock.*

**NOTE** C'est la combinaison article et emplacement géographique qui constitue l'unité de stock.

◆ gestion de la production et des stocks

▼ **stockless production**
→ **Just-in-Time**

▼ **stockless purchasing**

Buying material, parts, supplies, etc., for direct utilization by the departments involved, as opposed to receiving them into stores and subsequently issuing them to the departments. The intent here is to reduce inventory investment, increase cash flow, reduce material handling and storage, provide better service, etc.

**achat**nm **sans stock**

Approvisionnement (de matières, de pièces, d'articles) reçu directement par un service utilisateur d'un fournisseur.

**NOTE** Les matières, pièces ou articles achetés sont livrés directement au service client afin de réduire la manutention, l'entreposage et de mieux répondre aux besoins des utilisateurs.

◆ gestion des approvisionnements

▼ **stock number**
→ **item number**

▼ **stock order**

An order to replenish stock as opposed to a production order to make a particular product for a specific customer.

**ordre**nm **de réapprovisionnement**

Ordre de fabrication qui servira à réapprovisionner les stocks plutôt que les commandes clients.

◆ gestion de la production et des stocks

▼ **stockout**

A lack of materials, components, or finished goods that are needed.

**rupture**nf **de stock**
= **pénurie**nf

Manque de matières ou d'articles en magasin, empêchant de faire face immédiatement aux besoins exprimés (fabrication ou clientèle).

◆ gestion de la production et des stocks

▼ **stockout costs**

The lost sale and/or backorder cost incurred as a result of a stockout.

**coûts**nm **de rupture (de stock)**
= **coûts**nm **de pénurie**

Somme des coûts qui découlent du manque d'un article en stock, ces coûts étant attribuables à la perte de clients, aux frais entraînés par une livraison au plus tard, à l'obligation de fournir un article existant, mais valant plus cher, au bouleversement de l'ordonnancement.

◆ gestion de la production et des stocks

▼ **stockout percentage**

A measure of the effectiveness with which a company responds to actual demand or requirements. The stockout percentage can be a measurement of total stockouts to total orders, or of line items incurring stockouts during a period to total line items ordered. The formula is:

$$\frac{\text{stockout}}{\text{percentage}} = (1 - \text{customer service ratio}) \times 100\%$$

**taux**nm **de rupture**

Pourcentage du nombre de demandes non satisfaites immédiatement à partir des stocks de l'entreprise par rapport au nombre de demandes à satisfaire.

*Le taux de rupture est une mesure de l'efficacité avec laquelle l'entreprise répond à la demande réelle.*

**NOTE** Le taux de rupture peut être le ratio du nombre total de ruptures sur le nombre total de commandes, ou du nombre de lignes de commande non satisfaites sur le nombre total de lignes de commande.

◆ gestion de la production et des stocks

### ▼ stockpoint
A designated location in an active area of operation into which material is placed and from which it is taken. Not necessarily a stockroom isolated from activity, it is a way of tracking and controlling active material for easy flow-through production.

#### lieu nm de stockage
= point nm de stockage
= aire nf de stockage actif
Emplacement situé à proximité d'un centre de charge où sont entreposés temporairement les composants destinés à la fabrication.
◆ gestion de la production et des stocks

### ▼ stock record card
A ledger card that contains inventory status for a given item.

#### fiche nf de stock
Fiche sur laquelle sont notées les quantités en stock et en commande d'une matière, d'une pièce, d'un article.
◆ gestion de la production et des stocks

### ▼ stock status
A periodic report showing the inventory on hand and usually showing the inventory on order and some sales and/or usage history for the products that are covered in the stock status report.

#### état nm des stocks
Rapport périodique du stock disponible, du stock en commande et de l'historique des ventes ou de l'utilisation des matières, sous-ensembles et produits.
◆ gestion de la production et des stocks

### ▼ stop work order
→ hold order

### ▼ storage
The retention of parts or products for future use or shipment.

#### stockage nm
= entreposage nm
Action de conserver des matières, des pièces ou des produits en vue d'une utilisation future ou de leur expédition.
◆ gestion de la production et des stocks

### ▼ storage costs
A subset of inventory carrying costs, including the cost of warehouse utilities, material handling personnel, equipment maintenance, building maintenance, and security personnel.

#### coûts nm de stockage
Ensemble des coûts liés à la possession du stock et comprenant les frais d'entreposage, les frais de manutention, le coût et l'entretien des bâtiments, les coûts de gardiennage.
◆ comptabilité; gestion de la production et des stocks

### ▼ stores 1.
Stored materials used in making a product.

#### stock nm de pièces
= stock nm de composants
Ensemble des pièces, composants utilisés lors de la fabrication d'un produit.
◆ gestion de la production et des stocks

### ▼ stores 2.
The physical room where stored components, parts, assemblies, tools, fixtures, etc., are kept.

#### magasin nm
Lieu de dépôt des articles, pièces, etc., destinés à la production.
◆ gestion de la production et des stocks

### ▼ stores issue order
→ picking list

### ▼ stores ledger card
A card on which records of the items on hand and on order are maintained.

#### fiche nf de stock
= fiche nf de gestion de stock
Document où figurent des données sur les composants et articles en stock.
◆ gestion de la production et des stocks

### ▼ stores requisition
→ picking list

### ▼ straight line schedule
→ gapped schedule

### ▼ strategic business unit
(SBU)
An approach to strategic planning that develops a plan based on products. A company's products are typically grouped into strategic business units (SBUs) with each

SBU evaluated in terms of strengths and weaknesses vis-à-vis similar business units made and marketed by competitors. The units are evaluated in terms of their competitive strengths, their relative advantage, life cycles, and cash flow patterns.

### centre<sup>nm</sup> d'action stratégique
(CAS)

**= groupe<sup>nm</sup> stratégique**
Méthode de planification stratégique fondée sur les produits d'une entreprise.

**NOTE** Cette méthode répartit les produits par centre d'action stratégique en vue de permettre l'évaluation des forces et faiblesses de ces groupes par rapport à ceux de la concurrence.

◆ gestion

### structured query language
(SQL)

A computer language that is a relational model database language. It is English-like and nonprocedural and provides the ability to define tables, screen layouts, and indexes.

### langage<sup>nm</sup> SQL
Langage conçu par les laboratoires IBM pour la création, la gestion et la consultation de bases de données relationnelles.

*Le langage SQL permet de décrire les tables qui servent de cadre à l'enregistrement des données et les index d'accès à ces tables, puis il offre les outils de formulation des requêtes.*

◆ informatique

### subassembly
An assembly which is used at a higher level to make up another assembly.

### sous-ensemble<sup>nm</sup>
Ensemble dont les éléments font partie d'un autre ensemble de niveau supérieur.

*Exemple d'un sous-ensemble : moteur entrant dans la composition d'une automobile.*

**NOTE** Le mot *sous-assemblage est une impropriété.

◆ gestion de la production et des stocks

### subcontracting
Sending production work outside to another manufacturer.

### sous-traitance<sup>nf</sup>
Acte par lequel une entreprise confie à un sous-traitant le soin de fabriquer, avec des spécifications déterminées, des pièces ou des sous-ensembles incorporables exclusivement dans des produits de l'entreprise.

*La sous-traitance consiste à charger une entreprise externe, ou sous-traitant, de l'exécution d'une ou plusieurs opérations ou de la fabrication d'un article.*

◆ gestion des approvisionnements; gestion de la production et des stocks

### suboptimization
A problem solution that is best from a narrow point of view but not from a higher or overall company point of view. For example, a department manager who would not work the department overtime in order to minimize the department's operating expense may be doing so at the expense of lost sales and a reduction in overall company profitability.

### sous-optimisation<sup>nf</sup>
Optimisation ne s'appliquant qu'à une partie des activités de l'entreprise, mais ne constituant pas la meilleure valeur possible pour l'ensemble de l'entreprise.

◆ recherche opérationnelle

### subplant
An organizational structure within a factory, consisting of a compact entrepreneurial unit, either process–or product–oriented, and structured to achieve maximum productivity.

### intra-entreprise<sup>nf</sup>
Structure organisationnelle bénéficiant d'une large autonomie à l'intérieur d'une usine afin de permettre l'atteinte d'une productivité maximale.

◆ gestion; gestion de la production et des stocks

### substitution
The use of a nonprimary product or component, normally when the primary item is not available.

### substitution<sup>nf</sup>
Utilisation d'un composant ou d'un produit de remplacement quand le composant ou le produit habituel est en rupture de stock.

◆ production

### summarized bill of material
A form of multilevel bill of material that lists all the parts and their quantities required in a given product structure. Unlike the indented bill of materials, it does not list the levels of manufacture and lists a component only once for the total quantity used.

### nomenclature<sup>nf</sup> cumulée
**= nomenclature<sup>nf</sup> en râteau**
Liste de l'ensemble des articles élémentaires constitutifs de l'article considéré, chacun apparaissant une seule fois, affecté d'un coefficient correspondant au nombre total d'utilisations.

*La nomenclature cumulée répertorie les composants une seule fois, mais avec l'ensemble de ses utilisations, contrairement à la nomenclature arborescente.*

◆ gestion de la production et des stocks

---

### ▼ summarized where-used

A form of an indented where-used bill of material listing that shows all parents in which a given component is used, the required quantities, and all of the next level parents until level 0 is reached. Unlike the indented where-used, it does not list the levels of manufacture.

#### cas[nm] d'emploi cumulé

Cas d'emploi multiniveaux donnant tous les composés d'un composant donné avec les quantités nécessaires, en remontant jusqu'au niveau 0.

*Le cas d'emploi cumulé ne détaille pas les niveaux de fabrication.*

◆ gestion de la production et des stocks

---

### ▼ sum of deviations
→ cumulative sum

---

### ▼ super bill (of material)

A type of planning bill, located at the top level in the structure, that ties together various modular bills (and possibly a common parts bill) to define an entire product or product family. The quantity per relationship of the super bill to its modules represents the forecasted percentage of demand of each module. The master scheduled quantities of the super bill explode to create requirements for the modules that also are master scheduled.

#### super-nomenclature[nf]

Nomenclature de planification de niveau supérieur et qui réunit les nomenclatures modulaires ainsi qu'une nomenclature de pièces communes pour définir un produit complet ou une famille de produits.

*Les quantités précisées par le programme directeur de production sont éclatées à partir de la super-nomenclature pour calculer les besoins.*

◆ gestion de la production et des stocks

---

### ▼ superflush

A technique to relieve all components down to the lowest level using the complete bill of material, based on the count of finished units produced and/or transferred to finished goods inventory.

#### déduction[nf] complète par éclatement

Déduction de tous les composants par explosion utilisant tous les niveaux de la nomenclature lors du transfert au stock de produits finis.

◆ gestion de la production et des stocks

---

### ▼ supplier 1.
= vendor

Provider of goods or services.

#### fournisseur[nm]

Personne ou entreprise qui fournit des biens ou des services.

◆ gestion des approvisionnements

---

### ▼ supplier 2.

Seller with whom the buyer does business, as opposed to vendors, which is a generic term referring to all sellers in the marketplace.

#### fournisseur[nm] (d'une entreprise)

Tiers à qui l'entreprise achète des matières premières, des produits ou d'autres biens ou services destinés à l'exploitation de l'entreprise ou à la revente.

◆ gestion des approvisionnements

---

### ▼ supplier alternate

A seller other than the primary one. The supplier alternate may or may not supply the items purchased, but is usually approved to supply these items.

#### fournisseur[nm] substitut
= fournisseur[nm] de remplacement

Fournisseur agréé par une entreprise et appelé à livrer des biens ou services lorsque le fournisseur original est dans l'incapacité de répondre à la demande.

◆ gestion des approvisionnements

---

### ▼ supplier clustering

Deliberately sole sourcing remote suppliers within a small geographical area to facilitate joint shipments of what would otherwise be less than truckload quantities.

#### groupage[nm] des approvisionnements
= regroupement[nm] de fournisseurs

Action de réunir des marchandises provenant de plusieurs fournisseurs afin de permettre un transport commun vers l'entreprise et de réduire les coûts de transport.

◆ gestion des approvisionnements

---

### ▼ supplier lead time
= vendor lead time

The amount of time that normally elapses between the time an order is received by a supplier and the time of the shipment of the material.

#### délai[nm] fournisseur

Période de temps séparant la réception d'une commande par le fournisseur et l'expédition de la marchandise commandée.

◆ gestion des approvisionnements; gestion de la production et des stocks

▼ **supplier measurement**
The act of measuring the supplier's performance to the contract. Measurements usually cover delivery, quality, and price.

### évaluation$^{nf}$ des fournisseurs
Mesure de la qualité, du prix des biens vendus par un fournisseur, du respect des dates de livraison par rapport aux engagements pris vis-à-vis de l'entreprise.
◆ gestion des approvisionnements

▼ **supplier number**
A numerical code used to identify one supplier from another.

### code$^{nm}$ de fournisseur
Numéro attribué à chaque fournisseur à des fins d'économie de temps et de place sur les imprimés et dans les utilisations informatiques.
◆ gestion des approvisionnements

▼ **supplier scheduler**
= **planner/buyer**
= **vendor scheduler**
A person whose main job is working with suppliers regarding what is needed and when. Supplier schedulers are in direct contact with both MRP and the suppliers. They do the material planning for the items under their control, communicate the resultant schedules to their assigned suppliers, do follow-up, resolve problems, and advise other planners and/or the master scheduler when purchased items will not arrive on time to support the schedule. The supplier schedulers are normally organized by commodity, as are the buyers. By using the supplier scheduler approach, the buyers are freed from day-to-day order placement and expediting, and therefore have the time to do cost reduction, negotiation, supplier selection, alternate sourcing, etc.

### gestionnaire$^{nm\ et\ nf}$ des approvisionnements
Personne dont la fonction est de veiller à ce que les approvisionnements de matières, pièces, fournitures ou produits soient effectués selon les quantités définies par la planification des besoins matières et aux dates prévues.
*Le gestionnaire des approvisionnements travaille en étroite liaison avec les fournisseurs et les utilisateurs et permet aux acheteurs de se consacrer à la recherche de fournisseurs et à la négociation de conditions optimales d'approvisionnement.*
◆ gestion des approvisionnements; gestion de la production et des stocks

▼ **supplier scheduling**
A purchasing approach that provides suppliers with schedules rather than individual hard copy purchase orders. Normally a supplier scheduling system will include a business agreement (contract) for each supplier, a weekly (or more frequent) schedule for each supplier extending for some time into the future, and individuals called supplier schedulers. Also required is a formal priority planning system that works very well, because it is essential in this arrangement to routinely provide the supplier with valid due dates.

### programmation$^{nf}$ des approvisionnements
Mode de gestion des approvisionnements fondé sur la négociation de commandes-programmes stipulant d'avance des livraisons successives selon le plan d'approvisionnement.
◆ gestion des approvisionnements; gestion de la production et des stocks

▼ **supplies**
= **general stores**
= **indirect materials**
= **consumables**
Materials used in manufacturing that are not normally charged to finished production, such as cutting and lubricating oils, machine repair parts, glue, tape, etc.

### fournitures$^{nf}$
= **fournitures$^{nf}$ consommables**
= **matières$^{nf}$ consommables**
Matières consommées lors de la fabrication et dont le coût n'est pas imputé directement aux produits finis, telles que l'huile de graissage, les pièces de rechange, colle, etc.
◆ gestion de la production et des stocks

▼ **supply** 1.
The quantity of goods available for use.

### offre$^{nf}$
Quantité d'un bien que les agents économiques d'un marché sont disposés à fournir à un certain prix, à un moment donné.
*L'offre et la demande.*
◆ économie

▼ **supply** 2.
The actual or planned replenishment of a product or component. The replenishment quantities are created in response to a demand for the product or component or in anticipation of such a demand.

## approvisionnement[nm]

Fonction consistant à mettre à la disposition d'une entreprise, d'une administration, les biens et les services nécessaires à son fonctionnement dans les meilleures conditions de coût et de qualité.

*La programmation des approvisionnements s'effectue en fonction des besoins prévus à l'occasion de la planification générale de l'entreprise.*

◆ gestion de la production et des stocks

---

## surge tank

A container to hold output from one process and feed it to a subsequent process. It is used when line balancing is not possible or practical or only on a contingency basis when downstream equipment is nonoperational.

## cuve[nf] tampon

Contenant qui reçoit les sorties d'un processus avant d'alimenter un autre processus.

◆ gestion de la production et des stocks

---

## synchronized production

A term sometimes used to mean repetitive Just-in-Time production.

## production[nf] synchronisée

Terme utilisé pour qualifier le système de production juste-à-temps.

◆ gestion de la production et des stocks

---

## synthetic time standard
→ **predetermined motion time**

---

## system

A regularly interacting or interdependent group of items forming a unified whole towards the achievement of a goal.

## système[nm]

Ensemble d'éléments interdépendants organisés en vue d'atteindre un but.

◆ généralités

---

## systems analysis

The analyzing in detail of the information needed for an organization, the characteristics and components of the current information system, and the requirements of any proposed changes to the information system.

## analyse[nf] fonctionnelle

Processus d'analyse qui consiste, lors de la mise en œuvre d'une application, à décomposer le traitement en différentes phases auxquelles on associe des modules dont on décrit formellement les données, le fonctionnement et le résultat.

◆ informatique

---

## systems network

A group of interconnected nodes. This implies redundancy in connections and some means (machines, etc.) for implementing the connection.

## réseau[nm]

Ensemble d'équipements reliés entre eux par des canaux de transmission.

◆ généralités

### tact time
The time required between completion of successive units of end product. Tact time is used to pace lines in the production environments.

### durée<sup>nf</sup> du cycle (de fabrication)
= cycle<sup>nm</sup>

Période de temps qui sépare la sortie de deux unités consécutives de produit.

*La durée du cycle sert à calculer les cadences de production et d'approvisionnement dans les entreprises de fabrication en grande série.*
◆ gestion de la production et des stocks

### Taguchi methodology
A concept of off-line quality control methods conducted at the product and process design stages in the product development cycle. This concept, expressed by Genichi Taguchi, encompasses three phases of product design: system design, parameter design, and tolerance design. The goal is to reduce quality loss by reducing the variability of the product's characteristics during the parameter phase of the product development.

### méthode<sup>nf</sup> Taguchi
Approche globale de gestion de la qualité du procédé ou du produit dès sa conception et qui comprend trois étapes : la conception du système (recherche du produit qui satisfait le mieux les besoins du consommateur), la conception des paramètres (recherche des paramètres du produit et du procédé susceptibles de réduire leur sensibilité aux sources de variations) et la conception des tolérances (détermination des écarts par rapport à une valeur optimale de chacun des paramètres).
◆ gestion de la qualité

### tank inventory
Goods stored in tanks. These goods may be raw materials, intermediates, or finished goods. The description of inventory as tank inventory indicates the necessity of calculating the quantity on hand from the levels within the tanks.

### stock<sup>nm</sup> en cuve
Matières premières, produits semi-finis ou finis stockés dans des cuves.

*Le dénombrement du stock en cuve se fait à partir de l'indication des niveaux des cuves.*
◆ gestion de la production et des stocks

### tare weight
A deduction from the gross weight of a substance and its container, made in allowance for the weight of the container.

### tare<sup>nf</sup>
Poids de l'emballage, du contenant d'une marchandise ou d'un objet.

*La tare est la différence entre le poids brut et le poids net.*
◆ généralités

### target inventory level
= order up to level

In a min-max inventory system the equivalent of the maximum. The target inventory is equal to the order point plus a variable order quantity. It is often called an "order up to" inventory level and is used in a periodic review system.

### stock<sup>nm</sup> cible
Dans un système mini-maxi, quantité maximum de stock équivalant au point de commande auquel la quantité commandée a été ajoutée.

*Le stock cible est utilisé dans un système à commande périodique.*
◆ gestion de la production et des stocks

### target market 1.
A fairly homogenous group of customers to whom a company wishes to appeal.

### marché<sup>nm</sup> cible

Fraction de population définie par certains critères et visée par une campagne de publicité, par les efforts d'une entreprise.

*Le marché cible constitue un groupe de clients homogènes relativement au comportement d'achat.*

◆ marketing

---

### ▼ target market 2.

A definable group of buyers to which a marketer has decided to market.

### clientèle<sup>nf</sup> cible

Groupe d'acheteurs présentant des caractéristiques communes auxquels l'entreprise s'adressera et sur lesquels portera sa stratégie commerciale.

◆ marketing

---

### ▼ team design/engineering
→ **participative design/engineering**

---

### ▼ teardown time

The time taken to remove a setup from a machine or facility. Teardown is an element of manufacturing lead time, but it is often allowed for in setup or run time rather than separately.

### temps<sup>nm</sup> de démontage

Durée nécessaire pour démonter une machine, une chaîne de montage en vue d'une nouvelle fabrication.

*Le temps de démontage est fréquemment compris dans le temps de mise en course.*

◆ gestion de la production et des stocks

---

### ▼ technical/office protocol
(TOP)

An application-specific protocol based on open systems interconnection (OSI) standards. It is designed to allow communication between computers from different suppliers in the office and technical development environment.

### protocole<sup>nm</sup> d'échange de données informatiques

Protocole d'interconnexion de systèmes ouverts visant à faciliter les échanges de données informatiques entre des systèmes interconnectés.

*Le protocole d'échange de données informatiques facilite les communications entre les fournisseurs et l'entreprise.*

◆ informatique

---

### ▼ TEI
Abbreviation for **total employee involvement.**

---

### ▼ telescoping
→ **overlapped schedule**

---

### ▼ terms and conditions

A general term used to describe all of the provisions and agreements of a contract.

### conditions<sup>nf</sup> (générales)

Ensemble des clauses et des modalités d'un contrat.

**NOTE** Selon le cas, on parlera également de conditions de vente, d'achat, de règlement, etc.

◆ droit

---

### ▼ theoretical capacity

The maximum output capability, allowing no adjustments for preventive maintenance, unplanned downtime, shutdown, etc.

### capacité<sup>nf</sup> théorique

Nombre maximal d'unités d'œuvre que peut réaliser un poste de travail pour une période donnée.

*La capacité théorique représente le potentiel théorique de fabrication et ne tient pas compte des arrêts pour la maintenance préventive, des pannes, des fermetures, etc.*

**NOTE** La capacité théorique peut être exprimée en nombre d'heures d'ouverture du poste, en nombre d'unités produites par unité de temps.

◆ gestion de la production et des stocks

---

### ▼ theory of constraints
(TOC)
= **constraint theory**

A management philosophy developed by Eliyahu M. Goldratt which is useful in identifying core problems of an organization, finding effective second order (win–win) solutions, and developing detailed implementation plans. The five focusing steps are: (1) identify the constraint of the system; (2) exploit the constraint; (3) subordinate all non-constraints; (4) elevate the constraint; and (5) if the constraint is broken in step 4, go back to step 1. Don't let inertia set in.

### théorie<sup>nf</sup> des contraintes

Philosophie de gestion axée sur la détermination des problèmes centraux de l'entreprise, de ses ressources critiques, sur la proposition de solutions gagnantes et sur l'application de ces modes de règlement.

**NOTE** Le concepteur de la théorie des contraintes est Eliyahu M. Goldratt.

◆ gestion de la production et des stocks

---

### ▼ third order smoothing
→ **triple smoothing**

### ▼ third party logistics company
A company that manages all or part of another company's product delivery operations.

#### société[nf] de transport
Transporteur qui se charge de la livraison des produits d'une entreprise.
◆ transport

### ▼ Thomas Register
A privately produced reference set listing part suppliers by product type and geographic area.

#### Thomas Register
Répertoire des fournisseurs de pièces qui est établi par types de produits et par secteurs géographiques.
*Le Thomas Register est produit par une entreprise privée américaine.*
**NOTE** Au Canada, c'est le répertoire Thomas qui est utilisé.
◆ gestion des approvisionnements

### ▼ throughput 1.
The total volume of production through a facility (machine, work center, department, plant, or network of plants).

#### volume[nm] de production
= production[nf]
= débit[nm]
Quantité d'articles fabriqués par une unité de production (machine, poste de travail, atelier, usine, groupe d'usines) au cours d'une période donnée.
◆ gestion de la production et des stocks

### ▼ throughput 2.
In theory of constraints, the rate at which the system (firm) generates money through sales.

#### rendement[nm]
En théorie des contraintes, rapport entre les profits et les ventes.
◆ gestion de la production et des stocks

### ▼ throughput time
= cycle time
The flow time required for a part to move from the start to the completion of a process. Throughput time can be used as a measure of manufacturing effectiveness.

#### délai[nm] de fabrication
Durée nécessaire à la production d'une unité depuis le lancement de l'ordre de fabrication jusqu'à la livraison du produit.

*Le délai de fabrication peut être utilisé en tant que critère d'évaluation de l'efficacité de la production.*
◆ gestion de la production et des stocks

### ▼ time and attendance
A collection of data relating to an employee's record of absences and hours worked.

#### fichier[nm] d'assiduité
Ensemble de données relatives au nombre d'heures de travail et aux absences d'un employé.
◆ gestion des ressources humaines

### ▼ time-based competition
A competitive strategy that seeks to minimize the total time required to deliver a product. Time-based competitions focus on the entire value-delivery system. Their goal is not to devise the best way to perform a task, but rather to either eliminate the task altogether or perform it in parallel with other tasks so that overall system response time is reduced.

#### gestion[nf] en temps réel
Stratégie de gestion axée sur la réduction du temps de réponse de l'entreprise aux attentes du marché.
**NOTE** La brièveté du temps de réponse constitue l'élément central de cette stratégie selon laquelle on ne cherche pas à définir la meilleure façon d'accomplir une tâche, mais plutôt à trouver la façon la plus rapide de l'accomplir adéquatement.
◆ gestion

### ▼ time bucket
A number of days of data summarized into a columnar display. A weekly time bucket would contain all of the relevant data for an entire week. Weekly time buckets are considered to be the largest possible (at least in the near, and medium-term) to permit effective MRP.

#### intervalle[nm] de planification
Unité de temps retenue pour la planification des besoins matières.
*L'intervalle de planification ne doit pas excéder la semaine pour permettre une PBM efficace.*
◆ gestion de la production et des stocks

### ▼ time buffer
A quantity of stock created by the offset of lead time to protect against uncertainty in the production process. A time buffer creates a physical amount of stock by the offset of an order's due date.

**délai<sup>nm</sup> tampon**

Stock excédentaire résultant du décalage de délais de livraison pour contrer les aléas de la production.

◆ gestion de la production et des stocks

---

▼ **time card**

= **clock card**

A document recording attendance time, often used for indicating the number of hours for which wages are to be paid.

**fiche<sup>nf</sup> de présence**

Fiche individuelle où l'on consigne quotidiennement la présence de l'employé à son lieu de travail.

*La fiche de présence sert à la détermination des salaires.*

**NOTE** L'expression *feuille de temps est fautive.

◆ gestion des ressources humaines; gestion de la production et des stocks

---

▼ **time fence**

A policy or guideline established to note where various restrictions or changes in operating procedures take place. For example, changes to the master production schedule can be accomplished easily beyond the cumulative lead time, whereas changes inside the cumulative lead time become increasingly more difficult to a point where changes should be resisted. Time fences can be used to define these points.

**limite<sup>nf</sup> de période**

= **borne<sup>nf</sup> de période**

Principe directeur servant à l'établissement d'horizon de programmation.

*Ainsi des modifications du programme directeur de production peuvent être acceptées à l'intérieur de délai de fabrication cumulé; au-delà de cette limite de période, les changements pourront être refusés.*

◆ gestion de la production et des stocks

---

▼ **time-phased order point**

(TPOP)

MRP (or DRP) for independant demand items, where gross requirements come from a forecast, not via explosion. This technique can be used to plan distribution center inventories as well as to plan for service (repair) parts, since MRP logic can readily handle items with dependent demand, independent demand, or a combination of both. Time phased order point is an approach that uses time periods thus allowing for lumpy withdrawals instead of average demand.

**point<sup>nm</sup> de commande échéancé**

Méthode de planification des besoins pour des articles dont la demande est indépendante et selon laquelle le point de réapprovisionnement est établi à partir des prévisions de consommation et du stock de sécurité.

**NOTE** Cette méthode utiise la logique PBM et elle est fondée sur des prévisions plutôt que sur l'éclatement des nomenclatures.

◆ gestion de la production et des stocks

---

▼ **time phasing**

The technique of expressing future demand, supply, and inventories by time period. Time phasing is one of the key elements of material requirements planning.

**échéancement<sup>nm</sup>**

= **cadencement<sup>nm</sup> prévisionnel**

Répartition de la demande, des approvisionnements et des stocks par périodes.

*L'échéancement est un des éléments clés de la planification des besoins matières.*

◆ gestion de la production et des stocks

---

▼ **time series**

A set of data that is distributed over time, such as demand data in monthly time period occurrences.

**série<sup>nf</sup> chronologique**

= **série<sup>nf</sup> temporelle**

Suite d'observations statistiques ordonnées dans le temps.

◆ prévision

---

▼ **time series analysis**

Analysis of any variable classified by time, in which the values of the variable are functions of the time periods.

**analyse<sup>nf</sup> des séries chronologiques**

= **analyse<sup>nf</sup> chronologique**

= **analyse<sup>nf</sup> des séries temporelles**

Analyse d'une suite d'observations statistiques ordonnées dans le temps en vue de dégager les tendances à long terme, les variations cycliques, les mouvements saisonniers et les fluctuations accidentelles.

*L'analyse des séries chronologiques des ventes mensuelles d'un produit.*

**NOTE** Cette analyse sert à la prévision de la valeur d'une ou de plusieurs variables.

◆ prévision

---

▼ **time series planning**

An obsolete term for material requirements planning.

**planification<sup>nf</sup> des séries chronologiques**

Expression vieillie qui a été remplacée par *planification des besoins matières.*

◆ prévision

### ▼ time stamping
Tracking with each transaction the time of occurrence. It is used in period cutoff and close and also to tie end item to sample for certification of properties.

### datagenm
Action de marquer d'une date un produit, un document.
*Le datage sert notamment à l'échantillonnage à des fins de gestion de la qualité.*
◆ généralités

### ▼ time standard
The predetermined times allowed for the performance of a specific job. The standard will often consist of two parts, that for machine setup and that for actual running. The standard can be developed through observation of the actual work (time study), summation of standard micro-motion times (predetermined or synthetic time standards), or approximation (historical job times).

### standardnm de temps
Temps préétabli pour l'exécution d'une tâche ou d'une partie élémentaire de travail humain, d'une tâche donnée.
*Le standard de temps comprend généralement le temps de mise en course et le temps d'exécution.*
NOTE Les standards de temps sont établis à partir de l'observation directe du temps de travail par chronométrage, par addition des temps standards élémentaires ou à partir de l'historique des temps.
◆ gestion de la production et des stocks

### ▼ time ticket
= job ticket
= labor chit
An operator-entered labor claim entered frequently in the form of a handwritten report or a punched card.

### fichenf de temps
Fiche de travail sur laquelle est consigné le nombre d'heures de travail d'un employé au cours d'une période déterminée.
◆ gestion de la production et des stocks

### ▼ TL
Abbreviation for **truckload lot.**

### ▼ TOC
Abbreviation for **theory of constraints.**

### ▼ tolerance
Allowable departure from a nominal value established by design engineers that is deemed acceptable for the functioning of the product or service over its life cycle.

### tolérancenf
Écart (tolérance en plus ou tolérance en moins) par rapport à une valeur de référence, dans la limite duquel un produit est jugé conforme à sa spécification définie par cette valeur de référence.
◆ gestion de la qualité

### ▼ tool calibration frequency
The recommended length of time between tool calibrations. It is normally expressed in days.

### fréquencenf d'étalonnage d'un outillage
Périodicité recommandée pour le contrôle de l'outillage.
*La fréquence d'étalonnage d'un outillage est généralement exprimée en jours.*
◆ gestion de la production et des stocks

### ▼ tool issue order
→ tool order

### ▼ tool number
The identification number assigned to reference and control a specific tool.

### numéronm d'outillage
Numéro attribué à un outil à des fins de référence et de gestion.
◆ gestion de la production et des stocks

### ▼ tool order
= tool issue order
A document authorizing issue of specific tools from the tool crib or other storage.

### bonnm de sortie d'outil
Bon permettant de faire sortir un outil du magasin afin de le mettre à la disposition de l'atelier.
◆ gestion de la production et des stocks

### ▼ total cost concept
The idea that all logistical decisions that provide equal service levels should favor the option that minimizes the total of all logistical costs and not be used on cost reductions in one area alone, such as lower transportation charges.

### méthodenf du coût global
Méthode privilégiant les choix logistiques qui minimisent les coûts totaux de distribution des produits.
◆ gestion

### ▼ total employee involvement
(TEI)

An empowerment program where employees are invited to participate in actions and decision making that were traditionally reserved for management.

### responsabilisation$^{nf}$ du personnel

Programme de mobilisation qui confie au personnel des responsabilités plus importantes en matière de prise de décision et de gestion.

◆ gestion des ressources humaines; gestion

### ▼ total factor productivity

A measure of the productivity of a department, plant, strategic business unit, firm, etc., that combines the individual productivities of all its resources including labor, capital, energy, material, equipment, etc. Often these individual factor productivities are combined by first weighting each according to its monetary value and then adding them. For example, if material accounts for 40% of the total cost of sales and labor 10% of the cost of sales, etc., then total factor productivity = .4 (material productivity) + .1 (labor productivity) + etc.

### méthode$^{nf}$ des facteurs globaux de productivité

Méthode d'évaluation de la productivité d'un service, d'une usine, d'une entreprise qui intègre tous les facteurs de productivité (moyens humains, financiers, techniques).

◆ gestion de la production et des stocks

### ▼ total lead time
→ lead time 2.

### ▼ total procurement lead time
→ procurement lead time

### ▼ total productive maintenance
(TPM)

Preventive maintenance plus continuing efforts to adapt, modify, and refine equipment to increase flexibility, reduce material handling, and promote continuous flows. It is operator-oriented maintenance with the involvement of all qualified employees in all maintenance activities.

### maintenance$^{nf}$ productive totale

Maintenance préventive doublée d'un effort permanent de tous les agents de production pour adapter et améliorer les équipements en vue d'augmenter la flexibilité, de réduire les manutentions et d'accroître la production en flux continu.

*La maintenance productive totale responsabilise tous les acteurs de la production en ce qui a trait à la maintenance des équipements.*

◆ gestion de la production et des stocks

### ▼ total quality control
(TQC)

The process of creating and producing the total composite product and service characteristics by marketing, engineering, manufacturing, purchasing, etc., through which the product and service when used will meet the expectations of customers.

### maîtrise$^{nf}$ totale de la qualité
(MTQ)

Système fondé sur l'amélioration permanente des produits depuis leur conception jusqu'à leur utilisation par la clientèle satisfaite.

*L'objectif de la maîtrise totale de la qualité est d'atteindre le «zéro défaut» dans tous les domaines.*

**NOTE** La qualité totale est caractérisée par les sept facteurs suivants : un produit, bien ou service, de qualité requise, livré en quantité désirée, à temps, au lieu voulu, au moindre coût pour le client de l'entreprise.

◆ gestion de la qualité

### ▼ total quality engineering
(TQE)

The process of applying quality methods in the design and engineering phase of product development.

### qualité$^{nf}$ totale de la conception
(QTC)

Méthode de gestion de la qualité qui préconise une recherche de la qualité optimale dès le stade de la conception.

◆ gestion de la qualité

### ▼ total quality management
(TQM)

Interfunctional approach to quality management, developed by Joseph Juran, involving marketing, engineering, manufacturing, purchasing, etc. Defects should be defined through examining customer expectations. The focus is on prevention, detection, and elimination of sources of defects. The Juran total quality management trilogy is quality control, quality planning, and quality projects.

### gestion$^{nf}$ intégrale de la qualité
(GIQ)

Gestion de la qualité de l'ensemble des facteurs pouvant influencer la qualité des performances d'une organisation.

*La gestion intégrale de la qualité vise la qualité totale par une étroite collaboration de ses partenaires internes (production, marketing, finance, gestion des ressources humaines) et externes (fournisseurs de ressources humaines, matérielles et financières).*

◆ gestion de la qualité; gestion

## ▼ total value analysis
A method of economic analysis in which a model expresses the dependent variable of interest as a function of other independent variables, some of which are controllable.

### analyse<sup>nf</sup> globale de la valeur
Méthode d'analyse économique visant à définir comment les fonctions d'un produit peuvent être le mieux remplies avec la meilleure rentabilité.
◆ gestion

## ▼ TPM
Abbreviation for **total productive maintenance.**

## ▼ TPOP
Abbreviation for **time-phased order point.**

## ▼ TQC
Abbreviation for **total quality control.**

### MTQ
Abréviation de **maîtrise totale de la qualité.**

## ▼ TQE
Abbreviation for **total quality engineering.**

### QTC
Abréviation de **qualité totale de la conception.**

## ▼ TQM
Abbreviation for **total quality management.**

### GIQ
Abréviation de **gestion intégrale de la qualité.**

## ▼ traceability 1.
Attribute of allowing the ongoing location of a shipment to be determined.

### traçabilité<sup>nf</sup>
Aptitude à retrouver l'historique, l'utilisation ou la localisation d'un article ou d'une activité, ou d'articles ou activités semblables, au moyen d'une identification enregistrée.
◆ gestion de la production et des stocks

## ▼ traceability 2.
The registering and tracking of parts, processes, and materials used in production by lot or serial number.

### traçabilité<sup>nf</sup>
Enregistrement et repérage de pièces, matières, encours à l'aide de lots ou de numéros de série.
◆ gestion de la production et des stocks

## ▼ tracer
A request to a transportation line to trace a shipment for the purpose of expediting its movement or establishing delivery.

### demande<sup>nf</sup> de localisation
Demande adressée à une compagnie de transport pour situer un envoi en vue de devancer ou d'effectuer la livraison.
◆ gestion de la production et des stocks; transport

## ▼ tracking signal
The ratio of the cumulative algebraic sum of the deviations between the forecasts and the actual values to the mean absolute deviation. Used to signal when the validity of the forecasting model might be in doubt.

### indice<sup>nm</sup> de déviation soutenue
= signal<sup>nm</sup> de dérive
Somme algébrique cumulée des écarts entre les prévisions et les valeurs réelles comparé à l'écart moyen absolu.
◆ prévision

## ▼ traffic
An organization charged with responsibility for arranging the most economic classification and method of shipment for both incoming and outgoing materials and products.

### transport<sup>nm</sup>
= service<sup>nm</sup> de transport
Fonction consistant à organiser le plus rationnellement possible le cheminement des matières et des produits aussi bien à l'intérieur qu'à l'extérieur de l'entreprise.
NOTE L'emploi du nom *trafic en ce sens est un calque de l'anglais.
◆ transport

## ▼ transactions
Individual events reported to the computer system, e.g., issues, receipts, transfers, adjustments.

### transactions<sup>nf</sup>
Opérations interactives d'un système informatique portant sur la recherche, l'introduction ou la modification d'informations dans un fichier.
◆ informatique; gestion de la production et des stocks

## ▼ transfer price
The price of goods or services transferred from one segment of a business to another.

### prix<sup>nm</sup> de cession interne
Prix demandé par un secteur de l'entreprise pour un produit livré ou un service rendu à un autre secteur de la même entreprise.
◆ comptabilité

▼ **transfer pricing** 1.
Price that one segment (subunit, department, division, and so on) of an organization charges for a product or service supplied to another segment of the same organization.

### coût$^{nm}$ de cession (interne)
= **prix$^{nm}$ de cession (interne)**
Prix auquel s'effectuent des opérations entre les subdivisions d'une entreprise.
◆ comptabilité

▼ **transfer pricing** 2.
The pricing of goods or services transferred from one segment of a business to another.

### fixation$^{nf}$ des prix de cession interne
Détermination des prix conventionnels des biens et des services destinés à être échangés entre les subdivisions d'une entreprise.,
◆ comptabilité

▼ **transient bill of material**
→ **phantom bill of material**

▼ **transit time**
= **travel time**
A standard allowance that is assumed on any given order for the physical movement of items from one operation to the next.

### temps$^{nm}$ de déplacement
= **temps$^{nm}$ de transfert**
Temps standard alloué pour le déplacement des composants d'un ordre de fabrication entre deux postes de travail.
◆ gestion de la production et des stocks

▼ **transportation inventory**
→ **pipeline inventory**

▼ **transportation method**
A linear programming model concerned with the minimization of costs involved in supplying requirements at several locations from several sources with different costs related to the various combinations of source and requirement locations.

### méthode$^{nf}$ des transports
Modèle de programmation linéaire dont l'objet est de minimiser une fonction objective des coûts de transport entre un ensemble de sommets d'approvisionnement (entrées) et un ensemble de sommets de demande (sorties).
◆ recherche opérationnelle

▼ **transport stocks**
A carrier material to move solids in solution or slurry or to dilute ingredients to safe levels of reaction.

### solvant$^{nm}$ de transport
Liquide permettant de transporter des solides en solution ou de diluer des matières jusqu'à des concentrations qui suppriment le risque de réaction.
◆ transport

▼ **traveler**
= **shop traveler**
A copy of the manufacturing order that actually moves with the work through the shop.

### fiche$^{nf}$ suiveuse
Document qui accompagne l'ordre de fabrication en atelier de la première à la dernière phase de travail.
◆ gestion de la production et des stocks

▼ **traveling purchase requisition**
= **traveling requisition**
A purchase requisition designed for repetitive use. After a purchase order has been prepared for the goods requisitioned, the form is returned to the originator who holds it until a repurchase of the goods is required. The name is derived from the repetitive travel between the originating and purchasing departments.

### demande$^{nf}$ d'achat navette
Demande d'achat servant à de multiples reprises.
*La demande d'achat navette est retournée au service expéditeur afin de servir à d'autres réapprovisionnements ultérieurement.*
**NOTE** La demande d'achat porte le nom de *navette* parce qu'elle est destinée à aller et à venir entre le service utilisateur et le service des approvisionnements.
◆ gestion des approvisionnements

▼ **traveling requisition**
→ **traveling purchase requisition**

▼ **travel time**
→ **transit time**

▼ **trend forecasting models**
Methods for forecasting sales data when a definite upward or downward pattern exists. Models include double exponential smoothing, regression, and additive trend.

### modèle$^{nm}$ de prévision de tendance
Méthodes d'estimation de la demande utilisées lorsque la tendance est croissante ou décroissante.
*Les modèles de prévision de tendance incluent le lissage exponentiel double, la régression et la tendance additive.*
◆ prévision

▼ **trigger level**
→ **order point**

### triple smoothing
= third order smoothing

A method of exponential smoothing that accounts for accelerating or decelerating trend, such as would be experienced in a fad cycle.

**lissage**nm **exponentiel triple**

Lissage exponentiel utilisé pour projeter la tendance lorsque la tendance actuelle est difficilement perceptible.

◆ prévision

### truckload lot
(TL)

A truck shipment that qualifies for a lower freight rate because it meets a minimum weight and/or volume.

**chargement**nm **complet**

Cargaison qui, en raison de son poids ou de son cubage, bénéficie d'une remise sur les frais de transport.

◆ transport; gestion des approvisionnements

### turnaround
→ changeover

### turnaround cost
→ changeover cost

### turnaround time
→ changeover

### turnkey system

Computer packages that are already prepared by a hardware manufacturer or software house and ready to run.

**système**nm **clés en main**

Progiciel conçu par une société informatique et qui est prêt à l'usage.

*L'entreprise qui ne dispose pas d'une équipe d'informaticiens peut avoir intérêt à faire l'acquisition de systèmes clés en main adaptés à ses besoins.*

◆ informatique

### turnover 1.
→ inventory turnover

### turnover 2.

In the United Kingdom and certain other countries, annual sales volume.

**chiffre**nm **d'affaires**

Volume des ventes annuelles.

◆ gestion

### two-bin system
= bin reserve system
= visual review system

A type of fixed order system in which inventory is carried in two bins. A replenishment quantity is ordered when the first bin is empty. During the replenishment lead time, material is used from the second bin. When the material is received, the second bin (which contains a quantity to cover demand during lead time plus some safety stock) is refilled and the excess is put into the working bin. At this time, stock is drawn from the first bin until it is again exhausted. This term is also used loosely to describe any fixed order system even when physical "bins" do not exist.

**méthode**nf **à deux casiers**
= **méthode**nf **à double casier**

Système de point de commande à quantité fixe selon lequel le stock est conservé dans deux casiers afin de déclencher le réapprovisionnement quand le premier casier est vide et d'utiliser le stock contenu dans le deuxième casier pendant le délai de réapprovisionnement.

◆ gestion de la production et des stocks

### two-level MPS

A master scheduling approach wherein a planning bill (of material) is used to master schedule an end product or family, along with selected key options, features and attachments.

**programme**nm **directeur de production à deux niveaux**
= **plan**nm **directeur de production à deux niveaux**

Programme directeur de production réalisé à partir des nomenclatures de tronc commun et des nomenclatures modulaires.

◆ gestion de la production et des stocks

## U-lines
Production lines shaped like the letter "U." The shape allows workers to easily perform several different tasks without much walk time. The number of workstations in a U-line is usually determined by line balancing. U-lines promote communication.

### aménagement^nm en U
= implantation^nf en U
Disposition des chaînes de travail en forme de U afin de mettre à profit la polyvalence du personnel, de minimiser les déplacements et de promouvoir la communication.
*L'aménagement en U favorise la communication entre employés.*
◆ gestion de la production et des stocks

## uniform-delivered pricing
A type of geographic pricing policy whereby all customers pay the same delivered price regardless of their location. A company allocates the total transportation cost among all customers.

### fixation^nf de frais de transport uniformes
Politique de détermination des frais de transport qui ne tient pas compte des distances à parcourir et selon laquelle les coûts de transport sont répartis également entre les clients.
◆ transport

## unit cost
Total labor, material, and overhead cost for one unit of production, e.g., one part, one gallon, one pound.

### coût^nm unitaire
Ensemble des coûts de main-d'œuvre, matières premières et frais généraux correspondant à une unité produite.
◆ comptabilité; gestion de la production et des stocks

## unit of issue
The standard issue quantity of an item from stores, e.g., pounds, each, box of 12, package of 3, case of 144, etc.

### unité^nf de sortie
= unité^nf d'emploi
Quantité définie d'un article pour un bon de sortie du magasin.
*Les articles sont livrés par unités de sortie diverses : à l'unité, au kilo, par boîte de douze, par paquet de trois, etc.*
◆ gestion de la production et des stocks

## unit of measure
The unit in which the quantity of an item is managed, e.g., pounds, each, box of 12, package of 3, case of 144, etc.

### unité^nf de mesure
Grandeur finie servant de base à la mesure des autres grandeurs de même espèce.
*Le kilogramme est une unité de mesure.*
◆ généralités

## unit of measure (purchasing)
= purchasing unit of measure
The unit used to purchase an item. This may or may not be the same unit of measure used in the internal systems. For example, purchasing buys steel by the ton, but it may be issued and used in square inches.

### unité^nf de commande
Unité utilisée pour commander un article.
*L'unité de commande peut constituer une quantité minimale au-dessous de laquelle un fournisseur n'accepte pas de livrer l'article pour des raisons de coût de transport, de manutention, d'emballage, de facturation.*
**NOTE** On peut commander des matières à la tonne, des articles par douzaines ou à l'unité.
◆ gestion des approvisionnements

### ▼ universe

The population, or large set of data, from which samples are drawn. Usually assumed to be infinitely large or at least very large relative to the sample.

#### population<sup>nf</sup>

= univers<sup>nm</sup>

Ensemble défini et clos d'éléments distincts et séparables, soumis à une enquête statistique portant sur la distribution d'un ou de plusieurs caractères quantitatifs ou qualitatifs dont chacun de ces éléments, appelé individu, peut *a priori* être porteur.

◆ statistique

### ▼ unload

→ output

### ▼ unplanned issue

An issue transaction that updates the quantity on hand but for which no allocation exists.

#### sortie<sup>nf</sup> non planifiée

Transaction de sortie qui n'a pas été programmée par le système de planification des besoins matières et qui met à jour la quantité disponible.

◆ gestion de la production et des stocks

### ▼ unplanned receipt

A receipt transaction that updates the quantity on hand but for which no order exists.

#### entrée<sup>nf</sup> non planifiée

Transaction de réception qui met à jour la quantité disponible pour des articles qui n'ont pas fait l'objet d'une commande.

◆ gestion de la production et des stocks

### ▼ upgrade

Improvement in operating characteristics.

#### amélioration<sup>nf</sup>

= enrichissement<sup>nm</sup>

Progrès apportés au mode de fonctionnement.

◆ généralités

### ▼ usage

The number of units or dollars of an inventory item consumed over a period of time.

#### consommation<sup>nf</sup>

= utilisation<sup>nf</sup>

Quantité d'un article en stock utilisée par l'entreprise au cours d'une période donnée.

*La consommation est exprimée en unités ou en unités monétaires.*

◆ gestion de la production et des stocks

### ▼ usage variance

Deviation of the actual consumption of materials as compared to the standard.

#### écart<sup>nm</sup> de consommation

Différence entre la consommation réelle de matières et la consommation standard.

◆ gestion de la production et des stocks

### ▼ use as is

Classification for material that has been dispositioned as unacceptable per the specifications, yet can be used.

#### utilisation<sup>nf</sup> par dérogation

Matière hors spécification, mais qui peut être utilisée exceptionnellement.

◆ généralités

### ▼ user friendly

Characteristic of computer software or hardware that makes it easy for the user or operator to use the programs or equipment with the minimum of specialized knowledge or recourse to operating manuals.

#### convivial<sup>adj</sup>

= facile<sup>adj</sup> d'emploi

Se dit d'un matériel informatique ou d'un logiciel facile à utiliser et ne requérant pas de connaissances spécialisées.

*Un logiciel convivial, c'est-à-dire conçu pour faciliter la tâche de l'utilisateur.*

◆ informatique

### ▼ utilization 1.

A measure of how intensively a resource is being used to produce a good or a service. Utilization measures actual time used to available time. Traditionally, utilization is the ratio of direct time charged (run time plus setup time) to the clock time scheduled for the resource. This measure led to distortions in some cases.

#### taux<sup>nm</sup> d'utilisation

Mesure du degré d'emploi d'une ressource pour produire un bien ou un service.

*Le taux d'utilisation exprime le rapport entre le temps passé à produire et le temps planifié pour la production.*

◆ gestion de la production et des stocks

### ▼ utilization 2.

In theory of constraints, utilization is the ratio of actual time the resource is producing (run time only) to the clock time the resource is scheduled to produce.

### taux<sup>nm</sup> d'utilisation

Selon la théorie des contraintes, ratio du temps réel de production au temps programmé.

◆ gestion de la production et des stocks

# V

### valuation

The technique of determining worth, typically of inventory. Valuation of inventories may be expressed in standard dollars, replacement dollars, current average dollars, or last purchase price dollars.

### évaluation<sup>nf</sup>
### = valorisation<sup>nf</sup>

Action de porter un jugement sur la valeur ou le prix d'un bien ou d'un service.

*L'évaluation des stocks est établie selon le prix moyen pondéré, le prix de remplacement, le prix standard, le prix réel d'achat.*

◆ comptabilité

### value added 1.

In accounting, the addition of direct labor, direct material, and allocated overhead assigned at an operation. It is the cost roll up as a part goes through a manufacturing process to finished inventory.

### valeur<sup>nf</sup> ajoutée

Accroissement de valeur que l'entreprise apporte aux biens et aux services dans l'exercice de ses activités professionnelles.

*La valeur ajoutée est la valeur nouvelle créée au cours du processus de production.*

NOTE La valeur ajoutée est mesurée par la différence entre la valeur de la production de la période et la valeur de biens et services achetés à des tiers pour cette production. Elle comprend notamment les salaires et les charges sociales, les impôts directs, les charges financières et la marge bénéficiaire brute.

◆ comptabilité

### value added 2.

In current manufacturing terms, the actual increase of utility from the eyes of the customer as a part is transformed from raw material to finished inventory. It is the contribution made by an operation or a plant to the final usefulness and value of a product as seen by the customer. The objective is to eliminate all nonvalue-added activities in producing and providing a good or service.

### valeur<sup>nf</sup> ajoutée

Augmentation de la valeur d'un composant transformé en produit telle que peut l'apprécier un client.

*L'objectif de la technique de la valeur ajoutée est de supprimer toutes les activités qui n'ajoutent pas de valeur au cours de la production d'un bien ou de la prestation d'un service.*

◆ gestion

### value analysis

The systematic use of techniques that serve to identify a required function, to establish a value for that function, and finally to provide that function at the lowest overall cost. This approach focuses on the functions of an item rather than the methods of producing the present product design.

### analyse<sup>nf</sup> de la valeur

Ensemble des méthodes d'analyse et d'étude applicables aux produits, aux services et qui vise à leur faire remplir, au moindre coût, les fonctions réellement nécessaires à la satisfaction des besoins pour lesquels ils sont créés.

◆ gestion

### value engineering and/or analysis

A disciplined approach to the elimination of waste from products or processes through an investigative process that focuses on the function(s) to be performed and whether such function adds value.

### ingénierie<sup>nf</sup> de la valeur

Méthode précise et planifiée visant à déterminer la façon la plus économique de fabriquer un produit, en tenant compte de tous les éléments qui peuvent intervenir dans le coût de ce produit.

NOTE L'**analyse de la valeur** s'applique à la conception d'un produit tandis que l'**ingénierie de la valeur** concerne le processus de fabrication.

◆ gestion

### value inventory

In a Just-in-Time context, inventory at a stockpoint that is too large to be located next to the point of use of the material, and from which material is drawn by a pull system. The value inventory is often located at a stockpoint in the plant's receiving area.

### stock<sup>nm</sup> volumineux

En juste-à-temps, articles dont le volume est trop important pour qu'ils soient stockés à proximité du poste de travail.

◆ gestion de la production et des stocks

## ▼ variable

A quantity that can assume any of a given set of values.

**ANT.** constant

### variable<sup>nf</sup>

Élément d'un ensemble auquel on peut attribuer plusieurs valeurs numériques différentes.

**NOTE** Par opposition à la **variable,** la **constante** a une valeur fixe.

◆ généralités

## ▼ variable cost(s)

An operating cost that varies directly with a change of one unit in the production volume, e.g., direct materials consumed, sales commissions.

### coût<sup>nm</sup> variable

= **charges<sup>nf</sup> variables**

Coût dont le montant varie en fonction du volume de production de l'entreprise ou de son niveau d'activité.

◆ comptabilité

## ▼ variable costing

= **direct costing**

An inventory valuation method in which only variable production costs are applied to the product; fixed factory overhead is not assigned to product. Traditionally, variable production costs are direct labor, direct material, and variable overhead costs. Variable costing can be helpful for internal management analysis but is not widely accepted for external financial reporting. For inventory order quantity purposes, however, the unit costs must include both the variable and allocated fixed costs in order to be compatible to the other terms in the order quantity formula. For make / buy decisions variable costing should be used rather than full absorption costing.

### méthode<sup>nf</sup> des coûts variables

Méthode qui consiste à n'inclure dans le coût d'un produit que les charges (matières premières, main-d'œuvre directe et frais généraux de fabrication variables) qui fluctuent avec le volume d'activité de l'entreprise.

◆ comptabilité

## ▼ variable overhead

All manufacturing costs that vary directly with production volume, other than direct labor and direct materials. Variable overhead is necessary to produce the product, but cannot be directly assigned to a specific product.

### frais<sup>nm pl</sup> généraux variables

Frais variant en fonction du niveau d'activité à l'exclusion des coûts de la main-d'œuvre, de matières directes.

*Les frais généraux variables ne peuvent être rattachés directement à des produits spécifiques.*

◆ comptabilité

## ▼ variable yield

The condition wherein the output of a process is not consistently repeatable either in quantity, quality, or combinations of these.

### rendement<sup>nm</sup> matières variable

Taux de transformation des matières qui peut varier qualitativement ou quantitativement.

◆ gestion de la production et des stocks

## ▼ variance 1.

The difference between the expected (budgeted or planned) value and the actual.

### écart<sup>nm</sup>

Différence entre une valeur attendue (budget, prévision) et les résultats réels.

◆ comptabilité

## ▼ variance 2.

In statistics, a measure of dispersion of data.

### variance<sup>nf</sup>

Mesure de dispersion qui se calcule par la moyenne arithmétique des carrés des écarts de chacune des valeurs observées par rapport à la moyenne arithmétique de ces valeurs.

◆ statistique

## ▼ VDT

Abbreviation for **video display terminal.**

## ▼ VDU

Abbreviation for **video display unit.**

## ▼ vendor

= **supplier** 1.

All sellers of an item in the marketplace.

### fournisseur<sup>nm</sup>

Personne ou entreprise qui fournit des biens ou des services.

◆ gestion des approvisionnements

## ▼ vendor lead time

→ **supplier lead time**

## ▼ vendor scheduler

→ **supplier scheduler**

## ▼ vertical display

A method of displaying or printing output from an MRP system where requirements, scheduled receipts, projected balance, etc., are displayed vertically, i.e., down the page. Vertical displays are often used in conjunction with bucketless systems.

**ANT.** horizontal display

### défilement<sup>nm</sup> vertical
= **présentation<sup>nf</sup> verticale**
Méthode de représentation où les données sont disposées de haut en bas.
◆ gestion de la production et des stocks

---

### vertical integration
The degree to which a firm has decided to directly produce multiple value-adding stages from raw material to the sale of the product to the ultimate consumer. The more steps in the sequence, the greater the vertical integration. A manufacturer that decides to begin producing parts, components, and materials that it normally purchases is said to be backward integrated. Likewise, a manufacturer that decides to take over distribution and perhaps sale to the ultimate consumer is said to be forward integrated.

### intégration<sup>nf</sup> verticale
= **concentration<sup>nf</sup> verticale**
Stratégie d'expansion d'une entreprise dans des domaines situés en amont de ses activités habituelles (intégration ascendante) ou en aval (intégration descendante).

**NOTE** L'intégration est à la limite totale, lorsqu'elle s'étend de l'obtention de la matière première à la livraison du produit fini; sinon, elle est partielle.
◆ gestion; économie

---

### vertical marketing system
A marketing system that focuses on the means to reduce the traditional independence of indirect channels. It strategically seeks to increase their integration and interdependence by uniting them with common objectives and team management, e.g., franchising, cooperatives, and vertical integration.

### stratégie<sup>nf</sup> commerciale d'intégration
Stratégie de marketing qui favorise la concertation des divers canaux de distribution de l'entreprise par l'établissement d'objectifs communs.
◆ marketing

---

### vestibule training
A variant of job rotation in which a separate work area is set up for a trainee so that he or she is not pressured by the actual work situation. Examples are cockpit simulators and other machine simulators.

### formation<sup>nf</sup> en atelier-école
Formation de travailleurs à l'écart du lieu de travail habituel afin de leur permettre de s'initier à leur futur emploi dans des meilleures conditions, loin de la tension et des conditions physiques défavorables de l'usine ou de l'atelier.
◆ gestion des ressources humaines

---

### video display terminal
(VDT)
= **cathode ray tube**

### écran<sup>nm</sup> (de visualisation)
Unité d'affichage permettant de lire des données informatiques, de transmettre des informations sous forme visuelle.

*Quelles que soient les techniques d'affichage utilisées (écran cathodique, écran à cristaux liquides, etc.) l'écran doit permettre de voir et de bien voir un texte, un nombre, un graphisme, une image.*

**NOTE** De forme généralement rectangulaire, cette unité s'apparente à un écran de télévision classique.
◆ informatique

---

### video display unit
(VDU)
→ **cathode ray tube**

---

### visual control
The control of authorized levels of inventory in a way that is instantly and visibly obvious. This type of inventory control is used in a workplace organization where everything has a place and is in its place.

### contrôle<sup>nm</sup> visuel
Disposition des matières, articles de telle manière que les niveaux permissibles de stock soient immédiatement appréciables.

*Le contrôle visuel illustre le principe que chaque chose a une place et doit s'y trouver.*
◆ gestion de la production et des stocks

---

### visual inspection
Inspection performed without the aid of test instruments.

### inspection<sup>nf</sup> visuelle
Contrôle effectué sans instruments de mesure.
◆ gestion de la qualité

---

### visual review system
= **two-bin system**
A simple inventory control system where the inventory reordering is based on actually looking at the amount of inventory on hand. Usually used for low-value items, such as nuts and bolts.

### méthode<sup>nf</sup> de révision visuelle
= **système<sup>nm</sup> visuel à deux casiers**
Méthode simplifiée de tenue des stocks où le réappro-

visionnement est déclenché à partir d'un contrôle visuel de l'état des stocks.

◆ gestion de la production et des stocks

---

▼ **voice of the customer**

Actual customer descriptions in words for the functions and features they desire for products and services. In the strict definition, as relates to quality function deployment (QFD), the term customer indicates the external customer to the supplying entity.

**expression**nf **des besoins (du consommateur)**
= **voix**nf **du client**

Exigences du consommateur traduites en caractéristiques de produits ou de services en vue de sa satisfaction complète.

*L'expression des besoins du consommateur comprend: qualité (convenance à l'usage, durabilité, fiabilité); quantités (volume); délais (temps); économie (coûts); lieu; inter-relations; procédures administratives.*

◆ gestion de la qualité

---

▼ **voucher**

A written document that bears witness to, or "vouches" for, something. Generally a voucher is an instrument showing services have been performed or goods purchased and authorizing payment to be made to the supplier.

**justificatif**nm
= **bon**nm
= **pièce**nf **justificative**

Document qui autorise ou matérialise une opération.

◆ généralités

### Wagner-Within algorithm

A mathematically complex dynamic lot-sizing technique that evaluates all possible ways of ordering to cover net requirements in each period of the planning horizon to arrive at the theoretically optimum ordering strategy for the entire net requirements schedule.

### algorithme$^{nm}$ de Wagner-Within

Méthode mathématique de lotissement qui évalue toutes les solutions possibles de commande pour satisfaire les besoins nets de chaque période d'un horizon de planification.

*L'algorithme de Wagner-Within doit permettre de définir théoriquement la stratégie optimale d'approvisionnement pour l'ensemble des besoins nets.*

◆ recherche opérationnelle; gestion de la production et des stocks

### wait
→ **idle time**

### waiting line theory
→ **queuing theory**

### wait time

The time a job remains at a work center after an operation is completed until it is moved to the next operation. It is often expressed as a part of move time.

### temps$^{nm}$ d'attente

Temps pendant lequel un ordre de fabrication demeure à un poste de travail après l'exécution d'une opération avant de passer au poste suivant.

◆ gestion de la production et des stocks

### walk through
→ **pilot test** 2.

### wall-to-wall inventory
= **four-wall inventory**

An inventory management technique in which material enters a plant and is processed through the plant into finished product without ever having entered a formal stock area.

### technique$^{nf}$ du stock global (usine)

Technique de gestion des stocks selon laquelle les matières et composants sont transformés en produits finis sans jamais avoir été stockés en magasin.

◆ gestion de la production et des stocks

### WAN
Abbreviation for **wide area network.**

### wand

A device connected to a bar code reader to identify a bar code.

### lecteur$^{nm}$ optique

Dispositif servant à lire un code à barres.
◆ informatique

### warehouse demand
= **branch warehouse demand**

The need for an item in order to replenish a branch warehouse.

### demande$^{nf}$ des entrepôts

Demande d'un article en vue de réapprovisionner l'entrepôt d'une filiale.
◆ gestion de la production et des stocks

### warranty

A commitment, either expressed or implied, that a certain fact regarding the subject matter of a contract is presently true or will be true. The word should be distinguished from guarantee, which means a contract or promise by one person to answer for the performance of a product or person.

### garantie[nf]
Obligation, légale ou contractuelle, qui est imposée au vendeur et qui assure l'acheteur de la bonne exécution d'un engagement ou d'un service, de la qualité et du bon fonctionnement d'un bien ou d'une installation pendant une période donnée.
◆ droit

---

▼ ### waste 1.
In Just-in-Time, any activity that does not add value to the product or service in the eyes of the consumer.

### gaspillage[nm]
En juste-à-temps, toute activité qui n'ajoute pas de valeur au produit pour le consommateur et qui n'est pas nécessaire.
◆ gestion de la production et des stocks

---

▼ ### waste 2.
Hazardous waste whose disposal is controlled.

### déchets[nm] dangereux
= gaspillage[nm]
Sous-produits de la fabrication dont l'élimination est contrôlée.
◆ gestion de la production et des stocks; généralités

---

▼ ### waste 3.
A by-product of a process or task with unique characteristics requiring special management control. Waste production can usually be planned and somewhat controlled. Scrap is typically not planned and may result from the same production run as waste.

### rebut[nm]
= produit[nm] résiduel
Résidu résultant d'un processus de fabrication.
◆ gestion de la production et des stocks

---

▼ ### wave picking
A method of selecting and sequencing picking lists in order to minimize the waiting time of the delivered material. Shipping orders may be picked in waves combined by common carrier or destination and manufacturing orders in waves related to work centers.

### livraison[nf] par tranches
Mode de sélection et de classement des sorties de stock qui est destiné à réduire les délais de livraison.

Les expéditions peuvent être regroupées par transporteur, destination, ordres de fabrication d'un poste de travail pour la livraison par tranches.
◆ gestion de la production et des stocks

---

▼ ### weighted average
An averaging technique in which the data to be averaged are not uniformly weighted but are given values according to their importance. The weights must always add up to 1.00 or 100%.

### moyenne[nf] pondérée
Technique de calcul de la moyenne arithmétique qui consiste à affecter à certaines données un poids relatif, la somme cumulée des poids étant égale à 1.
◆ généralités

---

▼ ### weighted-point plan
A supplier selection and rating approach that uses the input gathered in the categorical plan approach and assigns weights to each evaluation category. A weighted sum for each supplier is obtained and a comparison made. The weights used must sum to 100% for all categories.

### grille[nf] d'évaluation pondérée (des fournisseurs)
Méthode d'évaluation et de sélection des fournisseurs comportant des critères pondérés en fonction de leur importance.
◆ gestion des approvisionnements

---

▼ ### what-if analysis
= simulation 2.
The process of evaluating alternate strategies by answering the consequences of changes to forecasts, manufacturing plans, inventory levels, etc.

### analyse[nf] par simulation
= examen[nm] d'hypothèses
Méthode consistant à évaluer divers scénarios en s'interrogeant systématiquement sur leurs conséquences.

L'analyse par simulation s'effectue pour contrôler la faisabilité du programme directeur de production et répondre aux questions du type «que se passerait-il si?».
◆ gestion de la production et des stocks

---

▼ ### where-used list
= implosion
A listing of every parent item that calls for a given component, and the respective quantity required, from a bill of material file.

## liste[nf] des cas d'emplois
**= liste[nf] des cas d'utilisation**

Liste des composés dans lesquels un article peut entrer.

*La liste des cas d'emplois est utilisée notamment en simulation de variation de coût de revient, recherche de standardisation.*

**NOTE** La recherche de cas d'emplois est une opération difficile, voire pratiquement impossible à réaliser manuellement, qui se réalise facilement en ordinateur par l'utilisation ascendante des liens de structure.

◆ gestion de la production et des stocks

## wide area network
(WAN)

A public or private data communication system for linking computers distributed over a large geographic area.

## réseau[nm] étendu
**= grand réseau[nm]**

Réseau privé ou public constitué d'ordinateurs communiquant entre eux par des lignes de communication à distance et couvrant un vaste secteur géographique.

**NOTE** Par opposition, le **réseau local** permet d'interconnecter des ordinateurs dans un domaine géographique limité (de l'ordre de quelques kilomètres).

◆ informatique

## WIP

Acronym for **work in process.**

## withdrawals 1.

Removal of material from stores.

## sorties[nf] de stock
**= sorties[nf] de magasin**

Diminution du stock par la sortie de matières, composantes, articles.

◆ gestion de la production et des stocks

## withdrawals 2.

A transaction issuing material to a specific location, run, or schedule.

## sorties[nf]

Enregistrement de sortie de matières, composants, articles vers un emplacement déterminé ou pour une fabrication donnée.

◆ gestion de la production et des stocks

## work center
**= load center**

A specific production facility, consisting of one or more people and/or machines with identical capabilities, that can be considered as one unit for purposes of capacity requirements planning and detailed scheduling.

## poste[nm] de charge
**= centre[nm] de charge**

Unité de production constituée d'un ou de plusieurs postes de travail utilisée pour la planification des besoins de capacité et pour l'ordonnancement détaillé.

*Les postes de charge peuvent être regroupés ou non en centres de charges, lesquels peuvent être constitués en sections et ateliers.*

◆ gestion de la production et des stocks

## work center where-used

A listing of every manufactured item that is routed (primary or secondary) to a given work center, from a routing file.

## cas[nm] d'emploi des postes de charge

Liste de tous les articles fabriqués par un poste de travail donné.

*La liste des cas d'emploi des postes de charge est établie à l'aide du fichier des gammes d'opérations.*

◆ gestion de la production et des stocks

## workers' compensation

The replacement of an employee's loss of earnings capacity due to an occupational injury or disease. Formerly known as workmen's compensation.

## indemnité[nf] pour accident du travail

Somme d'argent versée pour compenser une perte de salaire causée par une maladie professionnelle ou un accident du travail.

◆ gestion des ressources humaines

## work in process
(WIP)
**= in-process inventory**

A product or products in various stages of completion throughout the plant, including all material from raw material that has been released for initial processing up to completely processed material awaiting final inspection and acceptance as finished product. Many accounting systems also include the value of semi-finished stock and components in this category.

## encours[nm] (de fabrication)

Produit soumis aux différentes étapes de la fabrication comprises entre la matière première et le produit fini prêt à être expédié au client.

◆ gestion de la production et des stocks

▼ **work order**
= **work ticket**
An order to the machine shop for tool manufacture or equipment maintenance. Not to be confused with a manufacturing order.

### bonⁿᵐ de travail
Document indiquant l'exécution du travail à effectuer, la machine adéquate, l'outillage nécessaire, le temps prévu pour l'exécution, la date d'achèvement au plus tard.
NOTE Le terme **bon de travail** peut également désigner des ordres de maintenance d'outils.
◆ gestion de la production et des stocks

---

▼ **workplace organization**
The arrangement of tools, equipment, materials, and supplies according to their frequency of use. Those items that are never used are removed from the workplace, and those items that are used frequently are located for fast, easy access and replacement. This concept is an extension of "a place for everything and everything in its place" idea.

### organisationⁿᶠ du poste de travail
Disposition du matériel, de l'outillage, des pièces et des matières liés à un poste de travail en fonction de leur fréquence d'utilisation.
*L'organisation du poste de travail est une conséquence logique d'une organisation ordonnée où il y a une place pour chaque chose, où chaque chose doit être à sa place.*
◆ gestion de la production et des stocks

---

▼ **work rules** 1.
Compensation rules, concerning such issues as overtime, vacation, and shift premiums.

### règlesⁿᶠ d'exécution du travail
Ensemble des directives et modalités imposées par l'employeur en ce qui a trait à l'accomplissement du travail.
*La rétribution des heures supplémentaires, le nombre de jours de vacances, les primes, etc., sont définis dans les règles d'exécution du travail.*
◆ gestion des ressources humaines

---

▼ **work rules** 2.
Employee and employer job rights and obligation rules, such as performance standards, promotion procedures, job descriptions, and lay off rules. Work rules are usually a part of a union contract and may include a code of conduct for workers and language to ensure decent conditions and health standards.

### conditionsⁿᶠ de travail
Ensemble des droits et obligations des employés et des employeurs qui sont généralement décrits dans la convention collective ou dans les contrats individuels de travail.
◆ gestion des ressources humaines

---

▼ **work sampling**
The use of a number of random samples to determine the frequency with which certain activities are performed.

### méthodeⁿᶠ des observations instantanées
Étude d'un nombre d'observations aléatoires pour déterminer la fréquence de réalisation de certaines activités.
◆ gestion de la production et des stocks

---

▼ **workstation**
The assigned location where a worker performs the job; it could be a machine or a work bench.

### posteⁿᵐ de travail
Lieu où sont effectuées une ou des opérations.
◆ gestion de la production et des stocks

---

▼ **work ticket**
→ **work order**

# Y

▼ **yield**
The ratio of usable output from a process to its input.

### rendementⁿᵐ matières
= **tauxⁿᵐ de transformation matières**
Rapport entre les extrants utilisables et les intrants mis en œuvre pour les fabriquer.
◆ gestion de la production et des stocks

# Z

▼ **zero-based budgeting**
A budget procedure, used primarily by governmental agencies, in which managers are required to justify each budgetary expenditure anew, as if the budget were being initiated for the first time rather than being based on an adjustment of prior year data.

### budgetⁿᵐ (à) base zéro
(BBZ)
Méthode de gestion qui consiste à remettre en question systématiquement les estimations d'une période

écoulée afin de procéder à une réévaluation complète des objectifs comme si l'on devait faire table rase du passé et repartir de zéro tout en montrant la nécessité des différents moyens demandés.

*Le budget base zéro évite la reconduction automatique des budgets d'une année sur l'autre majorée de la hausse des prix et de l'augmentation prévisible du niveau d'activité.*

**NOTE** La technique du budget à base zéro s'emploie surtout dans l'Administration.

◆ comptabilité

---

▼ **zero defects**
Literally, defect-free products; practically, a long-range objective that supports the idea that efforts can be expended to attain perfection.

### zéro[nm] défaut
Philosophie de l'entreprise qui a pour but de ne produire aucune pièce défectueuse, grâce notamment au contrôle du processus, au respect des caractéristiques techniques du produit et à son amélioration permanente.

◆ gestion de la qualité

---

▼ **zero inventories**
→ **Just-in-Time**

---

▼ **zone picking**
A method of subdividing a picking list by areas within a storeroom for more efficient and rapid order picking. A zone-picked order must be grouped to a single location before delivery or be delivered to different locations, such as work centers.

### regroupement[nm] des sorties de stock
Groupage des matières, pièces, articles d'un magasin en fonction de leur lieu d'utilisation en vue d'accélérer leur repérage et leur acheminement.

◆ gestion de la production et des stocks

# INDEX

## A

aberrance ››› *observation aberrante*

AC   CPI

accès direct   random access

accessoire   accessory

accord de dérogation ››› *dérogation*

accusé de réception   acknowledgement

achalandage   goodwill

achat de capacité   capacity buying

achat de capacité   purchasing capacity

achat sans document   paperless purchasing

achat sans papier ››› *achat sans document*

achat sans stock   stockless purchasing

acheteur   buyer

acheteuse   buyer

acheteur   purchasing agent

acheteuse   purchasing agent

acheteur-planificateur   buyer/planner

acheteuse-planificatrice   buyer/planner

actionnariat des salariés   employee stock ownership plan

action positive   affirmative action

activation   activation

additif   additives

adéquation de la conception   form-fit-function

affectation   allocation 1.

affectation à capacité limitée ››› *chargement à capacité limitée*

affectation avec capacité illimitée ››› *chargement à capacité illimitée*

affectation physique (des composants)   staging

affichage horizontal ››› *défilement latéral*

agent d'approvisionnement ››› *acheteur*

agente d'approvisionnement ››› *acheteuse*

agent de lancement ››› *répartiteur*

agente de lancement ››› *répartiteure*

agent de planification des besoins de distribution   distribution planner

agente de planification des besoins de distribution   distribution planner

agent de planification des besoins matières   material planner 1.

agente de planification des besoins matières   material planner 1.

agent de programmation ››› *agent d'ordonnancement*

agente de programmation ››› *agente d'ordonnancement*

agent de relance   expeditor

agente de relance   expeditor

agent de suivi des besoins matières   material planner 2.

agente de suivi des besoins matières   material planner 2.

agent d'inventaire   cycle counter

agente d'inventaire   cycle counter

agent d'ordonnancement   scheduler

agente d'ordonnancement   scheduler

aire ››› *casier*

aire de réception   receiving point

aire de regroupement   accumulation bin

aire de stockage actif ››› *lieu de stockage*

aire de stockage au point d'utilisation   inbound stockpoint

aléa   chance

aléatoire   random

algèbre de Boole   Boolean algebra

algèbre de la logique ››› *algèbre de Boole*

algorithme   algorithm

algorithme de Dantzig ››› *algorithme du simplexe*

algorithme de Wagner-Within   Wagner-Within algorithm

algorithme du simplexe   simplex algorithm

amélioration   upgrade

amélioration continue du processus   continuous process improvement

amélioration du processus   process improvement

aménagement   layout

aménagement cellulaire ››› *aménagement en cellules*

aménagement en cellules   cellular layout

aménagement en ligne ››› *implantation linéaire*

aménagement en U   U-lines

aménagement fonctionnel   functional layout

aménagement fonctionnel ››› *atelier multigamme*

aménagement linéaire   linear layout

American National Standards Institute   American National Standards Institute

American Production and Inventory Control Society   American Production and Inventory Control Society

amortissement   depreciation

amortissement pour dépréciation ››› *amortissement*

analogique   analog

analyse ABC ››› *méthode ABC*

analyse bayesienne   Bayesian analysis

analyse chronologique ››› *analyse des séries chronologiques*

analyse de fonctions ››› *analyse de poste*

analyse de la valeur   value analysis

analyse de la vie économique (d'un produit, d'un service) ››› *analyse du cycle de vie*

analyse de poste   job analysis

analyse de prix   price analysis

analyse de régression   regression analysis

analyse des coûts   cost analysis

analyse des défaillances   failure analysis

analyse des séries chronologiques   time series analysis

analyse des séries temporelles ››› *analyse des séries chronologiques*

commande en retard ››› *commande en souffrance*
commande en retard   delinquent order
commande en souffrance   backorder
commande en souffrance ››› *commande en retard*
commande ferme ››› *confirmation de commande*
commande groupée   joint order
commande incomplète ››› *commande partielle*
commande interne ››› *demande interusines*
commande numérique   numerical control
commande numérique directe   direct numerical control
commande numérique informatisée   computer
    numerical control
commande par familles   family contracts
commande partielle   partial order
commande programme ››› *contrat cadre*
commande urgente   rush order
compartiment ››› *case*
comportement d'achat ››› *comportement du*
    *consommateur*
comportement du consommateur   buyer behavior
composant   component
*composante ››› *composant*
composé ››› *ensemble*
composition   composition
composition des ventes ››› *composition du chiffre*
    *d'affaires*
composition du chiffre d'affaires   sales mix
comptabilité des stocks   inventory accounting
comptabilité par activités   activity-based costing
comptabilité par affaire ››› *comptabilité par contrat*
comptabilité par contrat   contract accounting
concentration   concentration
concentration verticale ››› *intégration verticale*
conception assistée par ordinateur   computer-aided
    design
conception (de produit) à la demande   engineer-to-order
conception de prototypes   prototyping
conception participative   participative
    design/engineering
conditions de travail   work rules 2.
conditions générales   boilerplate
conditions (générales)   terms and conditions
configuration   configuration
confirmation de commande   confirming order
connaissement   bill of lading (uniform)
consommation   consumption
consommation   usage
consommation attendue ››› *demande prévisionnelle*
consommation dépendante ››› *demande dépendante*
consommation des prévisions   consuming the forecast
consommation de stock   inventory usage
consommation discontinue ››› *demande discontinue*
consommation indépendante ››› *demande indépendante*

consommation réelle ››› *demande réelle*
consommation théorique   calculated usage
constante   constant
constante alpha   alpha factor
constitution de jeux de pièces   kitting
conteneur   container
conteneurisation   containerization
conteneur standard   standard containers
contrainte   constraint
contrat   contract
contrat cadre   blanket purchase order
contrat de fournitures annuel ››› *marché (de fournitures)*
    *annuel*
contrôle   checking
contrôle à la source   source inspection
contrôle de cheminement   flow control
contrôle de configuration   configuration control
contrôle de flux ››› *contrôle de cheminement*
contrôle de la capacité   capacity control
contrôle de la production ››› *gestion de production*
contrôle de la qualité   quality control
contrôle des activités de production   production activity
    control
*contrôle des inventaires ››› *contrôle des stocks*
contrôle des entrées ››› *contrôle des intrants*
contrôle des entrées-sorties ››› *contrôle des intrants-*
    *extrants*
contrôle des entrées-sorties ››› *suivi intrant-extrant*
contrôle des intrants   input control
contrôle des intrants-extrants   input/output control
contrôle des priorités ››› *gestion des priorités*
contrôle des stocks   inventory control
contrôle d'étape ››› *contrôle ponctuel*
contrôle du premier article   first article inspection
contrôle par échantillonnage   acceptance sampling 1.
contrôle par échantillons   statistical quality control
contrôle par groupe   block control
contrôle par numéro de lot   lot number control
contrôle par prélèvement statistique ››› *contrôle par*
    *échantillonnage*
contrôle ponctuel   point reporting
contrôle statistique   acceptance sampling 2.
contrôle statistique de la qualité ››› *contrôle par*
    *échantillons*
contrôle statistique des procédés ››› *contrôle par*
    *échantillons*
contrôle statistique du processus   statistical process
    control
contrôle visuel   visual control
convenance à l'usage   fitness for use
convention collective   collective bargaining
conversationnel ››› *interactif*
convivial   user friendly

# E

expédition de détail ››› *chargement partiel*
expression des besoins (du consommateur)  voice of the customer
extrapolation  extrapolation

# F

FAB  FOB
FAB ››› *franco à bord*
fabricabilité  manufacturability
fabricant  fabricator
fabrication assistée par ordinateur  computer-aided manufacturing
fabrication cellulaire ››› *production en cellules*
fabrication de composants  fabrication
fabrication du prototype  pilot test 2.
fabrication intégrée à l'aide de l'ordinateur ››› *productique*
fabrication répétitive ››› *production répétitive*
facile d'emploi ››› *convivial*
facilité d'entretien ››› *maintenabilité*
*facilités ››› *installations*
facteur clé de succès ››› *avantage concurrentiel*
facteur d'approximation de lots  batch sensitivity factor
facteur de quantité  quantity per
facteurs clés de qualification  order qualifiers
facteurs clés de succès  order winners
facteurs clés de succès  qualifiers
faire une livraison directe ››› *faire un envoi direct*
faire un envoi direct  drop ship
Fair Labor Standards Act  Fair Labor Standards Act
famille de pièces ››› *classe de pièces*
famille de produits  product family
famille  families
FAO  CAM
FAO ››› *fabrication assistée par ordinateur*
FAQ  FAS 2.
FAQ ››› *franco à quai*
ferroutage  piggyback trailer on flatcar
ferroutage par conteneur ››› *transport rail-route par conteneur*
feuille de lancement  dispatch list
*feuille de temps ››› *fiche de présence*
feuille d'instructions ››› *fiche d'instructions*
fiabilité  reliability
fiche de casier  bin tag 1.
fiche de déplacement ››› *fiche suiveuse*
fiche de gamme d'opérations  batch sheet
fiche de gestion de stock ››› *fiche de stock*
fiche de présence  time card
fiche descriptive (d'un article)  item record
fiche de stock  stock record card
fiche de stock  stores ledger card
fiche de temps  time ticket

fiche de travail  labor claim
fiche d'instructions  process sheet
fiche d'un article ››› *fiche descriptive (d'un article)*
fiche suiveuse  move ticket
fiche suiveuse  traveler
fichier  file
fichier  record 2.
fichier d'assiduité  time and attendance
fichier (de données)  data file
fichier de localisation  locator file
fichier de localisation (du stock)  bin location file
fichier détaillé  detail file
fichier d'inventaire permanent  perpetual inventory record
fichier du personnel  skills inventories
fichier principal  master file
file d'attente (des travaux)  queue
filtre de la demande ››› *encadrement des statistiques de vente*
filtres  dampeners
fixation de frais de transport uniformes  uniform-delivered pricing
fixation de prix d'appel  loss leader pricing
fixation des prix  price fixing
fixation des prix de cession interne  transfer pricing 2.
fixation des prix en fonction de la courbe d'apprentissage  experience curve pricing
fixation des prix en fonction de la marge brute contribution margin pricing
fixation du coût à la série  operation costing
flexibilité  flexible capability
flux semi-continu  semiprocess flow
fonction de niveau de service  service function
fonction logistique  logistics system
fonction objectif  objective function
fonds propres ››› *capitaux propres*
format  format
formation au travail  on-the-job training
formation en atelier-école  vestibule training
formation polyvalente  cross-training
formation sur le tas ››› *formation au travail*
formule  formula
formule de mélange  blend formula
formule de mélange ››› *carte mélange*
fournisseur  supplier 1.
fournisseur  vendor
fournisseur agréé  certified supplier
fournisseur de remplacement ››› *fournisseur substitut*
fournisseur (d'une entreprise)  supplier 2.
fournisseur exclusif  single source supplier
fournisseur homologué ››› *fournisseur agréé*
fournisseur substitut  supplier alternate
fournisseur unique  sole source supplier

fourniture exclusive   single sourcing
fournitures   supplies
fournitures consommables   ›››*fournitures*
fournitures de fabrication et d'entretien   maintenance, repair, and operating supplies
fractionnement de lot   lot splitting
fractionnement (du lot)   ›››*chevauchement (du lot)*
frais d'annulation   cancellation charge
frais de commercialisation   selling expense
frais de passation de commande   ›››*coût de passation de commande*
frais de vente   ›››*frais de commercialisation*
frais d'exploitation   operating expense
frais généraux   overhead
frais (généraux) fixes   fixed overhead
frais généraux imputables   overhead pool
frais généraux variables   variable overhead
frais incorporables   ›››*coût incorporable*
franco à bord   free on board
franco à quai   free alongside ship
franco de port   ›››*port payé*
franco le long du navire   ›››*franco à quai*
freinte   ›››*perte*
freinte (de stock)   inventory shrinkage
fréquence de calibrage   calibration frequency
fréquence d'étalonnage d'un outillage   tool calibration frequency

# G

gamme de base   ›››*gamme directrice (de fabrication)*
gamme (de fabrication)   process list
gamme de fabrication   ›››*gamme (d'opérations)*
gamme de produits   product line
gamme de remplacement   alternate routing
gamme directrice (de fabrication)   master route sheet
gamme (d'opérations)   routing
gamme mère   ›››*gamme directrice (de fabrication)*
GAQ   ›››*groupe d'amélioration de la qualité*
garantie   guarantee
garantie   warranty
garantie de résultat   ›››*engagement de résultat*
garantie formelle   express warranty
gaspillage   waste 1.
gaspillage   ›››*déchets dangereux*
génie informatique assisté par ordinateur   computer-assisted software engineering
gestion centralisée des stocks   centralized inventory control
gestion d'atelier par programmes   schedule control
gestion décentralisée des stocks   decentralized inventory control
gestion de la capacité   capacity management

gestion de la demande   demand management
gestion de la durée de conservation   shelf life control
gestion de la gamme des produits   mix control
gestion de la production et des stocks   production and inventory management
gestion de l'assortiment des produits   ›››*gestion de la gamme des produits*
gestion de production   production control
gestion des casiers de stockage   racking
gestion des matières   materials management
gestion des ordres de fabrication   ›››*suivi des ordres de fabrication*
gestion des priorités   priority control
gestion des ressources   resource management
gestion des stocks   inventory management
gestion des stocks ABC   ABC inventory control
gestion des stocks à flux poussé   push (system) 3.
gestion des stocks à flux tiré   pull (system) 3.
gestion du stock agrégé   ›››*gestion du stock global*
gestion du stock global   aggregate inventory management
gestion en temps réel   time-based competition
gestion intégrale de la qualité   total quality management
gestionnaire des approvisionnements   supplier scheduler
gestion par objectifs   management by objectives
gestion participative   employee involvement
gestion statistique des stocks   statistical inventory control
GIAO   CASE
GIAO   ›››*génie informatique assisté par ordinateur*
GIQ   ›››*gestion intégrale de la qualité*
GIQ   TQM
goulet d'étranglement   ›››*goulot (d'étranglement)*
goulot (d'étranglement)   bottleneck
grand réseau   ›››*réseau étendu*
graphes binaires   branch and bound
graphique de contrôle   control chart
graphique de dispersion   scatter chart
graphique de Gantt   ›››*diagramme de Gantt*
graphique de rentabilité   ›››*graphique du point mort*
graphique du point mort   break-even chart
graphique à bulles   bubble chart
graphique stock/niveau de service   service vs. investment chart
grief   grievance
grille de sélection par coûts pondérés   cost-ratio plan
grille d'évaluation pondérée (des fournisseurs)   weighted-point plan
groupage   freight consolidation
groupage   staging and consolidation
groupage des achats   commodity buying
groupage des approvisionnements   supplier clustering

groupe d'amélioration de la qualité   small group improvement activity
groupe de travail autonome   autonomous work group
groupement technologique   group technology
groupe stratégique ›››*centre d'action stratégique*

# H

habilitation   employee empowerment
hasard ›››*aléa*
heure(-)machine   machine hours
heures de traitement ›››*heures d'exécution*
heures d'exécution   process hours
heures non planifiées   nonscheduled hours
heures produites ›››*état des heures produites*
heures supplémentaires   overtime
heuristique   heuristic
histogramme   histogram
historique d'un produit   product genealogy
horaire de production ›››*calendrier de production*
horaire de production ›››*tableau de planification*
horaire flexible ›››*horaire variable*
horaire variable   flextime
horizon de planification   planning horizon
horizon de prévision   forecast horizon
horizon prévisionnel ›››*horizon de prévision*
horizon prévisionnel ›››*horizon de planification*
hors norme   off-grade
hypothèse de réordonnancement   rescheduling assumption
hypothèse de reprogrammation ›››*hypothèse de réordonnancement*

# I

IAO   CAE
IAO ›››*ingénierie assistée par ordinateur*
ICAO   CAIT
ICAO ›››*inspection et contrôle assistés par ordinateur*
I/E ›››*contrôle des intrants-extrants*
I/E   I/O 1.
îlot d'automatisation   islands of automation
implantation ›››*aménagement*
implantation d'entrepôt en fonction de la fabrication   product positioned warehouse
implantation d'entrepôt en fonction du marché cible   market positioned warehouse
implantation en ligne ›››*aménagement linéaire*
implantation en U ›››*aménagement en U*
implantation linéaire   product layout
implantation par fonctions ›››*aménagement fonctionnel*
implantation par groupes ›››*aménagement en cellules*
impôt sur les stocks   inventory tax

imputation des frais généraux   overhead allocation
incertitude de la demande   demand uncertainty
indemnité pour accident du travail   workers' compensation
indicateur de tendance   leading indicator
indicateur précurseur ›››*indicateur de tendance*
indice   indicator
indice de déviation soutenue   tracking signal
indice de modification   revision level
indice de saisonnalité   seasonal index
indices généraux   global measures
indices spécifiques   local measures
influence saisonnière ›››*saisonnalité*
information   information
informatique décentralisée   distributed data processing
informatique répartie ›››*informatique décentralisée*
ingénierie assistée par ordinateur   computer-aided engineering
ingénierie de la valeur   value engineering and/or analysis
ingénierie et conception simultanées ›››*conception participative*
ingrédient de base   heel
ingrédient standard ›››*ingrédient standardisé*
ingrédient standardisé   standardized ingredient
inscription de commande ›››*entrée de commande*
inspection et contrôle assistés par ordinateur   computer-aided inspection and test
inspection visuelle   visual inspection
installation dédiée ›››*unité de production spécialisée*
installations   facilities
instructions de fabrication   manufacturing instruction
intégration amont ›››*intégration (verticale) ascendante*
intégration aval ›››*intégration (verticale) descendante*
intégration verticale   vertical integration
intégration (verticale) ascendante   backward integration
intégration (verticale) descendante   forward integration
intelligence artificielle   artificial intelligence 1.
intelligence artificielle   artificial intelligence 2.
interactif   interactive
interconnexion de systèmes ouverts   open systems interconnection
intéressement   gain sharing
interférence ›››*bruit*
interpolation   interpolation
interroger   interrogate
interruption   interrupt
intervalle de commande   order interval
intervalle de confiance   confidence interval
intervalle de planification   time bucket
intervalle de révision   review period
intra-entreprise   subplant
intrant   input

intraprise   factory within a factory
*inventaire  ››› *inventaire physique*
*inventaire  ››› *stock*
inventaire comptable   book inventory
inventaire des cas d'emploi   implosion
inventaire intermittent  ››› *inventaire périodique*
inventaire matériel  ››› *inventaire physique*
inventaire périodique   periodic inventory
inventaire permanent   perpetual inventory
inventaire physique   physical inventory 2.
inventaire tournant   cycle counting
inventorier les cas d'emploi   implode 2.
inventoriste  ››› *agent d'inventaire*
inventoriste  ››› *agente d'inventaire*
investissement en stock  ››› *valeur des stocks*
*item  ››› *article*

## J

jalonnement   operations sequencing
jalonnement   sequencing
jalonnement amont   backward scheduling
jalonnement aval   finite forward scheduling
jalonnement aval   forward flow scheduling
jalonnement aval   forward scheduling
jalonnement par lots complets  ››› *ordonnancement sans chevauchement*
jalonnement par période   block scheduling
JAT   JIT
JAT  ››› *juste-à-temps*
jeu de composants  ››› *jeu de pièces*
jeu de pièces   kit
jidoka   jidoka
jours équivalents   equivalent days
juste-à-temps   Just-in-Time
justificatif   voucher

## K

kaïzen  ››› *amélioration continue du processus*
kanban   kanban

## L

lancement   dispatching
lancement   release
lancement centralisé   centralized dispatching
lancement en fabrication  ››› *ordre de lancement*
langage de haut niveau   high-level language
langage (de programmation) évolué  ››› *langage de haut niveau*
langage de quatrième génération   fourth generation language
langage SQL   structured query language

lanterne  ››› *andon*
lecteur optique   scanner
lecteur optique   wand
lecteur optique à scanner  ››› *lecteur optique*
lecture optique   optical scanning
les 14 points de Deming   Deming's 14 points
les cinq «pourquoi»   five W's
lettre de crédit   letter of credit
lettre de voiture  ››› *connaissement*
LHN  ››› *langage de haut niveau*
LHN   HLL
licence d'importation et d'exportation.   import/export license
licence d'import-export  ››› *licence d'importation et d'exportation.*
lien de nomenclature   product structure record
lieu de stockage   stockpoint
lieu de stockage au point de production   outbound stockpoint
lieu d'expédition  ››› *point d'expédition*
ligne de produits  ››› *gamme de produits*
lignes d'action  ››› *principes directeurs*
limite de période   demand time fence
limite de période   time fence
limite de planification  ››› *borne de planification*
linéarité   linearity 1.
linéarité   linearity 2.
lissage   smoothing
lissage de charge   line balancing 2.
lissage de charge   load leveling
lissage de courbe   curve fitting
lissage évolutif  ››› *lissage (exponentiel) adaptatif*
lissage exponentiel   exponential smoothing
lissage (exponentiel) adaptatif   adaptive smoothing
lissage exponentiel double   second order smoothing
lissage exponentiel simple   first order smoothing
lissage exponentiel triple   triple smoothing
lissage harmonique   harmonic smoothing
*liste de matériel  ››› *jeu de pièces*
liste de prélèvement  ››› *bon de sortie*
liste de prix  ››› *barème de prix*
liste des anomalies   exception report
liste des cas d'emplois   where-used list
liste des cas d'utilisation  ››› *liste des cas d'emplois*
liste des manquants prévus   run-out list 2.
liste des travaux à effectuer  ››› *feuille de lancement*
liste noire (des fournisseurs)   denied party listing
liste par épuisement   run-out list 1.
livraison croisée  ››› *expédition croisée*
livraison directe   direct delivery
livraison (d'une commande)   order shipment
livraison fractionnée   split delivery
livraison par tranches   wave picking

ordonnancement de flux continu   process flow scheduling

ordonnancement de flux multiples   mixed flow scheduling

ordonnancement du processus   processor-dominated scheduling

ordonnancement multigamme   job shop scheduling

ordonnancement parallèle   parallel schedule

ordonnancement par palier   step function scheduling

ordonnancement par période ››› *jalonnement par période*

ordonnancement quantitatif   rate-based scheduling

ordonnancement sans chevauchement   gapped schedule

ordre   order

ordre d'achat ›» *bon de commande*

ordre d'arrêt ››› *bon d'arrêt (de production)*

ordre d'assemblage   assembly order

ordre de contrôle   inspection order

ordre de contrôle ››» *bon de contrôle*

ordre de déplacement   move order

ordre de fabrication   manufacturing order

ordre de fabrication de composants   fabrication order

ordre de fabrication en flux   flow order

ordre de fabrication urgent ››› *commande urgente*

ordre de lancement   manufacturing release

ordre de livraison ››› *appel de livraison*

ordre de montage ››› *ordre d'assemblage*

ordre de réapprovisionnement   stock order

ordre de remplacement ››› *bon de remplacement*

ordre de reprise ››› *bon de réusinage*

ordre de transfert ››› *ordre de déplacement*

ordre en retard   past due order

ordre expérimental ››› *ordre pilote*

ordre lancé   open order 1.

ordre pilote   experimental order

ordre planifié   planned order

ordre prévisionnel ››› *ordre planifié*

ordre prévisionnel ferme   firm planned order

organigramme fonctionnel   block diagram

organisation du poste de travail   workplace organization

outillage   jigs, fixtures, gauges

# P

PAE ››› *programme d'aide aux employés*

paiements échelonnés   progress payments

PAO   CAPP

PAO ››› *planification assistée par ordinateur*

paramètre   parameter

paramètre de niveau de service ››› *fonction de niveau de service*

paramètres critiques d'un processus   critical process parameters

paramètres de commande   order quantity modifiers

par défaut   default

part de marché   market share

passation de commande   order placement

PBC ››› *planification des besoins de capacité*

PBC   CRP

PBM ››› *planification des besoins matières*

PBM   MRP

PBM en mode régénératif   regeneration MRP

PBM par variations nettes   net change MRP

PCGR   GAAP

PCGR ››› *principes comptables généralement reconnus*

PDP ››› *programme directeur de production*

PDP   MPS

PEC ››› *période économique de commande*

pénurie ››› *rupture de stock*

PEPS   FIFO

PEPS ››› *premier entré, premier sorti*

période de commande ››› *intervalle de commande*

période de conception   prerelease

période de prévision   forecast interval

période de réapprovisionnement   replenishment period

période de récupération ››› *délai de récupération*

période de remboursement ››› *délai de récupération*

période économique de commande   period order quantity

période ouverte   open period

période prévisionnelle ››› *période de prévision*

périphérique   input/output devices

PERT ››› *méthode PERT*

perte   shrinkage

perte de rendement matières cumulée   cascading yield loss

perturbation ››› *bruit*

petite série ››› *lot*

philosophie de production   manufacturing philosophy

photolecture ››› *lecture optique*

pièce   part

pièce achetée   purchased part

pièce justificative ››› *justificatif*

pièces de rechange   service parts

pièces de remplacement   replacement parts

pièces élémentaires   elemental parts

pièces élémentaires   piece parts

pièces réusinées   remanufactured parts

pièces spécifiques ››› *produit spécifique*

pièce type   composite part

pilotage de l'atelier ››› *contrôle des activités de production*

pilotage de l'atelier   shop floor control

pilotage du processus ››› *maîtrise du processus*

plan   blueprint

plan commercial   sales plan

plan d'affaires ››› *plan d'entreprise*

plan de charge ››› *plan des besoins de capacité*

recherche opérationnelle   operations research 1.
recherche opérationnelle   operations research 2.
recirculation  ››› *recyclage*
réclamation  ››› *grief*
récolement  ››› *inventaire physique*
reconnaissance de la marque   brand recognition
reconnaissance optique de caractères   optical character recognition
recyclage   recycle 1.
recyclage   recycle 2.
redondance   redundancy 1.
redondance   redundancy 2.
réducteurs  ››› *filtres*
réduction de la valeur comptable des stocks  ››› *dévalorisation (des stocks)*
réduction des coûts   cost reduction
réduction graduelle du lot   one less at a time
refabrication  ››› *réusinage*
référence  ››› *article*
références optimales  ››› *standards d'excellence*
refus  ››› *rejet*
réglage  ››› *changement de fabrication*
règle de la date d'échéance  ››› *règle de la date d'exigibilité*
règle de la date d'exigibilité   due date rule
règle de la marge croissante   slack time rule
règle de lancement   dispatching rule
règle des 40/30/30   40/30/30 rule
règle du premier arrivé, premier servi  ››› *règle par ordre d'arrivée*
(règle du) ratio critique   critical ratio
règle du temps d'opération le plus court   shortest process time rule
règle par ordre d'arrivée   first-come-first-served rule
règles de décision linéaires   linear decision rules
règles de programmation  ››› *règles d'ordonnancement*
règles d'exécution du travail   work rules 1.
règles d'ordonnancement   scheduling rules
règle TOC  ››› *règle du temps d'opération le plus court*
regroupement   grouping
regroupement de fournisseurs  ››› *groupage des approvisionnements*
regroupement (de produits)   assorting
regroupement des sorties de stock   zone picking
regroupement (des stocks)   accumulating
rejet   rejection
relance préventive   pre-expediting
relancer   expedite
relevé de production   run sheet
remboursement de droits de douane   drawback
remélange   blend off
remise   discount
remise en fabrication  ››› *réusinage*
remise quantitative  ››› *remise sur quantité*

remise quantitative  ››› *remise*
remise sur quantité   quantity discount
rémunération   compensation
rémunération basée sur les connaissances   pay for knowledge
rémunération fondée sur les habiletés   skill-based compensation
rendement   throughput 2.
rendement de l'actif   return on assets
rendement des investissements  ››› *rendement du capital investi*
rendement du capital investi   return on investment
rendement matières   material yield
rendement matières   yield
rendement matières global   compound yield
rendement matières variable   variable yield
rendement opératoire   operation/process yield
rendu fournisseur  ››› *retour fournisseur*
réordonnancement   rescheduling
réordonnancement automatique   automatic rescheduling
réordonnancement manuel   manual rescheduling
répartiteur   dispatcher
répartiteure   dispatcher
répartition   allocation 2.
répartition décentralisée  ››› *ordonnancement décentralisé*
répartition des coûts fixes par produit   fixed cost contribution per unit
répartition des tâches  ››› *lancement*
répartition par classes de postes   job grade
repérage décalé de lots  ››› *suivi décalé de lots*
repérage de lot   lot traceability
repérage d'un lot   lot number traceability
repères d'excellence  ››› *standards d'excellence*
répertoire de données  ››› *dictionnaire de données*
replanification amont   bottom-up replanning
replanification à rebours  ››› *replanification amont*
reporter (la production)   de-expedite
représentant (de commerce)   sales representative
représentante (de commerce)   sales representative
reprogrammation  ››› *réordonnancement*
reprogrammation automatique  ››› *réordonnancement automatique*
reprogrammation manuelle  ››› *réordonnancement manuel*
*réquisition  ››› *demande d'achat*
réseau   network
réseau   systems network
réseau de production   production network
réseau étendu   wide area network
réseau informatique  ››› *réseau*
réseau local   local area network
réseau synchronisé de fabrication   broadcast system
réservation   reservation

réservation de stock   put-away

réservation physique ››› *affectation physique (des composants)*

résolution de problème théorique   enforced problem solving

responsabilisation du personnel   total employee involvement

ressource   resource

retour à vide   deadhead

retour fournisseur   return to supplier

rétroaction   feedback

rétroconception   reverse engineering

réusinage   remanufacturing

réusinage   rework

revenu marginal   marginal revenue

revue de conception   design review

risque de rupture (de stock)   exposures

ristourne ››› *remise*

RL   LAN

RL ››› *réseau local*

robotique   robotics

ROC ››› *reconnaissance optique de caractères*

rotation des postes   job rotation

rotation des stocks   inventory turnover

rupture de stock   stockout

# S

SAD ››› *système d'aide à la décision*

saisie des retards ››› *diffusion des retards prévus*

saisonnalité   seasonality

salaire à la pièce ››› *salaire aux pièces*

salaire aux pièces   piece rate

sauvegarde   backup/restore

segmentation de marché   market segmentation

sélection collégiale (des fournisseurs)   categorical plan

sélection des articles d'une commande   order selection

sensibilité   nervousness

séparation   deblend

séquencement des opérations ››› *jalonnement*

séquentiel   sequential

série avant changement ››› *lot de mise en course*

série chronologique   time series

série économique (de réapprovisionnement) ››› *quantité économique de commande*

séries de Fourier   Fourier series

série temporelle ››› *séries chronologiques*

séries trigonométriques ››› *séries de Fourier*

série unitaire   EOQ = 1

service à la clientèle   customer service 1.

service à la clientèle   customer service 2.

service de consultations   counselling

service de montage   erection department

service de transport ››› *transport*

seuil chronologique de rentabilité   break-even time

seuil de commande ››› *point de commande*

seuil de rentabilité   break-even point

SIG ››› *système d'information de gestion*

sigma   Sigma

signal de dérive ››› *indice de déviation soutenue*

signal électronique visuel   andon 2.

similitude   commonality

simulation   simulation 1.

simulation   simulation 2.

simulation de capacité   capacity simulation

SMED ››› *mise en course rapide*

SMED   SMED

société de transport   third party logistics company

solvant de transport   transport stocks

sondage ››› *échantillonnage*

sortie   output

sortie à flux poussé   push (system) 2.

sortie à flux tiré   pull (system) 2.

sortie (de stock)   disbursement

sortie (de stock)   issue 1.

sortie (de stock)   issue 2.

sortie en vrac   bulk issue

sortie globale ››› *sortie en vrac*

sortie non planifiée   unplanned issue

sortie planifiée ››› *sortie prévisionnelle*

sortie prévisionnelle   planned issue

sorties   withdrawals 2.

sorties cadencées   metered issues

sorties de fonds   out-of-pocket costs

sorties de magasin ››› *sorties de stock*

sorties de stock   withdrawals 1.

sorties matières comptées ››› *sorties cadencées*

sortie supplémentaire   excess issue

soumission   bid

*sous-assemblage ››› sous-ensemble*

sous-ensemble   subassembly

sous-optimisation   suboptimization

sous-produit   by-product

sous-traitance   subcontracting

spécification   specification

spécification du produit   product specification

standard de production ››› *temps standard de production*

standard de temps   time standard

standardisation   standardization 1.

standardisation des pièces   part standardization

standards d'excellence   benchmark measures

standards militaires   military standards

stimulation des ventes ››› *promotion des ventes*

stock   inventory 1.

stock   inventory 2.

stock   stock 1.

temps de cycle   cycle time 2.

temps de cycle d'une opération sur un lot   lot operation cycle time

temps de démontage   teardown time

temps de déplacement   move time

temps de déplacement   transit time

temps de fabrication   process time

temps de mise en course   setup time

temps de mise en course externe   external setup time

temps de mise en course interne   internal setup time

temps de réponse   response time

temps de service ››› *délai de service*

temps de transfert ››› *temps de déplacement*

temps d'exécution ››› *temps de fabrication*

temps d'exécution   run time

temps global (d'une opération)   operation duration

temps improductif ››› *temps mort*

temps interopératoire   interoperation time

temps mort   idle time

temps réel   real time

temps standard   standard time

temps standard de production   production standard

temps standards ››› *(méthode des) temps standards*

tendance à long terme   secular trend

tenue de l'atelier ››› *entretien des lieux*

tests de vérification   assays

théorie des contraintes   theory of constraints

théorie des files d'attentes   queuing theory

Thomas Register   Thomas Register

ticket de contrôle ››› *bon de contrôle*

tirage ››› *copie papier*

titrage   potency

tolérance   tolerance

tolérance de défaut   fault tolerance

tolérance d'expédition   shipping tolerance

total hétérogène   hash total

tournée de laitier ››› *tournée de ramassage*

tournée de ramassage   milk run

traçabilité ››› *repérage d'un lot*

traçabilité   traceability 1.

traçabilité   traceability 2.

traçabilité de lot ››› *repérage de lot*

traçabilité des besoins   requirements traceability

*trafic ››› *transport*

traitement des commandes   order preparation

traitement informatique des nomenclatures   bill of material processor

traitement par lots   batch processing

transactions   transactions

transfert ››› *déplacement*

transfert de casier   bin transfer

transfert (de données)   download

transfert électronique de fonds   electronic funds transfer

transmission de données   data communications

transport   traffic

transport de retour   backhauling

transporteur à forfait   contract carrier

transporteur autonome   exempt carrier

transporteur privé   private carrier

transporteur public ››› *entreprise de transport public*

transport intermodal   intermodal transport 1.

transport rail-route ››› *ferroutage*

transport rail-route par conteneur   container on a railroad flatcar

travail à la pièce   piece work

*travail clérical ››› *travaux administratifs*

travail de bureau ››› *travaux administratifs*

travail disponible ››› *travail lancé*

travail lancé   available work

travailleur du secteur quaternaire   knowledge worker

travail planifié   active load

travaux administratifs   clerical/administration

TRC ››› *tube (à rayons) cathodique(s)*

TRC   CRT

tri   sorting

tube (à rayons) cathodique(s)   cathode ray tube

type de pièce ››› *code par type de composant*

# U

UCT ››› *unité centrale de traitement*

UCT   CPU

un de moins à la fois ››› *réduction graduelle du lot*

unité centrale de traitement   central processing unit

unité de commande   unit of measure (purchasing)

unité de mesure   unit of measure

unité d'emploi ››› *unité de sortie*

unité de production spécialisée   dedicated capacity

unité de sortie   unit of issue

unité (de) stock   stockkeeping unit

unités équivalentes   equivalent units

univers ››› *population*

usine ciblée   focused factory

usine pilote   pilot plant

usine presse-bouton ››› *usine sans ouvriers*

usine sans ouvriers   dark factory

usine zéro ouvrier ››› *usine sans ouvriers*

utilisation ››› *consommation*

utilisation par dérogation   use as is

# V

valeur actualisée ››› *valeur actuelle*

valeur actualisée nette ››› *(méthode de la) valeur actualisé nette*

valeur actuelle   present value

valeur ajoutée   value added 1.

# W-Z

# BIBLIOGRAPHIE

AMERICAN PRODUCTION AND INVENTORY CONTROL SOCIETY (APICS). *APICS Dictionary*, 7e éd., APICS, 1992.

ARTIGUES, Francis, André BARRACO et Philippe COIFFET. *Dictionnaire de la productique*, Paris, Hermes Publishing, 1985.

ASSOCIATION CANADIENNE POUR LA GESTION DE LA PRODUCTION ET DES STOCKS (ACGPS). *Vocabulaire de la gestion de la production et des stocks*, ACGPS, avril 1988.

ASSOCIATION FRANÇAISE DE NORMALISATION (AFNOR). *Concepts fondamentaux de la gestion de production (X50-300)*, AFNOR, décembre 1988.

ASSOCIATION FRANÇAISE DE NORMALISATION (AFNOR). *Dictionnaire de l'informatique français-anglais*, ISO-AFNOR, 1989.

ASSOCIATION FRANÇAISE DE NORMALISATION (AFNOR). *Qualité (X50-120)*, AFNOR, septembre 1987.

ASSOCIATION FRANÇAISE DE NORMALISATION (AFNOR). *Sous-traitance industrielle (X50-300)*, AFNOR, novembre 1987.

ASSOCIATION FRANÇAISE DE NORMALISATION (AFNOR). *Vocabulaire trilingue de la gestion de la production*, AFNOR CESTA, 1986.

ASSOCIATION FRANÇAISE DE NORMALISATION (AFNOR). *Vocabulaire de gestion de projet*, AFNOR, 1989.

BANKI, Ivan S. *Dictionary of Administration and Management*, Los Angeles, Systems Research Institute, 1986.

BARANGER, P. et G. HUGUEL. *Gestion de la production - acteurs, techniques et politiques*, Paris, Vuibert Gestion, 1981.

BARRAL, Caroline et Jean-Yves GAREL. *Les métiers de la production et la productique*, Paris, Les Éditions d'organisation, 1989.

BEAULIEU, J.-P. et A. PÉGUY. *Pilotage automatique et classes homogènes de gestion*, Paris, Vuibert Gestion, 1985.

BELT, Bill et Oliver WIGHT. *Cinq étapes pour la planification des capacités avec MRP*, Paris, 1987.

BENICHOU, Jacques et Daniel MALHIET. *Études de cas et exercices corrigés en gestion de production*, Paris, Les Éditions d'organisation, 1991.

BÉRANGER, Pierre. *Les nouvelles règles de la production*, Dunod, 1987.

BONETTO, Roger. *Les ateliers flexibles de production*, Paris, Hermes Publishing, 1985.

BUSSIÈRES, Michel. *Comprendre la gestion de la production*, Paris, Institut français de gestion, 1983.

CARILLON, Jean-Philippe. *Le «juste à temps» dans la gestion des flux industriels*, Éditions Hommes et techniques, 1986.

CHAPEAU, Pierre. *Les clefs du juste-à-temps*, ESF éditeur, 1989.

COMMISSION ÉLECTROTECHNIQUE INTERNATIONALE. *Mesure et commande dans les processus industriels*, CÉI, 1987.

CONSEIL INTERNATIONAL DE LA LANGUE FRANÇAISE et ACADÉMIE DES SCIENCES COMMERCIALES. *Dictionnaire commercial*, Paris, Entreprise moderne d'édition, 1987.

COURTOIS, Alain, Maurice PILLET et Chantal MARTIN. *Gestion de production*, Paris, Les Éditions d'organisation, 1989.

CROUHY, Michel. *La gestion informatique de la production industrielle*, Paris, Éditions de l'usine nouvelle, 1983.

DEHERRIPON, Philippe. *Fabriquer - Pilotez l'organisation de votre production*, Paris, Les Éditions d'organisation, 1987.

*Dictionary of Scientific and Technical Terms*, 4e éd., McGraw-Hill, 1989.

*Dictionnaire de droit privé*, Montréal, Centre de recherche en droit privé et comparé du Québec, 1985.

DION, Gérard. *Dictionnaire canadien des relations du travail*, 2e éd., Québec, Les Presses de l'Université Laval, 1986.

DOUCET, Christian. *La maîtrise de la qualité. Tome I : Techniques et méthodes*, Entreprise moderne d'édition, 1986.

DOUCHY, Jean-Marie. *Vers le «zéro défaut» dans l'entreprise*, Paris, Dunod, 1986.

DOUMEINGTS, Guyh. *La gestion de production assistée par ordinateur (GPAO)*, Paris, Hermes Publishing, 1983.

FREEDMAN, Alan. *The Computer Glossary*, 4e éd., USA, Amacon, 1989.

FROMENT, Bernard et Jean-Jacques LESAGE. *Productique. Les techniques de l'usinage flexible*, Paris, Dunod, 1984.

GAVAULT, Louis. *Technique et pratique de la gestion des stocks*, Paris, Delmas, 1980.

GIBERT, Michel. *L'intégration des systèmes de production*, Lyon, Presses universitaires de Lyon, 1989.

GINGUAY, Michel. *Dictionnaire anglais-français d'informatique*, 10e éd., Paris, Masson, 1990.

GINGUAY, Michel et Annette LAURET. *Dictionnaire d'informatique*, 4e éd., Paris, Masson, 1990.

GODDARD, Walter. *Décuplez la productivité de votre entreprise par le juste-à-temps*, Paris, Éditions du Moniteur, 1990.

GOGUE, Jean-Marie. *Qualité et productivité : même combat*, Paris, Éditions du moniteur, 1988.

*Grand Larousse en 5 volumes*, sous la direction de Patrice Maubourguet, Paris, Larousse, 1992.

HENDE, Ronald. *Comment mettre en place une gestion informatique des stocks*, Paris, Éditions de l'usine nouvelle, 1983.

HUNT, V. Daniel. *Dictionary of Advanced Manufacturing Technology*, Elsevier, 1987.

INSTITUTE OF ELECTRICAL AND ELECTRONICS ENGINEERS. *Standard Dictionary of Electrical and Electronics Terms*, 4e éd., New York, I.E.E.E., 1988.

KÉLADA, Joseph. *Comprendre et réaliser la qualité totale*, 2e éd., Montréal, Éditions QUAFEC, 1992.

*Larousse Business dictionnaire / dictionary*, Paris, Larousse, 1990.

LAUMAILLE, Robert. *La gestion des stocks par la maîtrise des flux*, 2e éd., Paris, Les Éditions d'organisation, 1990.

LÉVY, Denis. *G.P.A.O. - Choix d'un système et mise en œuvre*, Paris, Eyrolles, 1985.

MAUREAU, Magdeleine et Gerald BRACE. *Dictionnaire technique du pétrole*, Paris, Éditions Technip, 1979.

MORIN, Michel. *Les magasins de stockage*, Paris, Les Éditions d'organisation, 1987.

MORVAN, Pierre. *Dictionnaire de l'informatique, lexique anglais-français*, Paris, Larousse, 1988.

NOLLET, Jean, Joseph KÉLADA et Mattio O. DIORIO. *La gestion des opérations et de la production*, Montréal, Gaëtan Morin, 1986.

ORDRE DES COMPTABLES AGRÉÉS DU QUÉBEC. *Comité de terminologie française. Terminologie comptable*, Montréal, 1966-1993.

ORGANISATION INTERNATIONALE DE NORMALISATION - ISO 9000. *Normes internationales pour la gestion de la qualité : Quality management and quality assurance - Vocabulary / Management de la qualité et assurance de la qualité - Vocabulaire*, Genève, 1992.

*Petit Larousse illustré 1993*, Paris, Larousse, 1992.

PÉTRIN, Hélène. *Vocabulaire des conventions collectives*, Office de la langue française, Québec, Publications du Québec,1991.

PIRAUX, HENRI. *Dictionnaire anglais-français des termes relatifs à l'électronique, l'électrotechnique, l'informatique*, Paris, Eyrolles, 1989.

PRÉVOST, J.-C. *Point en productique*, Paris,Technique et Documentation Lavoisier, 1986.

PROKOPENKO, Joseph. *Gérer la productivité*, Genève, Bureau international du travail, 1990.

RENYI, Pierre et Dominique AMROUNI. *Dictionnaire anglais-français de l'électronique et de l'électrotechnique*, Toronto, Éditions Rényi, 1986.

ROBERT, Paul. *Le Nouveau Petit Robert : Dictionnaire alphabétique et analogique de la langue française*, nouvelle édition remaniée et amplifiée sous la direction de Josette Rey-Debove et Alain Rey, Paris, Le Robert, 1993.

*Robert & Collins du management : dictionnaire français-anglais, anglais-français*, Paris, Le Robert, 1992.

SCHULTZ, Terry R. *Business Requirements Planning - The Journey to Excellence*, USA, The Forum Ltd, 1984.

SELKINE, Kenichi. *Kanban. Gestion de production à stock zéro*, Éditions Hommes et techniques, 1983.

SHINGO, Shigeo. *La production sans stock*, Paris, Les Éditions d'organisation, 1990.

SHINGO, Shigeo. *Le système SMED*, Paris, Les Éditions d'organisation, 1987.

SYLVAIN, Fernand. *Dictionnaire de la comptabilité et des disciplines connexes*, 2e éd. ent. rev. et corr., Toronto, ICCA, 1982.

*Techniques de l'ingénieur*, A 4350 novembre 1988, vol. 6 - H 6510 mars 1982, vol. 4 - H 6530 mars 1982 - H 6531 - H 6540 mars 1987 - H 6570 mars 1990 - H 6580 septembre 1982 - H 6600 septembre 1983 - H 6610 juin 1987.

TVER, David F. et Roger W. BOLZ. *Encyclopedic Dictionary of Industrial Technology - Materials, Processes and Equipment*, Chapman and Hall, 1984.

*Usine nouvelle : produire*, supplément au no 38 - 20 septembre 1984 et supplément au no 29 - 18 juillet 1985.

*Usine nouvelle*, mensuel, Paris, Usine Publications.

VILLERS, Marie-Éva de. *Multidictionnaire des difficultés de la langue française*, 2e éd., Montréal, Éditions Québec / Amérique, 1993.

VILLERS, Marie-Éva de. *Vocabulaire de la gestion de la production*, Office de la langue française, Québec, Éditeur officiel du Québec, 1981.

VILLERS, Marie-Éva de. *Vocabulaire du micro-ordinateur*, Office de la langue française, Québec, Les Publications du Québec, 1986.

*Vocabulaire de gestion de production informatisée*, Paris, LDI - Conseils, Formation, Organisation et Informatique, environ 1983.

VOLLMAN, Thomas E., William Lee BERRY et D. Clay WHYBARK. *Manufacturing, Planning and Control Systems*, 2e éd., Dow Jones - Irving, APICS, 1988.

WIGHT, Oliver. *Réussir sa gestion industrielle par la méthode MRP-2*, Éditions de l'Usine nouvelle, 1984.

WRIGHT, Paul Kenneth et David Alan BOURNE. *Manufacturing Intelligence*, Addison-Wesley Publishing Company, 1988.

ZERMATI, Pierre. *La pratique de la gestion des stocks*, 3e éd., Paris, Dunod, 1984.

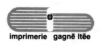
imprimerie gagné ltēe

IMPRIMÉ AU CANADA